KB213325

요단강에 일곱 번 씻으라

요단강에 일곱 번 씻으라

1판 1쇄 인쇄   2022년 12월 10일
1판 1쇄 발행   2022년 12월 15일

지은이   김서택
발행인   한동인
펴낸곳   (주)씨뿌리는사람

등록번호   제2006-4호
주   소   경기도 이천시 경충대로 2096-4
          (서울사무소) T. 741-5181, 4   F. 744-1634

책값은 뒤표지에 있습니다.

ISBN   978-89-90342-60-7

Web   www.kclp.co.kr

"천국은 마치 사람이 자기 밭에 갖다 심은 겨자씨 한 알 같으니
이는 모든 씨보다 작은 것이로되 자란 후에는 나물보다 커서 나무가 되매
공중의 새들이 와서 그 가지에 깃들이느니라"(마 13:31-32)

공급처 기독교문사 도매부 T. 741-5181~3 F. 762-2234

요단강에 일곱 번 씻으라

김서택

씨뿌리는사람

Prologue

프롤로그

《요단강에 일곱 번 씻으라》는 열왕기하 강해의 내용입니다. 열왕기하는 엘리야가 불 병거를 타고 하늘에 올라간 데서부터 안타깝게도 유다가 바벨론에 멸망하는 사건까지 기록되어 있습니다. 열왕기에는 북쪽 이스라엘과 남쪽 유다왕국의 내용이 모두 기록되어 있는데, 북쪽 이스라엘의 멸망과 남쪽 유다가 망하기까지의 내용이 흥미진진하게 기록되어 있습니다.

여기에 두드러지게 나타나는 인물이 엘리야의 제자 엘리사와 히스기야 왕 때 천사 하나가 하룻밤 사이에 앗수르 군대 십팔만 오천 명을 죽인 것, 그리고 히스기야의 기적적인 병 치료와 요시야의 종교개혁 이야기가 나옵니다. 이 흥미진진한 하나님의 이야기가 목회자의 설교와 성도들의 신앙에 큰 도움이 될 줄로 믿습니다.

늘 이 귀한 문서 사역에 묵묵히 충성하시는 한동인 사장님과 말씀의 동역자인 대구동부교회 성도들 그리고 아내, 미국에 있는 딸과 사위 모두에게 감사드립니다.

대구 수성교 옆에서
김서택 목사

Contents

Contents

차 례

01
다른 신에게 묻다
왕하 1:1-18

소설 《파리 대왕》은 아주 거친 성격을 가진 아이들이 캠프를 마치고 비행기가 바다에 추락하는 바람에 무인도에 있게 되면서 벌어지는 이야기입니다. 거기서 아이들은 아주 악한 짓을 저지르게 되는데, 편을 갈라서 서로 싸우고 죽이기도 합니다. 그리고 그 섬에는 돼지가 한 마리 살았는데 아이들은 그 돼지를 잡아 죽여서 머리를 나무 창끝에 꽂아 놓습니다. 그러면 그 죽은 돼지, 머리에 파리들이 우글거리게 됩니다. 이것이 파리 대왕의 실체입니다. 우리 사회에서도 썩은 냄새가 나고 부정부패가 만연한 것은 인간 파리들이 수없이 돌아다니기 때문입니다. 이런 경우 파리 한두 마리 죽인다고 해서 사회가 깨끗해지는 것이 아니라 더러운 곳을 찾아서 그 근본을 제거해야 아름다워질 수 있습니다.

구약 이스라엘에서 아합은 특별한 사람이었습니다. 그는 하나님을 믿는 데 특별한 것이 아니라 우상을 숭배하고 악을 행하는 데 특별했던 것입니다. 이런 어두운 시대에 하나님은 엘리야라는 매우 탁월한 종을 보내서 바알 우상과 싸우게 하셨습니다. 결국 끝까지 잘난 체하기 좋아하고 하나님의 은혜를 모르던 아합은 나가지 말아야 할 전쟁터에 나가서 적병이 우연히 쏜 화살에 맞아 죽게 됩니다.

그리고 아합의 아들 아하시야가 이스라엘 왕이 되었습니다. 우리가 알아야 할 것은 하나님은 하나님의 말씀에 불순종하는 1세대는 길게 봐주시지만, 그다음 세대에게 주어진 시간은 아주 짧다는 사실입니다. 그래서 보통 일 년이나 이 년 아니면 몇 달 안에 회개의 가능성이 보이지 않으면 죽게 만드시는 것입니다.

1. 아하시야의 큰 부상

아하시야는 자라면서 자기 아버지가 바알 신을 끌어들여 섬기고 하나님의 백성을 탄압하는 것을 다 보았습니다. 그러나 하나님은 아합에게 긍휼을 베푸셔서 아합이 도저히 이길 수 없는 전쟁을 두 번이나 이기게 하셨습니다. 아마도 아하시야는 이런 승리가 하나님의 긍휼이라고 생각하지 않고 아버지 아합이 전쟁을 잘해서 이겼다고 생각했을 것입니다. 그러나 아합은 미가야 선지가 나가면 죽는다는 길르앗 라못 전쟁에 나갔다가 누군가 우연히 쏜 화살에 맞아 죽었습니다. 하나님께서 두 번이나 전쟁에서 이기게 하셨으면 길르앗 라못 같은 땅은 포기하고 다음에 하나님이 주실 때까지 기다려야 하는데, 아합은 참지 못하고 전쟁터에 나갔다가 죽었던 것입니다. 그 당시 이스라엘 나라는 전체적인 분위기가 하나님의 말씀이나 능력을 믿는 분위기가 아니었습니다. 평소에는 하나님을 믿는다고 하지만 급하면 점쟁이나 찾고 우상을 찾는 분위기였던 것입니다.

아하시야는 아합의 저주를 덮어쓴 아들이었습니다. 왜냐하면 아버지가 우상숭배를 심하게 하고 죄를 많이 지으면 하나님께서 그 아들에게 아버지의 죄까지 덮어씌워서 심판하시기 때문입니다. 그러나 아하시야는 아버지가 넘겨준 부나 명성을 포기할 생각이 없었습니다. 요즘으로 치면 금수저나 은수저를 포기할 생각이 없었던 것입니다.

아하시야가 왕이 된 후 두 가지 좋지 않은 일이 터지게 됩니다. 하나는 그동안 이스라엘에 엄청난 부를 가져다주던 모압이 배반한 것입니다. 모압은 양을 치는 나라인데 조공으로 양 십만 마리 정도의 양털을 바쳤습니다. 그런데 모압이 배반하니까 엄청난 양털이 사라지게 된 것입니다. 그리고 다른 하나는 아하시야가 부상한 것입니다. 사마리아 왕궁에 있는 다락 난간에서 떨어져 목뼈가 다쳤던 것입니다. 그래서 전신마비가 오게 되었습니다. 아하시야는 자기 몸이 낫기를 바랐습니다. 아하시야가 조금이라도 하나님을 믿는 믿음이 있었더라면 하나님의 선지자에게 물어보거나 성전에 올라가서 하나님께 회개하고 병이 나을 수 있는지 물어봤을 것입니다.

> 1:2, "아하시야가 사마리아에 있는 그의 다락 난간에서 떨어져 병들매 사자를 보내며 그들에게 이르되 가서 에그론의 신 바알세붑에게 이 병이 낫겠나 물어 보라 하니라"

여기서 '물어본다' 라는 말은 병이 나을 수 있는지 없는지 물어본다는 뜻도 있지만, 병이 나을 방법을 가르쳐 달라는 뜻도 들어 있습니다. 아하시야가 다락 난간에서 떨어진 것은 하나님께서 그렇게 하신 것입니다. 즉 아하시야는 하나님의 종으로 가치가 없었으므로 이제 죽을지 살지 결정하라는 의미가 있는 것입니다. 지금 나라가 경제적인 수입에 있어서도 엄청난 타격을 입었고, 왕은 전신마비가 와서 일어나 앉을 수도 없는 처지에 있었습니다. 이때 아하시야의 마음에는 하나님에 대한 반항심으로 가득 차 있었습니다. 그래서 아하시야는 하나님께 병을 고쳐달라고 기도하지 않고 이방 나라에 있던 더러운 신에게 병이 나을 수 있는지 그리고 병을 고치려고 하면 어떻게 하면 되는지 묻도록 사신을 보내었던 것입니다.

이때 에그론 사람들은 '바알세붑' 이라는 신을 섬기고 있었습니다. 바알세붑은 '파리들의 주인' 이라는 뜻을 가지고 있는데, 아마도 에그론에는 파리가 너무 많아서 극성을 떨었던 것 같습니다. 그런데 에그론 사람들은 자기들이 파리의 신을 잘 섬기면 파리들이 인간을 덜 괴롭힐 것으로 생각해서 파리의 신을 섬겼던 것입니다. 왜 아하시야가 다른 많은 신을 내버려 두고 하필이면 가장 지저분한 바알세붑에게 점을 치러 사신을 보내었을까요? 그것이 우리가 알 수 없는 점입니다. 어쩌면 아하시야의 마음속에는 파리같이 더러운 영들이 버글거려서 그런 신을 찾아간 지도 모르겠습니다.

옛날 그리스 사람들은 나라에 전쟁이 일어나거나 개인적으로 중요한 일이 있으면 꼭 델포이 신전에 가서 신탁을 물었습니다. 그러면 무녀들이 신의 오라클(계시)을 받아서 전해 주는데, 대개 모호한 말로 전해 주었습니다. 그러면 그것을 또 해석해주는 사람들이 있었습니다.

그런데 아하시야는 델포이 신전도 아니고 에그론의 파리의 신에게 물었던 것입니다. 아마 아하시야는 자기가 병든 것이 파리 때문이라고 생각하고 파리의 신에게 이 병을 없애달라고 부탁했는지 모르겠습니다.

2. 하나님의 반응

아하시야가 사신을 에그론으로 보내었을 때 '하나님의 사자' 가 디셉 사람 엘리야에게 나타났습니다. 여기서 하나님의 사자는 나중에 메시야로 나타난 그분을 말합니다. 하나님께서는 아직 이스라엘이나 아하시야를 포기하지 않고 그들이 회개하기를 기다리고 계셨습니다. 그런데 아하시야가 끝까지 회개하지 않고 파리의 신에게 사신을 보내었을 때, 하나님의 사자는 엘리야에게 아하시야의 사신들을 만나러 가라고 하셨습니다. 즉 아하시야의 사신들은 에그론까지 갈 필요도 없었던 것입니다.

엘리야는 아하시야의 사신들에게 말을 했습니다. "이스라엘에는 신이 없어서 너희가 에그론 땅에 있는 그 지저분한 바알세붑에게 물으러 가느냐? 하나님께서는 네가 침상에서 내려오지 못하고 반드시 죽을 것이라." 여기서 중요한 것은 아합이나 이스라엘 백성이 그렇게 하나님께 반항하고 우상숭배해도 이스라엘에는 하나님이 계셨다는 사실입니다. 그래서 모압의 배반으로 인한 경제적인 손실과 아하시야의 부상을 통해서 하나님께 물으러 오기를 바라셨던 것입니다.

아하시야는 사신들을 에그론으로 보내었는데, 그들은 출발하자마자 다시 돌아왔습니다. 그래서 아하시야는 사신들에게 "왜 에그론까지 가지 않고 돌아왔느냐?"고 물었습니다. 그러니까 사신들이 에그론으로 가는 중간에 어떤 사람을 만났는데 그의 말이 "이스라엘에는 신이 없어서 에그론의 신 바알세붑에게 물으러 가느냐? 그러므로 네가 올라간 침상에서 내려오지 못하고 죽을 것이라"고 하면서, 그 사람이 왕에게 이 말을 돌아가서 전하라고 했다고 말했습니다.

그때 아하시야는 '아, 하나님은 아직 이스라엘을 버리지 아니하셨구나. 그래서 우리가 에그론의 그 지저분한 신에게까지 가는 것을 막으셨구나'라고 생각했다면 얼마나 좋았겠습니까. 그 대신 아하시야는 "누가 감히 왕에게 그런 말을 하였느냐?"고 하면서 "도대체 어떻게 생긴 사람이었느냐?"고 물었습니다. 사신들은 아하시야에게 "그 사람은 털이 많은 사람인데 가죽 띠를 띠고 있었습니다"라고 대답했습니다. 여기서 털이 많은 사람이라는 것은 엘리야의 몸에 털이 많다는 뜻도 있지만, '털옷을 입은 사람'이라는 뜻도 있습니다. 그래서 아하시야는 곧 엘리야라는 것을 알고는 엘리야를 잡아서 죽이려고 군사를 보내었습니다.

3. 하나님의 사람

아하시야는 약 오십 명의 군사를 보내어 엘리야를 붙잡아오게 했습니다. 그래서 오십부장과 오십 명의 병사들이 엘리야를 체포하러 갔습니다. 그런데 엘리야를 잡으러 가 보니까 그는 산꼭대기에 앉아 있었는데, 오십 명의 병사들이 올라갈 수 있는 곳이 아니었던 것 같습니다. 오십 명의 병사가 강제로 꼭대기에 올라가서 엘리야를 잡을 수 없으니까 그럴듯한 말로 엘리야를 산에서 내려오게 하려고 했습니다. 오십부장은 엘리야에게 "하나님의 사람이여, 왕의 말씀이 산에서 내려오라고 하셨습니다"라고 하면서 내려오라고 부탁했습니다.

이때 엘리야는 "내가 무슨 하나님의 사람이냐? 내가 진짜 하나님의 사람이라면 하늘에서 불이 내려서 너와 오십 명의 병사들을 태울 것이라"고 했습니다. 그때 갑자기 하늘에서 불이 떨어지면서 오십부장과 오십 명의 병사들이 죽게 되었습니다. 그들은 하나님의 종을 함부로 내려오라 말라 하다가 불에 타 죽는 형벌을 당하고 말았던 것입니다. 하나님의 종을 움직일 수 있는 것은 하나님의 말씀이지, 왕이 내려오라 한다고 해서 하나님의 종이 내려오는 것은 아니었습니다. 왕이라고 해서 선지자를 마음대로 오라고 하거나 가라고 할 수 없는 것입니다. 그냥 물었어야만 했습니다.

그럼에도 불구하고 이스라엘에 대한 엘리야의 실망과 침체는 없어지지 않았습니다. 그리고 아하시야는 자기가 선지자를 오라 가라 할 것이 아니라, 선지자에게 하나님의 뜻을 물어야 한다는 생각을 하지 못했습니다. 그래서 두 번째로 다시 엘리야를 체포하기 위하여 오십 명의 병사들을 보내었습니다. 두 번째로 온 오십 부장도 진정한 믿음을 가진 사람이 아니었습니다. 그도 "하나님의 사람이여, 왕이 속히 내려오라고 하셨습니다"라고 말을 전했습니다. 그는 마음속에 하나님의 사람에 대한 진정한 존경심이 없었습니다. 단지 엘리야를 속여서 산에서 내려오게 하는 것이 목적이었습니다.

엘리야는 오십부장의 거짓된 말을 듣고 자기 자신의 침체됨 때문에 또 무서운 말을 했습니다. "내가 하나님의 사람이라고? 내가 진짜 하나님의 사람이라고 너희들은 믿는 거야? 내가 진짜 하나님의 사람이라면 하늘에서 불이 떨어져서 너희 오십 명을 태워죽일 것이라"고 했습니다. 이 말이 떨어지자마자 하늘에서 불이 떨어지면서 오십부장과 오십 명의 병사들이 모두 불에 타서 고통스럽게 죽고 말았습니다.

그러나 아하시야는 포기하지 않고 세 번째로 오십 명의 병사들을 보내었습니다. 이때 세 번째 오십부장은 앞의 오십 명의 병사들이 어떻게 죽었는지를 알았고 그는 마음에 하나님의 종에 대한 두려움이 있었습니다.

1:13. "왕이 세 번째 오십부장과 그의 군사 오십 명을 보낸지라 셋째 오십부장이 올라가서 엘리야 앞에 이르러 그의 무릎을 꿇어 엎드려 간구하여 이르되 하나님의 사람이여 원하건대 나의 생명과 당신의 종인 이 오십 명의 생명을 당신은 귀히 보소서"

그래서 세 번째로 올라간 오십부장은 엘리야 앞에 무릎을 꿇었습니다. 그리고 엘리야에게 나의 생명과 우리 오십 명의 생명을 소중하게 생각해 달라고 부탁했습니다. 그는 "지난번에는 오십부장 둘과 오십 명의 병사들 두 부대가 선지자에게 왔다가 모두 불에 타 죽었다는 말을 들었습니다. 선지자께서는 나와 우리 오십 명의 생명을 소중하게 생각해서 불이 내려서 죽지 않게 해 달라"고 부탁했습니다.

이때 엘리야는 어떻게 해야 합니까? 무릎을 꿇고 비는 병사들에게도 불이 내리게 해서 죽게 해야 하겠습니까? 그때 여호와의 사자가 엘리야에게 아하시야는 곧 죽을 사람이기 때문에 두려워할 이유가 없다고 하셨습니다. 그래서 엘리야가 직접 아하시야를 찾아가서 "네가 사신들을 보내어서 에그론의 신 바알세붑에게 너희 살길을 묻는데 그것은 이스라엘에 물을만 한 참 하나님이 없어서 그렇게 하느냐?"라고 말하라고 하셨습니다. 이 말을 하면 아하시야는 엘리야를 죽일 힘도 없이 죽을 것이라고 하셨습니다. 엘리야가 산꼭대기에서 내려가서 아하시야 앞에서 하나님의 말씀을 전하니까 그는 힘도 쓰지 못하고 죽었습니다.

여기서 우리가 알아야 할 것은 하나님에 대하여 의심이 생기고 반항심이 생기더라도 절대로 다른 신을 찾지 말고 끝까지 하나님을 의지해야 한다는 것입니다. 하나님께 회개하지 않고 하나님을 인정하지 않는 사람은 참 어리석은 사람입니다. 우리는 우리의 미래를 누구에게 묻고 있습니까? 우리는 하나님에게 물어야 합니다. 우리가 병들었을 때 누구와 의논합니까? 물론 의사와 의논해야 하지만 하나님께 살려달라고 부탁해야 합니다. 우리가 하나님께 반항해도 그것은 우리 손해입니다. 우리가 하나님께 반항해도 하나님은 우리와 함께 계십니다. 하나님은 우리가 침체되었을 때도 하늘에서 불이 떨어지는 기적을 통하여 우리가 하나님의 사람인 것을 증명해주실 것입니다.

02
갑절의 성령
왕하 2:1-14

제가 서울에서 목회할 때 비록 개척교회였지만 한창 부흥이 일어나고 있었습니다. 그때 저희 교회 청년들은 다른 어느 곳에서도 맛볼 수 없는 행복을 누릴 수 있었습니다. 그러다가 그야말로 어느 날 갑자기 제가 대구로 떠나게 되었습니다. 그때 교인들이 받았던 충격은 이루 말로 표현할 수 없었습니다. 어느 자매는 조현병이 생겨서 정상적인 생활을 할 수 없게 되어버리고 이상한 말도 하게 되었습니다. 많은 남자 형제들은 완전히 멘붕 상태에 빠져서 정신을 차릴 수 없었다고 했습니다. 저는 마치 어린아이들을 팽개치고 돈 많은 남자에게 재혼한 엄마처럼 옛날 자식들을 생각하면서 오래오래 죄의식을 가지고 있었고, 새벽기도 할 때마다 두고 온 교인들을 생각하면서 울었습니다. 저는 10년을 그들을 위해서 모든 수고를 다 했고 더 이상 가르쳐줄 것이 없다고 생각했습니다. 그러나 그들로서는 그것이 아니었던 모양입니다. 그들은 모두 갑자기 길을 잃어버렸다고 했습니다.

엘리사는 스물네 마리의 소를 가지고 농사짓던 부농이었습니다. 물론 3년 반 동안 비가 오지 않아서 농사를 망쳤다고는 하지만, 이제 다시 비가 오게 되었으니까 열심히 농사지어서 다시 경제적인 부를 일으켜 볼 기회가 오게 되었습니다. 그래서 엘리사는 열심히 농사를 짓고 있었습니다. 바로 그때 거기에 하나님의 선지자 엘리야가 나타나서 엘리사에게 자기 선지자 외투를 던졌습니다. 이것은 이제 농사짓는 일은 때려치우고 내 외투를 들고 나를 따라오라는 뜻이었습니다. 엘리사는 스물네 마리의 소로 농사짓는 것과 하나님 말씀의 종이 되어서 말씀을 배우는 것을 생각해 보았을 것입니다. 그리고 엘리사는 하나님 말씀의 종이 되는 것이 훨씬 좋았습니다. 그래서 그는 그때부터 모든 농사를 포기하고 아무 대책이 없는 하나님의 종 엘리야의 종이 되어서 따라가게 되었습니다. 그러나 문제는 엘리사가 아직 전혀 준비되어 있지 않은 상태에서 하나님이 엘리야를 갑자기 데리고 가려고 한다는 것이었습니다. 그러면 엘리사는 완전히 닭 쫓던 개처럼 되어서 아무 대책이 없이 버려지게 되는 것입니다.

1. 엘리사가 버려야 했던 것

엘리사가 하나님의 부르심을 받은 때는 엘리야가 엄청난 영적 침체를 경험한 후였습니다. 그때 엘리야는 너무 침체되어 광야의 로뎀나무 아래서 하나님께 죽여 달라고 했습니다. 엘리야가 이렇게까지 생각했던 것은 이스라엘 백성에게 너무 실망했기 때문입니다. 하늘에서 불이 떨어지고 하늘 문이 열려서 3년 반 동안 오지 않던 비가 쏟아졌는데도 불구하고 하나님을 믿지 않는 그러한 백성을 엘리야는 상대하기가 싫었던 것입니다. 그러나 하나님은 엘리야에게 새 힘을 주시고 하나님의 세미한 음성 가운데서 앞으로 해야 할 일을 가르쳐주셨습니다. 엘리야가 첫 번째 할 일은 엘리사를 자신의 제자로 삼는 것이었습니다.

엘리사가 하나님의 종의 부름을 받을 때, 하나님께서 그에게 전혀 미리 가르쳐주신 것이 없었습니다. 엘리사는 소 스물네 마리로 농사 짓고 있었는데 하나님께서는 엘리야를 보내셔서 그의 선지자 외투를 엘리사에게 던지게 하셨습니다. 이것은 이제부터 네가 내 외투를 들고 나를 따라오면서 내 심부름이나 하라는 뜻이었던 것입니다. 엘리사는 스물네 마리나 되는 소가 필요했을 정도로 넓은 밭을 가지고 있었습니다. 그러나 무려 3년 반 동안 비가 오지 않아서 큰 고생을 했는데 이제 다시 비가 와서 농사지을 수 있게 되었습니다. 이제 엘리사는 열심히 일해서 그동안 손해 본 것을 보충하고 집안을 다시 일으켜야 했습니다. 그런데 그 순간에 하나님의 종 엘리야는 엘리사에게 모든 것을 포기하고 하나님의 종이 되라고 하신 것입니다. 그때 엘리사는 조금도 주저하지 않고 자신의 소와 밭과 소유를 다 포기하고 완전히 맨손이 되어서 엘리야를 따르는 종이 되었습니다. 그는 하나님의 능력의 가치를 알았기 때문입니다. 엘리사는 이 세상의 어떤 부나 권세나 능력보다 하나님의 능력이 더 크다는 것을 알았습니다.

그 대신 엘리사는 다시는 집으로 돌아오지 않을 것이기 때문에 소 한 마리를 잡아서 동네에 잔치를 베풀었습니다. 그리고 가족과 친척들에게 "이제 엘리사는 없습니다. 저는 완전히 이곳을 떠납니다"라고 작별 인사를 했던 것입니다. 하나님의 말씀이 살아있는 능력의 말씀이 되고 기도가 응답이 되려면 하나님의 종은 극한적인 가난 속에 하나님의 말씀을 붙들어야 합니다. 그렇지 않으면 그것은 하나의 성경공부에 불과하지, 진짜 능력이 나타나거나 기도가 응답되지 않기 때문입니다(마 19:16-30 참조).

그런데 하나님은 엘리사를 바로 말씀의 종으로 사용하시지 않고 엘리야의 사환이 되게 하셨습니다. 사환은 우리가 아는 대로 그야말로 시키는 대로 하는 가장 신분이 낮은 심부름꾼입니다. 엘리사는 요즘으로 치면 어느 정도 성공한 사장인데 갑자기 엘리야의 사환이 되라는 것은 너무 심한 것이 아닐까요? 그러나 하나님의 종은 하나님을 섬기기 이전에 사람을 섬기는 법을 배워야 합니다. 즉 사람을 섬길 줄 모르는 사람은 사람 위에서 군림하려고 하고, 명령하려고 하고, 다른 사람의 어려움을 생각하지도 않습니다. 그런 사람은 오직 자기밖에 모르는 사람이 되고 맙니다.

2. 엘리야를 데려가심

엘리사는 어려울 것이 하나도 없었습니다. 엘리야가 가는 곳만 따라다니고, 하라고 하는 일만 하면 되는 것입니다. 엘리사의 미래의 길은 엘리야에게 있었습니다. 그런데 엘리사는 스스로 일어설 준비가 전혀 되어 있지 않은데, 하나님은 엘리야를 데려가실 계획을 가지고 계셨습니다. 아마 하나님께서는 이제 하나님의 종에게 세대교체가 필요하다고 생각하신 것 같습니다. 그동안 목숨을 걸고 아합과 싸우면서 승리했지만 심한 불신앙적인 이스라엘 백성의 모습에 실망하여 심령이 지치고 너무 지쳐 있던 엘리야를 하나님께서는 하늘로 데려가려고 하셨습니다.

> 2:1, "여호와께서 회오리 바람으로 엘리야를 하늘로 올리고자 하실 때에 엘리야가 엘리사와 더불어 길갈에서 나가더니"

하나님은 한평생 바알 신앙과 싸우면서 지칠 대로 지친 엘리야를 가장 영광스러운 방법으로 은퇴시키기로 작정하셨습니다. 그 방법은 이 세상에서 죽음을 경험하지 않고 산 채로 불 말과 불 병거를 타고 회오리바람으로 하늘로 올라가는 것이었습니다. 이것은 우리에게 중요한 의미를 전해 줍니다. 왜냐하면 우리 인간은 당연히 모두 죽어야 한다고 생각하기 때문입니다. 그러나 죽음이라는 것은 인간에게 운명도 아니고 필수적인 것도 아닙니다. 단지 죄 때문에 죽는 것입니다. 원래 우리 인간이 죄짓기 전에는 모두 엘리야같이 산 채로 하늘에 올라가서 살 수 있었던 것입니다.

그러나 아직 엘리사는 홀로 설 준비가 전혀 되어 있지 않았습니다. 엘리사는 무조건 엘리야가 가는 대로 따라가는 것이 그의 삶의 방향이라고 생각했습니다. 그런데 어느 날 하나님은 엘리사에게도 엘리야를 갑자기 데려가실 것을 알려주신 것 같습니다. 이것은 엘리사에게는 완전히 기둥이 빠지는 것과 같고 삶의 방향을 완전히 잃어버리는 것과 같았습니다. 그래서 엘리사는 결심했습니다. 즉 '나는 엘리야 선생님을 무슨 일이 있어도 놓치지 않겠다. 나는 결사적으로 엘리야를 붙들겠다.'고 각오했던 것입니다. 왜냐하면 지금 이스라엘은 엘리야 한 사람 때문에 망하지 않고 있었고, 이스라엘의 군대 십만 명보다 엘리야 한 사람의 말이 더 위력이 있었기 때문입니다.

이제 엘리야와 엘리사 사이에는 눈에 보이지 않는 팽팽한 긴장이 있었습니다. 엘리야는 하나님이 불러서 하늘로 가야 했고, 엘리사는 엘리야를 놓치면 자기는 죽는다고 생각했던 것입니다. 사실 엘리야에게도 이 세상을 떠나는 것이 좋은 것만은 아니었을 것입니다. 하늘로 간다는 것은 물론 영광스러운 모습을 눈으로 보여주는 것이지만 이 세상과는 완전한 이별이기 때문입니다.

길갈은 하나님의 백성이 가나안 땅을 처음 정복하기 시작한 곳이었습니다. 엘리야는 이곳이라면 엘리사와 작별할만하다고 생각해서 길갈로 갔습니다. 그래서 엘리야는 엘리사에게 "너는 길갈에 있으라. 하나님이 나에게 벧엘로 가라고 하신다."라고 했는데, 엘리사는 잠시도 엘리야와 떨어질 생각을 하지 않고 있었습니다. 엘리사는 맹세하면서 "내가 하나님의 살아계심과 당신의 영혼이 살아있음을 두고 맹세하노니 내가 당신을 떠나지 않겠습니다"라고 하면서 벧엘까지 따라갔습니다(2절).

벧엘은 들판에서 야곱이 하나님을 만난 곳이고 하늘이 열리고 사다리가 하늘까지 연결되었던 곳이었습니다. 그때 벧엘에는 선지자의 제자들이 여러 명 있었습니다. 그들은 엘리사에게 "오늘 하나님께서 당신의 선생을 당신의 머리 위로 데리고 가시려고 하는데 알고 계십니까?"라고 알려주었습니다. 그때 엘리사는 대답하기를 "나도 아니까 너희들은 잠잠히 있으라"고 했습니다. 이때 놀라운 것은 선지자의 제자들 요즘으로 치면 신학생들인데 하나님의 음성을 듣고 예언할 수 있었다는 것입니다. 그러나 엘리사는 같은 하나님의 말씀이라도 엄청난 능력의 차이가 있다는 것을 알고 있었습니다.

벧엘에서도 엘리사는 엘리야와 잠시도 떨어질 생각이 없었습니다. 그러니까 엘리야는 엘리사에게 "너는 여기 좀 있으라. 하나님이 나를 여리고로 가라고 하신다"라고 했습니다. 그때 엘리사는 이전과 똑같은 대답을 했습니다. "나는 하나님의 살아계심과 당신의 영혼의 살아계심을 두고 맹세하노니 절대로 당신을 떠나게 하지 않겠습니다."(6절).

엘리야는 여리고로 갔지만 엘리사는 잠시라도 엘리야를 떠날 생각을 하지 않았습니다. 엘리야를 놓친다는 것은 자기와 자기 나라가 망하고 죽는 길이고 미래를 잃어버리는 길이었기 때문입니다.

엘리야도 엘리사와 오래 함께 있으면서 하나님의 일을 하고 싶었을 것입니다. 그러나 하나님이 오라고 하시면 가야 하는데, 엘리사가 떨어지려고 하지 않으니까 엘리야는 하나님께 갈 수 없었습니다. 엘리야는 엘리사를 떼놓으려고 했지만, 엘리사는 하나님이 엘리야를 데리고 가시려는 줄 알고 결사적으로 떨어지지 않았습니다.

이제 드디어 엘리야와 엘리사는 요단 강가까지 오게 되었습니다. 우리가 여기에서 보면 선지자의 제자들도 조금씩 하나님 말씀의 예언을 하고 있었습니다. 그러나 선지자의 제자가 아무리 많아도 엘리야

한 사람의 능력과는 도저히 비교될 수 없었습니다. 이스라엘의 이 능력, 이스라엘의 이 원자 폭탄을 하나님이 가져가려고 하시니, 엘리사의 마음이 얼마나 답답했겠습니까? 결국 엘리사가 할 수 있는 일은 엘리야를 데리고 가지 못하도록 붙잡고 늘어지는 수밖에 없었습니다.

3. 하나님의 능력

엘리야와 엘리사가 요단 강가까지 왔을 때 선지자의 제자 오십 명이 엘리야와 엘리사를 보고 있었습니다. 그때 엘리야가 겉옷을 벗어서 요단강을 치니까 요단강이 양쪽으로 갈라져서 엘리야와 엘리사는 마른 땅을 건너서 요단강 저편으로 가게 되었습니다.

엘리사는 요단강이 갈라지는 것은 여호수아 때나 있는 일인 줄 알았습니다. 그러나 자기 선생 엘리야는 조금도 어려움 없이 겉옷을 벗어서 물을 치니까 강이 갈려졌습니다. 이런 능력의 모습을 보니까 엘리사는 더욱 더 엘리야를 놓칠 수 없었습니다.

엘리야는 엘리사가 요단강 건너편까지 따라오니까 이제 솔직하게 말을 했습니다. "사실은 하나님이 오늘 나를 세상 저편으로 데리고 가려고 하시는데 네가 이렇게 잡고 늘어지니까 나도 할 수 없다. 내가 너에게 어떻게 해주어야 네가 나에게서 떨어지겠느냐?"

2:9. "건너매 엘리야가 엘리사에게 이르되 나를 네게서 데려감을 당하기 전에 내가 네게 어떻게 할지를 구하라 엘리사가 이르되 당신의 성령이 하시는 역사가 갑절이나 내게 있게 하소서 하는지라"

이것은 엘리사에게 아주 중요한 질문이었습니다. 이때 엘리사는 엘리야에게 무엇을 달라고 해야 하겠습니까? 엘리사는 가장 중요한 것이 무엇인지 알았습니다. 그것은 엘리야가 가진 성령이 하시는 역사의 갑절의 능력이었습니다. 옛날 개역성경에는 "갑절의 영감을 원합니다"라고 되어 있습니다. 오직 성령의 능력이 있으면 이스라엘도 망하지 않고 하나님의 말씀도 능력을 나타내고 나도 살 수 있는데, 시대가 두 배나 악하게 되었기 때문에 갑절의 성령의 능력이 필요하다고 했던 것입니다.

그때 엘리사는 "네가 참 어려운 것을 구한다"고 했습니다. 이것은 가장 중요하면서도 어려운 일이었던 것입니다. 그러면서 엘리야는 "내가 너를 떠나지 않으면 성령의 능력이 임하지 않을 것이라"고 했습니다. 그때 갑자기 강한 회오리바람이 일어나면서 불덩어리가 엘리야와 엘리사 사이로 돌진했습니다. 알고 보니까 그 불덩어리는 엘리야를 데리고 갈 불 말과 불 병거였던 것입니다. 엘리야는 엘리사와 작별 인사도 하지 않고 그대로 불 병거를 타고 하늘로 올라갔습니다. 엘리야가 올라가려고 하면 작별 인사도 하고 엘리사에게 안수 기도도 하고 능력을 주고 가야 하는데, 순식간에 회오리바람과 불덩어리가 그 사이를 갈라놓으면서 엘리야는 아무 소리도 없이 하늘로 올라가 버렸던 것입니다.

2:12, "엘리사가 보고 소리 지르되 내 아버지여 내 아버지여 이스라엘의 병거와 그 마병이여 하더니 다시 보이지 아니하는지라 이에 엘리사가 자기의 옷을 잡아 둘로 찢고"

엘리사는 하늘을 향하여 소리를 있는 대로 질렀습니다. "아버지여, 아버지여, 이스라엘의 병거와 그 마병이여!" 이것은 아버지가 떠나셨고 이스라엘의 마병과 병거가 다 떠나버렸다는 뜻입니다. 엘리야가 떠남으로 엘리사는 물론 이스라엘도 망해버린 것입니다. 엘리사는 화가 나서 자기 옷을 찢어버렸습니다. 이것은 모든 것이 끝장났고 망했다는 뜻입니다. 그런데 엘리야가 떠나면서 겉옷을 던져 놓고 가는 바람에 그 겉옷이 떨어져 있었습니다. 엘리사는 그 겉옷으로 만족할 수 없었습니다. 그런데 그가 요단강에 와서 엘리야의 겉옷으로 "엘리야의 하나님, 어디에 계십니까?"라고 하며 요단강을 치자 요단강이 다시 갈라졌습니다(14절). 이때 엘리사는 엘리야의 능력이 갑절이나 자기에게 임한 것을 알지 못했습니다.

하나님은 우리에게 물으십니다. "내가 너희에게 무엇을 해주면 좋겠느냐?" 우리는 이 세상이 갑절로 악해진 것을 알아야 합니다. 우리에게 필요한 것은 바로 이 성령이 하시는 능력의 갑절입니다. 우리는 이 능력이 임하도록 늘 하나님께 부르짖어야 하겠습니다.

03
능력의 시작
왕하 2:15-25

엘리사는 엘리야가 하늘로 올라가야겠다고 하니까 '당신의 갑절의 성령'을 부어 달라고 요청합니다. 그러나 우리가 생각하게 되는 것은 갑자기 엘리사에게 엘리야의 갑절의 성령이 부어진다면 그것을 엘리사가 감당하겠느냐는 것입니다. 엘리야야말로 오랫동안 연단을 받은 사람이었습니다. 그래서 그는 3년 반 동안 비가 오지 않는 기도를 드리기도 하고, 하늘에서 불이 떨어지는 기적을 행하기도 했습니다. 또 엘리야는 아하시야에게 "네가 여호와 하나님께 길을 묻지 않고 에그론의 바알세붑에게 물었기 때문에 침상에서 내려오지 못하고 죽을 것이다"라고 예언해 놓고는 산꼭대기에서 내려오지 않고 잡으러 온 군인들을 자꾸 하늘에서 불이 내려서 태워 죽게 했습니다. 엘리야가 이 정도인데 아직 큰 능력을 한 번도 행해본 적이 없는 엘리사에게 갑절의 성령의 능력이 임하면 아마 엘리사는 미쳐버릴 가능성이 클 것입니다. 그러나 엘리사 시대의 사람들이 악하고 믿음이 없는 것과 엘리사가 경험 없는 것을 생각하면 엘리사에게는 엘리야의 갑절의 능력이 필요한 것이 또한 사실이었습니다. 그래서 단번에 그런 능력을 부어줄 수는 없으므로 하나님은 엘리사가 감당할 수 있는 범위 안에서 성령을 부어주신 것 같습니다.

엘리야가 하늘로 올라간 후에 엘리야의 능력이 엘리사에게 임하게 되었습니다. 다른 사람들은 이것을 어느 정도 알고 있었지만, 엘리사 자신은 잘 알지 못했습니다. 왜냐하면 성령이 임하신다고 해서 가슴이 뜨거워지는 것도 아니고 '이제부터 성령을 주겠다' 는 하나님의 음성을 들은 것도 아니기 때문입니다. 그런데 서서히 엘리사에게 하나님의 능력이 나타나기 시작했습니다. 그러나 엘리사 주위 사람들도 그렇고, 엘리사 자신도 성령이 임하시는 것이 어떤 것인지 몰라서 좌충우돌하면서 시행착오를 거듭하게 됩니다.

1. 요단강을 건너는 엘리사

하나님은 아무 예고도 없이 회오리바람으로 엘리야를 불 병거에 태워 하늘로 데려가셨습니다. 그때 엘리사는 하늘을 향하여 "내 아버지여 내 아버지여 이스라엘의 병거와 마병이여"라고 하면서 소리를 있는 대로 질렀습니다. 이 말은 아버지가 어떻게 자식을 이렇게 버리고 갈 수 있으며 지금까지 이스라엘을 지켜왔던 병거와 마병이 없어졌으므로 우리는 망했다는 뜻입니다.

그런데 엘리야가 떠난 자리에 엘리야가 입었던 선지자의 겉옷이 떨어져 있었습니다. 지금 엘리야가 떠나고 없는데 그의 겉옷만 있으면 무슨 소용이 있습니까? 그러나 엘리사는 선생의 겉옷으로 요단강 물을 쳤습니다. 그랬더니 놀랍게도 요단강이 갈라지면서 엘리사는 마른 땅 위를 걸어서 요단강을 건너게 되었습니다. 이것은 정말 놀라운 일이었습니다. 엘리야가 겉옷으로 요단강 물을 갈랐는데 엘리사도 그 겉옷으로 요단강 물을 쳐서 갈랐다면 적어도 엘리사에게 엘리야와 같은 성령의 능력이 임한 것입니다.

그런데 요단강 건너편에 서 있던 선지자의 제자들은 엘리야의 능력이 엘리사에게 임했다는 것을 알았습니다. 그래서 그들은 모두 엘리사에게 엎드려 절을 했습니다. 이것은 이제부터 엘리야를 대신해서 엘리사를 선지자로 받아들이겠다는 뜻입니다.

> 2:15, "맞은편 여리고에 있는 선지자의 제자들이 그를 보며 말하기를 엘리야의 성령이 하시는 역사가 엘리사 위에 머물렀다 하고 가서 그에게로 나아가 땅에 엎드려 그에게 경배하고"

우리가 여기서 알 수 있는 것은 하나님의 위대한 종들이 하는 것은 전부 성령의 능력이라는 사실입니다. 그래서 우리에게도 성령의 능력이 임하기만 하면 다윗처럼 시도 쓰고, 엘리야같이 하늘 문을 열었다 닫았다 할 수 있습니다. 그러나 성령이 계시다가 떠나시면 그 사람은 망합니다. 사울 왕처럼 무당을 찾아가거나 혹은 가룟 유다같이 자살하게 되기 때문입니다. 조나단 에드워즈는 말을 타고 숲속을 가다가 성령이 임했는데 그는 거기서 얼마나 울었는지 모릅니다. 그리고 그는 하나님께 너무 성령을 부어주시지 않도록 간구했습니다.

일단 엘리사에게 엘리야와 같이 요단강이 갈라지는 현상이 나타났다는 것은 엘리야의 성령이 엘리사에게 임했다는 것을 보여줍니다. 그러나 엘리사는 선지자의 제자들이 자기에게 절을 하는 것을 보고서도 믿지 않았던 것 같습니다. 엘리야의 성령이 엘리사에게 임한 것은 사실입니다. 하지만 엘리사는 자기에게 임한 성령을 어떻게 써야 할 줄 몰랐습니다. 그는 아무것도 할 수 없었습니다.

2. 선지자 제자들의 불신앙

선지자의 제자들은 요단강 건너편에서 엘리야와 엘리사에게 일어난 일들을 다 지켜보았습니다. 즉 엘리야와 엘리사가 있는 곳에 갑자기 강한 회오리바람이 일어나더니 엘리야는 무슨 붉은 불덩어리 같은 것에 싸여서 하늘로 딸려 올라갔습니다.

우리나라는 나라가 작아서 이렇게 큰 회오리바람은 거의 일어나지 않습니다. 그러나 미국의 켄터키주 같은 곳에 일어나는 토네이도는 엄청난 위력을 가지고 있습니다. 그래서 토네이도가 지나가는 곳의 집들을 다 부수어서 끌고 올라가기도 하고 어떤 때는 차를 끌고 올라가기도 하고 사람도 끌려 올라가기도 합니다.

이것을 생생하게 볼 수 있는 소설이 있는데, 로라 잉걸스의 《초원의 집》입니다. 로라가 어렸을 때 아버지는 사람들이 적게 사는 숲을 떠나서 아주 넓은 평지로 오게 되었습니다. 그때 그 넓은 초원에 집들은 아주 띄엄띄엄 떨어져 있었습니다. 그곳에서 한번은 엄청난 메뚜기떼가 습격하기도 하고 눈보라가 불어와서 아버지가 눈구덩이에 빠져 죽을 뻔한 적도 있습니다. 그런데 한번은 아주 큰 토네이도가 불어왔습니다. 이때 살아날 수 있는 방법은 빨리 지하에 파놓은 지하 저장 창고로 뛰어 내려가서 문을 잠그고 구석에 엎드려 있는 것입니다. 로라 잉걸스의 책을 보면 두 아이가 토네이도에 빨려 올라갔는데 한 아이는 바람이 지나가면서 하늘에서 떨어져 죽었으나 다른 한 아이는 공중에 올라가서 떠 있게 됩니다. 그러다가 그 아이는 서서히 몸이 내려와서 땅에 누웠고 살았습니다.

엘리사가 요단강을 건너오니까 선지자의 제자들은 엘리야가 회오리바람에 빨려서 하늘에 올라갔지만 분명히 바람의 힘이 약해져서 땅에 떨어져 죽었을 것으로 생각했습니다. 그래서 선지자의 제자들은 엘리사에게 부탁하기를 지금 우리가 오십 명인데 흩어져서 엘리야의 시체를 찾아서 장례를 치러야 한다고 주장했습니다. 그러나 엘리사는 반대했습니다. 즉 엘리사는 "하나님은 절대로 그런 분이 아니시다. 엘리야는 그 상태에서 계속 하늘로 올리워 갔기 때문에 더 이상 이 지상에서는 엘리야를 찾을 필요가 없다"고 했습니다. 그러나 선지자의 제자들은 엘리사가 부끄러울 정도로 집요하게 주장했습니다. 그래서 엘리사는 할 수 없어서 그러면 이 부근의 모든 산과 골짜기를 다 찾아보라고 허락했습니다. 그 오십 명이 사흘 동안 산이나 들판이나 골짜기를 다 찾았지만, 엘리야의 시체는 찾을 수 없었습니다.

> 2:17-18, "무리가 그로 부끄러워하도록 강청하매 보내라 한지라 그들이 오십 명을 보냈더니 사흘 동안을 찾되 발견하지 못하고 엘리사가 여리고에 머무는 중에 무리가 그에게 돌아오니 엘리사가 그들에게 이르되 내가 가지 말라고 너희에게 이르지 아니하였느냐 하였더라"

어떻게 해서 이런 일이 일어나게 되었을까요? 선지자의 제자들은 처음에 하나님께서 엘리사의 선생 엘리야를 하늘로 데리고 가신다는 소리를 들었습니다. 그러나 선지자의 제자들은 세상적인 생각으로 해석했습니다. 그래서 그들은 엘리야가 어느 정도 올라가고 난 후에는 회오리바람의 위력도 작아져서 어느 산이나 골짜기에 떨어져 죽어 있을 것으로 생각한 것입니다. 선지자의 제자들은 하나님이 엘리야를 데리고 가신다고 하셨으면 끝까지 데리고 가시는 것을 믿어야 하는데 그 말씀을 소화해내지 못했습니다. 이런 것을 '설사 신학'(?)이라고 불러야 할 것입니다. 그것은 하나님의 말씀이 소화되지 않아서 세상적인 생각으로 빠져버리는 것입니다. 그들은 하나님께서 끝까지 엘리야를 하늘로 데려가는 것을 믿지 못했습니다.

그리고 또 그들은 엘리사가 하나님께서 선생을 데리고 가셨으니까 그 시체를 찾으러 돌아다닐 필요가 없다고 했지만, 끝까지 고집을 부려서 3일 동안 그 부근을 수색했습니다. 그러나 엘리사는 하나님의 신실하심을 믿었습니다. 결국 선지자의 제자들은 온 들판이나 골짜기를 사흘을 돌아다녔지만, 엘리야의 시체를 찾지 못하고 맨손으로 돌아왔습니다. 그때 엘리사는 선지자의 제자들에게 "내가 가지 말라고 하지 않았더냐?"고 하면서 책망을 했습니다.

우리는 하나님을 믿으면 끝까지 믿어야지, 하나님의 힘이 빠져서 중간에 우리를 집어 던진다고 생각해서는 안 됩니다. 하나님은 이스라엘 백성을 광야로 데리고 가셨다가 다 죽이지 아니하셨습니다. 하나님께서는 이스라엘 백성을 끝까지 인도하셔서 가나안 땅까지 들어가게 하셨습니다.

3. 엘리사의 기적의 시작

엘리사가 여리고에 있을 때 그곳 사람들의 말을 들으니까 여리고는 위치가 참 좋고 공기나 햇빛은 좋지만, 물이 좋지 못해서 농사가 안된다고 했습니다. 과일이나 곡식이 익으려고 하면 채 익기 전에 다 떨어져서 농사를 망친다고 했습니다. 아마도 이것은 여호수아의 저주와 관계가 있는 것 같습니다. 여호수아는 이스라엘 백성에게 "영원히 여리고를 재건하지 말라. 누구든지 여리고 성을 재건하면 기초를 놓았을 때 큰아들이 죽을 것이고, 성문을 달 때 막내아들이 죽을 것이라"고 했습니다(수 6:26 참조). 그러나 이스라엘 백성은 하나님의 이 말씀을 우습게 여기고 여리고 성에 와서 살고 있었고 성도 복원하여 농사까지 지었던 것입니다. 그러나 하나님의 저주는 살아 있어서 농사가 잘되지 않았습니다. 이것을 여리고 성 사람들은 하나님의 말씀에 불순종해서 그렇다고 말하지 않고 물이 나빠서 열매가 떨어진다고 하면서 엘리사에게 곡식이나 과일나무들이 열매를 맺을 수 있게 해

달라고 부탁을 했습니다.

　이때 엘리사는 여리고 성 사람들에게 새 그릇에 소금을 담아 가지고 오라고 해서 물이 나오는 근원으로 그 소금 그릇을 가지고 갔습니다. 그리고 물이 나오는 근원에 소금을 뿌리면서 내가 이 물을 고쳤으니 이제는 이 물을 마신다고 해서 죽거나 혹은 과일이 열매 맺지 못하고 죽는 일이 없을 것이라고 했습니다.

> 2:21, "엘리사가 물 근원으로 나아가서 소금을 그 가운데에 던지며 이르되 여호와의 말씀이 내가 이 물을 고쳤으니 이로부터 다시는 죽음이나 열매 맺지 못함이 없을지니라 하셨느니라 하니"

　그런데 엘리사는 소금을 가지고 물의 근원에 가서 소금을 뿌리면서 "내가 이 물을 고쳤다"고 했습니다. 그리고 이제는 이 물을 마셔도 죽지 않고 과일도 떨어지지 않을 것이라고 했습니다. 이것이 엘리사의 첫 번째 기적이었습니다. 즉 여리고에도 과일이 열리고 농사를 지을 수 있도록 그 근본인 물을 고친 것입니다. 소금은 썩지 않고 변하지 않은 특징이 있습니다. 비록 여리고 성은 변했지만, 곡식이나 과일이 무슨 죄가 있습니까? 그래서 엘리사는 소금같이 변하지 말고 하나님을 잘 섬기라고 소금을 뿌려준 것 같습니다.

　하지만 엘리사에게 좋지 않은 일도 있었습니다. 그것은 엘리사가 여리고에서 일을 마치고 벧엘로 올라가고 있을 때였습니다. 그때 벧엘의 작은 아이들이 엘리사를 대머리라고 놀린 것이었습니다. 사실 이스라엘에는 작은 아이라고 해도 청년들인 경우가 많습니다. 그리고 이 아이들은 하나님에 대하여 매우 적대적이었습니다. 그들은 바알과 아세라를 섬기는 아이들이었던 것입니다. 이 아이들은 이미 엘리야가 하늘에 올라갔다는 말을 들었습니다. 그래서 그들은 엘리사가 벧엘에 올라오는 것을 보고 "대머리여 올라가라 대머리여 올라가라"고 하면서 놀렸던 것입니다. 이들이 엘리사에게 올라가라고 한 것은 엘리야처럼 없어지라는 뜻이었습니다. '너도 꼴 보기 싫으니까 너희 선생처럼 하늘로 올라가서 없어지라' 는 뜻이었습니다.

그때 엘리사는 굉장히 화가 났습니다. 그래서 엘리사는 이 벧엘의 깡패들을 여호와의 이름으로 저주를 해버렸습니다. 그러자 수풀에 있던 암곰 두 마리가 당장 뛰쳐나와서 벧엘의 깡패 42명을 물어서 죽였습니다. 엘리사는 자기 입의 말에 그런 엄청난 능력이 있는지 몰랐습니다. 단지 자기를 놀리고 욕을 하니까 화가 났을 뿐입니다. 그러나 선지자의 말에는 능력이 있었습니다. 만약 엘리사가 자기 말에 그런 엄청난 능력이 있는 줄 알았더라면 그들을 저주하지 않고 참았을 것입니다. 그래서 우리도 화가 난다고 해서 다른 사람들을 함부로 저주하면 안 됩니다.

하나님 백성의 말은 바로 기도입니다. 전화통화도 기도입니다. 그래서 함부로 욕하지 말고 저주하지 말고 좋은 말을 하셔야 합니다. 그래서 하나님의 종들의 자아상이 중요합니다. 만일 하나님의 종들의 자아상이 좋지 못하면 별것 아닌 것으로 화를 내고 저주하게 되는데, 결국 그것이 다른 사람들에게 아주 나쁜 영향을 주게 되는 것입니다. 우리는 하나님의 말씀을 들으면서 우리에게 이미 엄청난 하나님의 능력이 임하고 있다는 사실을 믿으시기 바랍니다.

04
구덩이를 파라
왕하 3:1-27

가끔 막 결혼한 젊은 신부가 집들이를 겸해서 남편의 회사 직원을 집으로 초대해서 대접할 때가 있습니다. 그때 젊은 신부는 요리를 잘 할 줄 모르는 데다 손님들이 많이 오니까 음식을 만드는데 엄청난 스트레스를 받습니다. 그래서 신부는 나름대로 시간에 맞추어서 열심히 음식을 준비하고 드디어 손님들이 왔습니다. 신부는 어서 들어오시라고 맞이하고 부엌으로 가서 음식을 내놓아야 하는 순간에 엄청난 사고를 쳤다는 생각이 들게 됩니다. 그것은 그 많은 요리에만 신경 쓰다가 가장 중요한 밥을 하지 않은 것입니다. 그러면 어쩔 수 없이 그때 새로 밥을 지어야 합니다. 그때 저녁 식사는 엄청 늦어지게 되는데 남편은 왜 이렇게 식사가 늦냐고 짜증을 부리게 됩니다.

군인들이 전쟁할 때 가장 중요한 것이 탄약입니다. 총알이 떨어지면 전쟁을 할 수 없습니다. 그러나 총알만큼 중요한 것이 식사입니다. 군인들이 굶어가면서 전쟁할 수는 없습니다. 그래서 군인에게는 배고픈 것이나 강추위는 사실 총알보다 더 무서운 적입니다.

본문은 이스라엘과 유다와 에돔이 연합군을 형성해서 얼마 전에 배반한 모압과 전쟁하러 가는데, 그들이 물을 제대로 준비하지 않은 가운데 벌어진 사건입니다. 그 연합군이 물이 없는 광야 길을 7일 걷고 나니까 가지고 갔던 물이 다 떨어진 것을 알게 되었습니다. 그들은 철수한다고 해도 일주일은 물이 없이 철수해야 합니다. 그렇다고 앞으로 간다고 해서 물을 찾는다는 보장도 없었습니다. 그래서 이스라엘과 유다 왕과 백성들은 더 전진하지도 못하고 후퇴하지도 못하고 물이 없어서 그 자리에서 죽게 되었습니다. 이때 그들은 엘리사 선지자를 만나서 말도 되지 않는 하나님의 말씀을 듣게 됩니다. 그러나 그들은 그 말도 되지 않는 하나님의 말씀에 순종하여 하나님의 기적을 체험하게 되었습니다.

1. 양털과 자존심

3:4-5, "모압 왕 메사는 양을 치는 자라 새끼 양 십만 마리의 털과 숫양 십만 마리의 털을 이스라엘 왕에게 바치더니 아합이 죽은 후에 모압 왕이 이스라엘 왕을 배반한지라"

이스라엘은 모압을 자신의 속국으로 삼아서 매년 새끼 양 십만 마리와 숫양 십만 마리의 양털을 조공으로 받았습니다. 이것은 실로 엄청난 경제적인 수입이었습니다. 그러나 아합이 죽고 난 후 모압은 이스라엘을 배반하고 양털을 보내지 않았습니다. 그래서 여호람은 모압을 그냥 둘 수 없다고 생각해서 수많은 군대를 이끌고 유다 왕 여호사밧과 에돔 왕과 연합하여 모압을 공격하러 갔습니다. 어떻게 생각하면 이것은 당연한 일인 것 같습니다.

그러나 다른 한편으로 보면 여호람은 자숙하고 있었어야 했습니다. 여호람의 아버지 아합은 하나님 앞에서 큰 죄인이었습니다. 그는 하나님을 믿는 사람들을 다 죽였고, 바알과 아세라를 믿게 했습니다. 그리고 의로운 나봇을 하나님과 왕을 저주했다고 모함해서 돌로 쳐 죽이고 그의 포도원을 빼앗았습니다. 결국 아합은 길르앗 라못을 포기하지 못해서 전쟁에 나가면 죽는다는 미가야의 예언을 무시하고 전쟁터에 나갔다가 누군가가 우연히 쏜 화살에 맞아서 죽게 됩니다.

그리고 그 아들 아하시야가 왕이 되었는데, 그는 왕궁 이층 난간에서 떨어져 중상을 입게 됩니다. 아하시야는 살 수 있는 길을 묻기 위해서 에그론에 있는 바알세붑이라는 신에게 사신을 보내었습니다. 그때 엘리야 선지는 아하시야를 향해 "이스라엘에는 하나님이 없어서 먼데 있는 이방신 에그론의 바알세붑에게 길을 물으러 가느냐? 네가 올라간 침상에서 내려오지 못하고 죽을 것이라"고 예언합니다. 엘리야의 말대로 아하시야는 침상에서 내려오지 못하고 죽습니다. 그리고 그의 동생 여호람이 왕이 된 것입니다.

여호람은 아버지 아합과 형 아하시야가 지독하게 하나님께 반항하는 것을 보았고 모두 죽은 것을 어려서부터 보았습니다. 그래서 여호람은 하나님을 잘 믿는 것은 아니었지만 그렇다고 우상숭배를 심하게 한 것도 아니었습니다. 오히려 여호람은 아버지 아합이 만든 바알의 우상들을 다 부수었습니다. 이것으로 하나님의 긍휼하심을 받아서 여호람은 무려 12년 동안 이스라엘을 다스렸습니다.

그러나 12년이 지나고 난 후에 여호람의 마음속에는 하나님을 두려워하는 마음이 사라지게 되었습니다. 여호람의 마음에 이제는 자신이 하고 싶은 대로 하면서 살아봐야겠다는 생각이 들었던 것입니다. 이때 여호람에게 가장 아까웠던 것은 모압이 배반함으로 받지 못하게 된 이십만 마리의 양털이었습니다. 그래서 여호람은 모압과 전쟁해서라도 그동안 받지 못했던 양털을 받아내려고 결심하게 되었습니다.

2. 여호람의 전쟁 준비

모압은 지리적으로 사해 동쪽에 있었기 때문에 상당히 안전한 나라였습니다. 모압의 동쪽에는 어마어마하게 큰 사막과 돌산들이 있어서 적이 함부로 올 수 없었고, 모압의 서쪽에는 사해 바다가 있어서 걸어서 올 수도 없었습니다. 그래서 모압은 공격하기 쉽지 않은 나라였습니다. 그런데 이때 에돔은 이스라엘에 속해 있었습니다. 여호람은 나름대로 치밀한 전쟁 준비를 했습니다. 우선 이스라엘 군대만으로는 그 먼 거리를 이동하는데 힘들 수 있기 때문에 유다 왕 여호사밧에게 같이 싸우지 않겠느냐고 물었습니다. 그런데 여호사밧이 하나님을 잘 섬기고 바알 우상을 다 부순 것은 참 잘한 일이었지만 너무 이스라엘을 믿고 좋아한 것이 문제였습니다.

여호사밧은 아마도 자기 나라보다 엄청나게 크고 잘 사는 이스라엘에 대하여 열등감을 가지고 있었던 것 같습니다. 그래서 여호람이 여호사밧에게 사신을 보내어서 모압과 전쟁하러 가는데 같이 가서 싸우지 않겠느냐고 제안하니까, 여호사밧은 아합 때 전쟁터에 나가서 죽을 뻔하고도 깨닫지 못하고 함께 전쟁하겠다고 약속하게 됩니다.

그래서 이스라엘 왕 여호람은 유다 왕 여호사밧의 군대와 에돔 왕의 군대와 합해서 모압을 치러가기로 했습니다. 그들은 먼저 모압에 기습 공격을 하기로 했습니다. 또 사해 바다 남쪽으로 가는 것이 사람들도 없고 효과가 있겠다고 생각해서 많은 군대를 사해 바다 남쪽 광야 길로 보내 진격하게 했습니다.

그러나 아무리 지혜롭다고 하더라도 사람이 하는 일은 허점이 있기 마련입니다. 여호람과 여호사밧은 군대를 준비하고 무기를 준비하고 양식을 준비했지만, 물을 준비하는 일에 소홀했습니다. 아마 그들은 다른 나라에서 준비했을 것으로 생각한 것 같습니다. 또 그들은 가다가 보면 강이 있을 것이고 그 강물로 물을 보충하리라고 생각했는지도 모릅니다. 그러나 실제로 사해 남쪽 광야 길은 엄청나게 더웠고 거기에는 물이 없었습니다. 그래서 이스라엘 군대와 유다 군대는 7일을 행군했지만, 물을 찾지 못해서 가축이나 사람이나 모두 목말라 죽게 되었습니다. 그때 이스라엘과 유다 군대는 7일을 행군해 왔는데 물이 다 떨어졌으니까 뒤로 후퇴한다고 해도 물은 없을 것이고 앞으로 간다고 해서 물이 있다는 보장도 없었습니다.

이때 여호람과 여호사밧의 태도는 전혀 달랐습니다. 사람이 믿음이 있느냐 없느냐 하는 것은 이렇게 위기가 닥치고 어려움이 닥치면 표시가 나게 되어 있습니다. 여호람은 믿음이 별로 없었기 때문에 하나님을 원망하는 소리부터 했습니다. "슬프다 하나님께서 우리 세 왕을 여기로 오게 하셔서 목말라 죽게 하시는구나"라고 하면서 하나님을 원망했습니다(10절). 믿음이 없는 사람은 어려움이 오면 먼저 하나님부터 원망합니다.

그러나 여호사밧은 믿음이 있었기 때문에 우리가 물을 따로 준비하지 않은 것은 잘못이지만, 기왕 여기까지 왔으니까 여기서 하나님의 말씀을 들어보자고 했습니다. 우리가 어떤 길을 잘못 들어서 큰 위기에 빠질 때가 있습니다. 이때 어떤 사람은 다른 사람을 원망하고, 어떤 사람은 하나님을 원망할 것입니다. 그러나 거기까지 온 것은 어쩔 수 없는 일이고, 거기에서 하나님의 말씀을 듣는 것이 바른 믿음의 자세입니다.

그래서 여호사밧 왕은 부하들에게 여기에서 우리가 하나님의 말씀을 들을만한 선지자가 없느냐고 물어보았습니다. 그랬더니 전혀 그 능력이 검증되지 않은 초보의 선지자가 있다고 대답했습니다. 그 사람은 바로 엘리야의 제자 엘리사였습니다. 엘리사는 엘리야가 세수할 때 물을 붓고 심부름하던 제자였다고 했습니다. 한마디로 검증되지 않은 선지자라는 것입니다. 그러나 여호사밧 왕은 엘리야의 제자라고 하면 믿을 수 있다고 하면서 그 사람을 데리고 오라고 했습니다.

3:12, "여호사밧이 이르되 여호와의 말씀이 그에게 있도다 하는지라 이에 이스라엘 왕과 여호사밧과 에돔 왕이 그에게로 내려가니라"

엘리사는 그 세 왕 앞에 나와서 여호사밧이 부르지 않았더라면 오지도 않았을 것이라고 분명하게 말했습니다. 엘리사는 신앙이 시원찮았던 여호람은 아예 사람 취급도 하지 않았던 것입니다. 이것이 바른 하나님의 종의 자세입니다. 하나님의 종은 다른 사람의 돈이나 권력이나 명예를 보고 굴복하면 안 됩니다. 그 사람의 신앙을 보고 인정해 주어야 합니다.

그러나 엘리사는 거기서 하나님의 말씀을 들을 수 없었습니다. 왜냐하면 너무 많은 군대가 거기서 소리를 지르고 있고 많은 일을 한다고 분주했으므로 하나님의 세미한 음성을 들을 수 없었기 때문입니다. 그래서 엘리사는 혹시 그들 중에 거문고 타는 사람이 있으면 불러 달라고 해서 거문고를 타게 했습니다. 거문고 소리는 엘리사의 마음을 안정시켰을 뿐만 아니라 주위에 있는 많은 사람의 소리도 차단하는 효과가 있었기 때문입니다. 이처럼 사람들을 만나서 이야기하는 것도 중요하지만, 다른 사람들의 소리를 차단하는 것이 더 중요합니다. 우리가 항상 사람의 소리를 듣고 인간적인 계략만 들으면 하나님의 소리를 들을 수 없습니다. 이때 엘리사의 마음이 완전히 안정되는 것이 필요합니다.

3. 구덩이를 파라

드디어 하나님은 엘리사를 통하여 말씀하셨습니다. 하나님께서 엘리사에게 말씀하신 것은 정말 말도 되지 않는 것이었습니다. 하나님의 말씀은 상식적으로나 일반인들의 생각으로는 도저히 말도 되지 않고 실컷 헛고생만 하게 하는 쓸데없는 내용이었기 때문입니다. 이스라엘은 우기와 건기가 나누어져 있어서 건기에는 정말 비가 한 방울도 내리지 않습니다. 그래서 우기에 강이 되어 물이 흐르던 곳도 건기에는 바짝 말라 있습니다. 그런 곳을 '와디' 라고 불렀습니다.

> 3:16-17, "그가 이르되 여호와의 말씀이 이 골짜기에 개천을 많이 파라 하셨나이다 여호와께서 이르시기를 너희가 바람도 보지 못하고 비도 보지 못하되 이 골짜기에 물이 가득하여 너희와 너희 가축과 짐승이 마시리라 하셨나이다"

지금 이스라엘과 유다 그리고 에돔 군사들이 물이 없어서 오도 가도 하지 못할 때는 건기 중의 건기였습니다. 정말 비는 한 방울도 구할 수 없는 때였습니다. 그때 하나님께서는 여호람과 여호사밧에게 골짜기에 구덩이를 많이 파라고 말씀하셨습니다. 비가 오지도 않는 때인데 골짜기에 구덩이를 많이 파봤자 무슨 소용이 있겠습니까? 그러나 하나님은 이런 말도 되지 않는 말씀에 순종할 때 구덩이에 물이 가득하여 백성들과 가축들이 물을 마실 것이라고 하셨습니다. 또 이뿐만 아니라 하나님께서 이 구덩이를 통해서 모압 군대를 너희에게 넘겨서 큰 승리를 거두게 할 것이라고 강조하셨습니다. 즉 이스라엘과 유다 백성은 모압의 모든 성읍을 함락하고 좋은 과일나무는 베고 우물이나 샘은 돌이나 흙으로 메우고 모든 밭을 돌밭으로 만들 것이라고 말씀하셨습니다.

지금 이스라엘과 유다 군대는 물이 없어서 오도 가도 하지 못하는 처지였고, 모압 군대가 기습하면 반대로 전멸을 면할 수 없었습니다. 그런데 하나님은 너희가 말도 되지도 않는 명령에 순종하면 물을 마시게 되고 전쟁에도 이기게 될 것이라고 말씀하셨습니다. 이것은 현실적으로 불가능했습니다. 그러나 이스라엘과 유다 백성은 하나님의 말씀에 순종해서 온 골짜기에 구덩이를 팠습니다. 물론 구덩이를 아무리 파도 물은 냄새조차 맡을 수 없었지만 그들은 할 수 있는 대로 많은 구덩이를 팠습니다. 믿음은 바로 이런 것입니다. 믿음은 말도 되지 않는 하나님의 말씀에 순종하는 것입니다.

그런데 아침이 되었을 때 이스라엘 백성과 유다 백성이 일어나보니까 어디서 물이 흘러왔는지 모르지만 모든 골짜기에 깨끗한 물이 가득 차 있었습니다. 아마 하나님께서 골짜기 저 위쪽에 어느 물길을 터서 물이 흘러나오게 하신 것 같습니다. 이스라엘과 유다 백성은 드디어 물을 구할 수 있게 되었습니다. 그들은 목이 말라서 죽을 수밖에 없었는데 자기들이 팠던 골짜기마다 깨끗한 물이 가득 차 있으니까 물을 마시고 그 물을 왕에게도 갖다 드리고 그 물로 식사도 했습니다. 그러나 유다와 이스라엘 백성을 살리는 것으로 끝난 것이 아니었습니다.

이때 이미 모압 왕은 유다와 이스라엘 백성이 기습 공격한다는 것을 알고는 모든 백성이 갑옷을 입고 모압의 경계선까지 와 있었습니다. 그러나 광야의 아침 햇살은 아주 강렬했습니다. 그래서 이스라엘과 유다 백성이 파 놓은 구덩이에 차 있는 물이 모압 왕과 그 백성의 눈에는 피로 보였던 것입니다. 이에 모압 왕은 아마 이스라엘 왕과 유다 왕이 서로 뜻이 맞지 않아서 자기들끼리 싸우다가 피를 저렇게 많이 흘러서 구덩이가 되었다고 생각했습니다. 그래서 모압 왕은 우리가 전쟁할 필요 없고 어서 가서 그들이 서로 싸우다가 죽은 전리품이나 거두어오자고 하면서 무질서하게 이스라엘과 유다 백성을 향하여 달려들었습니다. 그러나 이스라엘과 유다 백성은 오히려 모두 더 생생하게 기운을 차리고 있었습니다. 이들은 모두 모압 군대를 포위해서 죽였습니다. 그러니까 모압 왕은 칠백명의 특공대를 조직해서 포위망을 뚫으려고 했지만 실패했습니다. 모압 왕은 결국 자기 신의 힘을 빌리기 위하여 자기 다음 왕이 될 아들을 성 위로 데리고 와서 칼로 죽이고 불로 태웠습니다. 그것은 너무나도 끔찍한 장면이었습니다. 모압 왕은 전쟁에 지면 전부 자살할 생각이었던 것 같습니다(26-27절).

그래서 하나님의 백성은 이 정도면 충분한 승리를 거두었다고 생각해서 돌아갔습니다. 이것이 하나님 백성의 미덕입니다. 승자는 승자의 아량이 있어야 합니다. 하나님이 전쟁에 이기게 하셨다고 해서 하나님의 말씀도 없는데 철저하게 죽이고 노략질하는 것은 아량이 없는 행위입니다. 이스라엘 왕과 유다 왕은 물이 없어서 목말라 죽게 되었지만, 하나님의 말씀을 들음으로 모두 살았습니다. 더욱이 그 하나님의 말씀은 말도 되지 않는 명령이었지만 순종했을 때 기적이 일어났습니다. 우리의 신앙은 내가 이해되는 것만 믿는 신앙이 되어서는 안 되고 도저히 말도 되지 않는 말씀을 믿는 신앙이 되어야 합니다.

05
빈 그릇을 빌리라
왕하 4:1-7

우리는 빈 그릇을 보면 두 가지 생각을 하게 됩니다. 우선 빈 그릇 자체로는 아무런 쓸모가 없습니다. 그래서 집집마다 빈 그릇들은 그냥 쌓아놓고 있습니다. 그러나 무슨 큰 잔치 같은 것을 할 때는 빈 그릇이 많이 필요합니다. 음식을 담아야 할 그릇이 많이 필요한데 빈 그릇은 그때 유용하게 쓰일 수 있기 때문입니다. 그러나 가난한 집에서 먹을 것이 없는데 그릇마다 비어 있으면 부모 입장에서는 입에서 한숨만 나올 것입니다.

우리가 이 세상에 살다 보면 하나님을 잘 믿는다고 해서 어려움을 당하지 않는 것이 아닙니다. 오히려 정반대로 하나님을 잘 믿는데 사정은 어려워서 먹을 것이 없고 살 집도 없고 굶어 죽을 수밖에 없는 어려운 때를 만나기도 합니다. 그때 마음속으로 '하나님을 믿는 결과가 이렇게 비참할 수밖에 없는가?' 라는 회의가 생기게 됩니다. 그렇지만 이 세상에서 아무리 가난하고 아무리 배가 고파도 하나님 한 분 바로 믿고 말씀을 바로 찾은 것과는 그 가치를 비교할 수 없다는 사실입니다. 사실 이 세상에는 돈은 많고 넓은 집에서 살아도 자신이 살아야 할 목적을 몰라서 다람쥐 쳇바퀴 돌리듯이 사는 사람들이 너무나도 많습니다.

우리가 하나님을 잘 믿어도 도저히 먹고 살 수 없는 어려움이 찾아올 때가 있습니다. 그때 우리는 어떻게 해야 하겠습니까? 우선 우리는 하나님의 말씀을 기억해야 합니다. 예수님은 "너희는 무엇을 먹을까, 무엇을 마실까, 무엇을 입을까 염려하지 말라"고 하셨습니다. 그리고 "공중의 새를 보라" 또 "들에 핀 백합화를 보라"고 하셨습니다 (마 6:25-26). 우리가 공중에 나는 새를 보고 들에 핀 백합화를 본다고 해서 먹을 것이 생기겠습니까? 그러나 공중의 새나 들의 백합화는 모두 하나님이 우리에게 보내신 편지입니다. 그것들은 '너희들은 절대로 굶어 죽지 않는다'는 하나님의 편지인 것입니다. 우리에게 일용할 양식이 생기면 우리에게는 하나님의 능력이 임한 것입니다.

1. 엘리사 때 한 선지자

엘리야는 하나님의 일을 할 때 참 고독하게 그 일을 한 것 같습니다. 엘리야 편에 선 사람이 아무도 없었기 때문입니다. 그러나 엘리야는 엘리사를 제자로 받아들인 후 다른 선지자의 제자들을 키우기 시작한 것 같습니다. 그래서 이스라엘 여러 곳에서 선지자의 제자들이 있어서 나름대로 하나님의 말씀을 전하고 있었습니다. 그러나 그들의 예언이나 영감의 수준은 미약했습니다.

엘리사가 다른 사람들을 돕기 위해서 기도하면 하나님은 말도 안 되는 방법으로 응답하셨습니다. 하나님의 응답은 상식적으로 말이 안 되고 엘리사 자신의 이성으로도 도저히 하나님의 말씀이라고 전할 수 없는 영감들이 떠올랐던 것입니다. 그런데 엘리사의 놀라운 점은 아무리 하나님의 말씀이 인간적인 생각으로는 말도 되지 않고 웃음거리밖에 안 된다고 하더라도 일단 순종했다는 사실입니다. 그런데 그 결과는 엄청난 기적이었습니다. 그런데 이런 일이 또 일어났습니다. 하나님은 계속해서 엘리사의 믿음을 시험해보셨고 또 믿는 자들의 믿음을 시험해 보셨습니다.

4:1, "선지자의 제자들의 아내 중의 한 여인이 엘리사에게 부르짖어 이르되 당신의 종 나의 남편이 이미 죽었는데 당신의 종이 여호와를 경외한 줄은 당신이 아시는 바니이다 이제 빚 준 사람이 와서 나의 두 아이를 데려가 그의 종을 삼고자 하나이다 하니"

어떤 선지자의 제자가 있었습니다. 그는 바알과 아세라를 숭배하면 성공할 수 있는 세상에서 하나님 말씀의 종이 되기 위해서 선지자의 제자가 되었습니다. 그런데 그 선지자의 제자는 돈도 없었을뿐더러 건강이 별로 좋지 못했습니다. 그 악한 시대에 하나님 말씀의 종이 되려고 했으면 하나님이 그를 고쳐주셔야 할 텐데 그의 병은 낫지 않았고, 빚만 잔뜩 남겨놓고 죽어버렸습니다. 그러나 이 제자의 부인이 남편 죽은 것만 생각하고 가만히 있었다면 하나님의 기적도 체험하지 못했을 것이고, 아마 굶어 죽었을지도 모릅니다. 그들이 살 수 있었던 비결은 하나님의 선지자 앞에 자기들의 사정을 이야기했기 때문입니다. 이처럼 어려운 사정을 하나님께 드러내 놓고 말씀드리는 것이 매우 중요합니다. 한두 번 하나님께서 응답해주시지 않으면 해주실 때까지 간구하는 것입니다.

그런데 이 선지자 제자의 아내는 남편이 죽는 바람에 빚이 많이 있었기 때문에 채주들이 그 아내에게 빚부터 먼저 갚으라고 요구했습니다. 빚을 갚지 못하면 이 집에 아들이 둘 있는데 그들을 종으로 팔아서 빚을 대신하겠다고 했습니다. 남편은 오래 병을 앓다가 죽어버렸고, 빚은 많이 있고, 아이들마저 종으로 팔려 가야 할 처지이니 이 아내는 기가 막혔습니다. 그래서 이 아내는 고민하다가 딴 방법이 없으니까 엘리사를 찾아왔습니다. 그러나 엘리사도 자기 소유를 다 처분하고 하나님의 종이 된 지 얼마 되지 않아 가지고 있던 것이 거의 없었습니다.

그래서 엘리사가 이 아내에게 해 줄 수 있는 말은 "내가 너를 위하여 무엇을 할 수 있겠느냐?"라는 말밖에 없었습니다. 이 말은 쉽게 말하면 '난들 너를 위해서 무슨 수가 있겠느냐?' 하는 뜻입니다. 엘리사도 가지고 있는 돈이 없어서 빚을 갚아줄 수 없었고 아들들을 지켜줄 수도 없었습니다.

2. 하나님 영감의 말씀

엘리사는 가지고 있는 것이 아무것도 없었습니다. 그는 하나님의 종이 되면서 전에 가지고 있던 소나 밭이나 종들을 다른 사람들에게 다 줘버렸습니다. 엘리사는 가진 것이 아무것도 없는 말 그대로 빈손이었습니다. 그러나 엘리사는 다른 사람에게는 없는 어마어마한 재산을 가지고 있었습니다. 그것은 바로 하나님 영감의 말씀이었습니다. 이 영감의 말씀은 어떤 어려운 상황과 부딪쳤을 때 어떤 생각이 자꾸 나는 것입니다. 즉 성령님께서 엘리사의 머릿속에 하나님의 생각을 불어넣으시는 것입니다.

엘리사는 선지자 제자 아내의 말을 듣고 이해는 갔지만, 도울 힘이나 방법이 없었습니다. 그리고 엘리사는 솔직했습니다. "나라고 해서 너를 도울 방법이 있는 것은 아니다. 나도 가진 것이 아무것도 없다"는 말밖에 해줄 것이 없었습니다. 그런데 엘리사가 그 말을 한 즉시 엘리사의 머릿속에는 어떤 생각이 났습니다. 그것은 바로 이 여인이 무엇을 갖고 있는지 물어보아야겠다는 생각이었습니다. 이것은 완전히 새로운 생각이었습니다. '나는 너를 도울 방법이 없다'는 것은 엘리사의 생각이었습니다. 그런데 그 말을 하자마자 하나님은 엘리사에게 새로운 생각을 주셨던 것입니다.

이것은 엘리사가 이 여인이 가지고 있는 것으로 무슨 일을 하겠다는 것도 아니었습니다. 그냥 엘리사의 머리에 그런 생각이 든 것이었습니다. 그리고 엘리사가 그 여인에게 "너희 집에 없는 것이 무엇이냐?"고 묻지 않은 것은 잘한 것이었습니다. 그 여인에게는 없는 것이 너무나도 많았기 때문입니다. 아마 없는 것을 말하라고 하면 끝이 없었을 것입니다. 그런데 하나님의 놀라운 점은 우리에게 없는 것을 사용하시지 않고 크든지 작든지 우리가 가지고 있는 것을 사용하신다는 사실입니다.

4:2-4, "엘리사가 그에게 이르되 내가 너를 위하여 어떻게 하랴 네 집에 무엇이 있는지 내게 말하라 그가 이르되 계집종의 집에 기름 한 그릇 외에는 아무것도 없나이다 하니 이르되 너는 밖에 나가서 모든 이웃에게 그릇을 빌리라 빈 그릇을 빌리되 조금 빌리지 말고 너는 네 두 아들과 함께 들어가서 문을 닫고 그 모든 그릇에 기름을 부어서 차는 대로 옮겨 놓으라 하니라"

이 여인은 자기에게는 기름 한 그릇 외에는 아무것도 없다고 대답했습니다. 곡식이 있어야 기름으로 곡식을 볶아 먹든지 할 텐데 이 여인 집에는 곡식도, 가루도 없고 오직 올리브기름 한 그릇만 있었습니다. 이때 엘리사에게 위대한 하나님의 말씀이 임하기 시작했습니다. 그것은 이 여인에게 집 밖에 나가서 모든 이웃을 돌면서 빈 그릇을 있는 대로 빌리라는 하나님의 말씀이었습니다. 이 여인의 이웃집에는 집마다 빈 그릇이 쌓여 있었습니다. 이 여인은 집집마다 다니면서 빈 그릇을 빌려달라고 해서 엄청나게 많은 빈 그릇을 모았습니다.

그런데 사실 이 여인에게 이웃에 가서 빈 그릇을 빌리라는 엘리사의 말은 말도 되지 않는 말이었습니다. 만약 이 여인이 빈 그릇을 잔뜩 빌려 놓았는데 아무 일도 일어나지 않는다면 이 여인이 얼마나 하나님에게 실망하겠으며, 엘리사도 얼마나 창피하겠습니까? 그러나 하나님에게는 그런 일이 절대로 일어나지 않습니다. 이 여인은 엘리사의 말도 되지 않는 말씀에 즉각 순종했습니다. 어디에 쓰려고 하는지 따위의 질문도 하지 않았습니다. 더욱이 엘리사는 이 여인에게 빈 그릇을 빌리되 조금 빌리지 말고 할 수 있는 대로 많이 빌리라고 가르쳐 주었습니다. 이 여인은 아들 둘을 데리고 온 동네를 다니면서 빈 그릇이란 빈 그릇은 다 빌렸습니다. 그래서 이 여자의 집에는 빈 그릇이 가득 쌓이게 되었습니다.

그때 엘리사는 이 여인에게 "일단 문을 닫아 놓고 너희 집에 있는 한 그릇의 기름을 네가 빌린 그 빈 그릇에 부으라"고 했습니다. 이 여인은 아무 생각 없이 자기가 가지고 있는 기름을 빌린 그릇들에 붓기 시작했습니다. 그랬더니 기름이 계속 그 그릇에서 흘러나왔습니다. 이 그릇에 차면 저 그릇에 붓고, 저 그릇에 차면 이 대야에 붓고, 이 대야에 차면 저 솥에 붓고, 그래서 이 여인은 빌려온 모든 그릇에 기름을 부었습니다. 하나님은 물의 하나님만 되시는 것이 아니라 기름의 하나님도 되셨습니다.

이 여인은 빈 그릇에 기름 붓는 일은 피곤했지만 기쁨이 넘쳤을 것입니다. 그 여인은 쉬지 않고 빌린 그릇 전체에 기름을 부었습니다. 그랬더니 아들 하나가 "엄마, 이제 빈 그릇이 없어요."라고 말했습니다. 그때 기름이 딱 끊어졌습니다. 그러나 이 여인의 방과 옆방과 다락에는 기름이 가득 찬 그릇들로 꽉 차 있었습니다.

하나님께서는 우선 이 여인에게 문을 닫고 기름을 부으라고 말씀하셨습니다. 그것은 하나님의 기적의 현장을 다른 사람에게는 보여주지 않으려고 하셨기 때문입니다. 하나님은 기적의 현장을 은밀하게 감추시기를 원하십니다. 그래서 기적의 현장에서는 문을 닫고 은밀하게 해야 하고, 기도도 할 수 있으면 골방에서 하는 것이 좋은 것입니다. 왜냐하면 하나님은 은밀한 것을 좋아하시기 때문입니다.

3. 하나님의 해결 방법

이 여인은 빚이 많았습니다. 그런데 자기 사정을 선지자에게 와서 아뢰고 선지자가 시키는 말도 되지 않는 말씀에 순종했을 때 기적이 일어나서 빌린 그릇마다 고급 올리브기름으로 가득 차게 되었습니다. 올리브기름도 종류가 많다고 하는데, 고급 기름은 올리브를 딴 지 스물네 시간 안에 짜야 한다고 합니다. 그리고 올리브기름도 비싼 것은 아주 비싸다고 합니다. 이 여인은 이 많은 기름을 가지고 무엇을 해야 할지 몰라서 다시 선지자를 찾아왔습니다. 이 여인은 엘리사를 찾아와서 선지자가 말씀하신 대로 했더니 그릇마다 기름이 가득 차게 되었다고 했습니다. 그랬더니 엘리사는 아주 간단하게 빚을 해결하는 방법을 가르쳐주었습니다. 그 기름을 팔아서 빚을 갚고 남은 돈으로 너와 네 두 아들이 생활하라고 했습니다. 아마 기름 장사 중에서 이 여인만큼 좋은 기름을 많이 가지고 있는 사람은 없었을 것입니다. 하나님의 해결 방법은 간단했습니다. 그 빈 그릇을 가득 채운 기름을 팔면 빚을 갚고도 충분한 돈이 생길 것이라고 했습니다.

4:7, "그 여인이 하나님의 사람에게 나아가서 말하니 그가 이르되 너는 가서 기름을 팔아 빚을 갚고 남은 것으로 너와 네 두 아들이 생활하라 하였더라"

이 여자의 믿음은 무엇이었습니까? 그것은 엘리사 선지자의 말도 되지 않는 말에 즉각 순종한 것입니다. 도대체 빈 그릇을 빌리는 것이 빚을 갚고 먹고사는 것과 무슨 상관이 있습니까? 믿음은 무엇입니까? 우리 머리로는 말도 되지 않는 하나님의 말씀에 순종하는 것입니다. 그리고 선지자는 여인에게 그릇을 빌릴 바에는 할 수 있는 대로 많이 빌리라고 했습니다. 이것은 엘리사가 얼마 전에 유다와 이스라엘 병사들에게 전쟁 중에 웅덩이를 파려고 하면 많이 파라고 지시한 것과 같습니다. 하나님의 능력은 무한정이신데 우리는 자기가 가지고 있는 그릇만큼만 가질 수 있기 때문입니다. 그래서 우리는 믿음의 큰 그릇을 가질 필요가 있습니다. 우리는 시시하고 쩨쩨한 것에 집착할 것이 아니라 하나님의 큰 능력을 바라보아야 합니다.

그러나 하나님께서는 기적이 일어나는 과정은 믿는 자만 보시기를 원하십니다. 그래서 문을 닫고 기름을 부으라고 하셨습니다. 왜냐하면 믿음이 없는 사람은 그 기적을 볼 자격이 없기 때문입니다. 우리는 어려움이 생겼다고 절망하지 마시기 바랍니다. 하나님의 백성은 반드시 살길이 있기 때문입니다. 하나님이 어떻게 해서 우리를 살게 하실지는 잘 모릅니다. 그러나 반드시 하나님에게는 우리를 살게 하실 길이 있습니다. 그리고 우리가 말도 되지 않는 하나님의 말씀에 순종할 때 기적의 창고로 들어가게 될 것입니다.

06
수넴 여인의 믿음
왕하 4:8-37

가끔 교회에서나 세상에는 복음에 대하여 적대적인 곳이 있습니다. 그런 곳에서 설교하면 분위기 자체가 썰렁하고 사람들은 불쾌한 표정을 나타내고, 어떤 사람은 고함쳐서 예배를 방해하기도 합니다. 또 어떤 사람이 예수 믿지 않는 기독교에 대하여 적대적인 마을에 가서 전도하면 죽은 고양이 사체를 설교자에게 던지기도 하고 썩은 달걀이나 돌을 던지기도 하고 어떤 사람은 멱살을 잡고 끌어내어 질질 끌고 나가는 때도 있습니다. 그런 가운데서 누군가가 귀한 믿음을 가지고 있는데 그는 설교자의 상처를 치료해주기도 하고, 잘 곳이 없을 때 몰래 사랑방에서 재우기도 하고 비록 식은 밥이지만 식사를 대접하기도 합니다. 이것이 바로 주의 종에게 냉수 한 그릇을 대접하는 것입니다. 예수님께서는 작은 자 중 한 사람에게 냉수 한 그릇을 대접해도 결단코 상을 잃지 않으리라고 했습니다(마 10:42).

수년 전에 존 스토트 목사가 우리나라를 방문한 적이 있었습니다. 이분은 그야말로 낡은 양복을 입고 있었는데 바지 주머니가 찢어진 채였습니다. 그것을 본 우리나라 어떤 권사님이 양복을 하나 해 드려도 되겠느냐고 물었습니다. 존 스토트 목사는 안내하는 교수에게 이런 제안을 받았는데 과연 자기가 그 옷을 받아도 되겠는지 물었습니다. 그때 그 교수는 "한국 여자가 마음에 한을 품으면 오뉴월에도 서리가 내린다"고 하면서 한국 여성의 요청을 거절해서는 안 된다고 대답했습니다. 그래서 존 스토트 목사는 한국의 어느 권사님이 해주신 양복을 입고 영국으로 돌아갔습니다.

그런데 어떤 경우에는 같은 교회를 다닌다고 하면서 가시 노릇을 하거나 자기 생각과 맞지 않으면 소리를 지르고 싸우려고 하는 분들도 있습니다. 그런 분들의 중심에는 하나님을 우습게 아는 마음이 들어 있고 하나님의 말씀을 전혀 가치 있게 생각하지 않는 것을 볼 수 있습니다.

하나님의 종들을 우습게 알고 하나님의 말씀을 적대적으로 대하는 것은 엘리사 때에도 만연해 있었습니다. 그래서 엘리사가 벧엘에 올라갔을 때 많은 청년이 나와서 엘리사를 대머리라고 하면서 꺼지라고 한 것을 볼 수 있습니다. 그런데 이렇게 말씀에 대하여 적대적인 분위기 가운데서 하나님의 사람을 최선을 다해서 섬기려고 하는 한 여인이 있었습니다. 아마도 남편은 별로 신앙이 없는 사람인 것 같은데 이 여인은 하나님의 종을 귀하게 생각했습니다. 그래서 엘리사가 자기 동네에 오기만 하면 억지로라도 음식을 대접하고 나중에는 엘리사가 말씀을 묵상하고 쉴 수 있는 다락방까지 제공해 드렸습니다. 그런데 이 집에 하나님의 귀한 역사가 나타나게 됩니다.

1. 선지자를 대접하는 여인

믿음에 있어서는 남성들보다 여성들이 더 좋은 경우가 많은 것 같습니다. 엘리야가 사렙다에 갔을 때 먹을 것이 없어서 마지막 떡을 만들어서 아들하고 죽으려고 하던 여인도 엘리야가 그 떡을 먼저 나에게 달라고 했을 때 그 마지막 떡을 만들어서 엘리야에게 주었을 때 모두 다 사는 기적을 보게 됩니다.

엘리사 때에도 하나님 말씀의 가치를 아는 아주 귀한 여인이 있었습니다. 이 여인은 엘리사가 수넴이라는 곳에 올 때마다 음식을 대접했습니다.

4:8, "하루는 엘리사가 수넴에 이르렀더니 거기에 한 귀한 여인이 그를 간권하여 음식을 먹게 하였으므로 엘리사가 그 곳을 지날 때마다 음식을 먹으러 그리로 들어갔더라"

하나님의 종 엘리사는 먹을 것도 없이 하나님만 믿고 말씀을 전하러 다닐 때가 많았습니다. 그런데 수넴에 한 귀한 여인이 있어서 엘리사의 설교를 듣고는 '이것은 분명한 하나님의 말씀이다. 하나님의 종이 이런 말씀을 전하는 것은 하나님의 축복이 여기에 온 것이다' 라고 생각해서 엘리사를 간권해서 자기 집에 가서 음식을 대접했습니다. 이를 통해 이 여인의 하나님 말씀에 대한 아주 소중한 태도를 볼 수 있습니다. 그리고 이 여인은 한번만이 아니라 엘리사가 그 동네에 올 때마다 간권해서 늘 자기 집에 와서 음식을 먹게 했습니다.

그런데 이 수넴 여인은 엘리사가 식사를 마친 후에 쉴 곳이 없다는 것을 알게 되었습니다. 하나님의 종들도 인간이기 때문에 좀 쉬어야 다시 힘을 내어서 말씀을 전할 수 있고, 또 하나님의 말씀은 예민하기 때문에 하나님의 영감을 받기 위하여 묵상할 수 있는 공간이 필요했습니다. 그래서 이 여인은 남편을 설득했습니다. 즉 "제가 보기에 저분은 아주 귀한 하나님의 종인데 우리 동네 사람들이 너무 푸대접해서 쉴 곳이 전혀 없는 것을 보았습니다. 우리가 그렇게 해서는 안 됩니다. 우리가 저분을 위하여 작은 다락방을 담 위에 만들어서 그 안에 침상을 두고 책상과 의자를 두고 촛대를 두어서 언제 오시든지 간에 집에 들어올 필요 없이 그 방에 바로 들어가서 쉬시기도 하고 하나님의 말씀을 묵상하도록 했으면 좋겠습니다."라고 제안했습니다. 그런데 그 남편도 마음이 선한 사람이어서 여인의 이 제안을 허락했습니다. 그래서 이 수넴에서는 엘리사가 언제든지 와도 쉴 수 있는 다락방이 생겼던 것입니다. 엘리사에게는 보통 고마운 일이 아니었습니다.

2. 구하지 않은 것을 주시는 하나님

엘리사는 수넴 여인의 도움으로 너무나도 좋은 상황에서 말씀을 전할 수 있게 되었습니다. 엘리사는 수넴 여인의 도움이 너무나도 고마워서 무엇인가 그 집에 도움을 주고 싶었습니다. 그래서 엘리사는 자기 종 게하시를 보내어서 수넴 여인을 불렀습니다. 그리고 엘리사는 자기 종을 통해서 수넴 여인에게 "네가 이렇게 세심하게 우리에게 사랑을 베푸는데 우리가 무엇을 도와주었으면 좋겠는지 말을 하라"고 했습니다. 엘리사는 수넴 여인에게 "네가 왕에게 무슨 부탁을 드릴 것이 있으면 내가 왕을 찾아가든지 하나님께 기도해서 해결해 줄 것이고, 또 군대 사령관에게 부탁할 것이 있으면 내가 직접 찾아가든지 아니면 기도를 해서 해결해 줄 테니까 무엇이든지 필요한 것이 있으면 말을 하라"고 했습니다. 그러나 수넴 여인은 자기는 원하는 것이 아무것도 없다고 했습니다. 그리고 자기는 일반 백성과 조금도 다른 취급을 받고 싶지 않다고 했습니다.

그런데 이 수넴 여인이 왕을 만나게 되는 것은 아주 오랜 세월이 흐른 후에 이루어지게 됩니다(왕하 8:1-6 참조). 즉 수넴 지역에 엄청난 흉년이 찾아올 것이라는 하나님의 계획이 있었습니다. 그래서 엘리사는 이 여인에게 앞으로 엄청난 흉년이 닥칠 텐데 다른 곳으로 피해 있으라고 이야기합니다. 그래서 수넴 여인은 집을 비우고 블레셋 땅에 몇 년 동안 피해 있었습니다. 그리고 흉년이 끝난 후 수넴 여인이 자기 집에 와보니까 다른 사람들이 집과 밭을 다 차지해서 내어놓으려고 하지 않았습니다. 그래서 그 여인은 왕에게 탄원하게 됩니다.

그때 왕은 엘리사가 한 기적들이 아주 궁금해서 엘리사의 종 게하시를 불러서 엘리사가 했던 기적 중에서 놀라운 일이 무엇이 있느냐고 묻고 있었습니다. 그랬더니 게하시가 "엘리사는 죽은 아이를 살린 적이 있습니다"라고 대답했습니다. 마침 그때 이 수넴 여인이 왕에게 찾아와서 자기 집과 밭을 찾아달라고 탄원하고 있었습니다. 이 여인과 같이 온 아이를 보고 게하시는 "엘리사가 죽었던 아이를 살린 아이가 바로 저 아이입니다"라고 왕에게 바로 이야기했습니다. 왕은 그 이야기를 듣고 사람들에게 이 여인의 집과 밭을 돌려줄 것을 명하고 그동안 사람들이 따 먹은 곡식과 열매까지 다 계산해서 돌려주라고 명령합니다. 이것을 보면 하나님께 선행한 것은 아무리 시간이 흘러도 없어지지 않는 것을 알 수 있습니다.

수넴 여인은 굳이 엘리사가 도움을 주겠다고 해도 자기는 아무것도 필요한 것이 없으므로 부탁할 것도 없다고 대답했습니다. 그랬더니 엘리사는 자기 종 게하시에게 이 집을 돌아보고 이 집에 필요한 것이 무엇인지 찾아보라고 했습니다. 게하시는 이 수넴 여인의 집을 돌아보고 난 후에 엘리사에게 와서 이 집에는 아이가 없는데, 남편은 늙어서 아이를 더 낳을 수 없고 이 여인은 아이를 낳지 못했다고 대답했습니다. 얼마 후 엘리사는 다시 수넴 여자를 불러서 "하나님께서 말씀하시는데 내년 이맘때쯤 네가 아이를 안게 될 것이라"라고 했습니다. 그러나 이 여인은 이미 아이 문제는 포기했기 때문에 "하나님의 사람이여, 이 여종을 속이지 마십시오"라고 대답했습니다.

하나님은 사랑하는 자에게 구하지 않은 것까지 찾아서 응답해주십니다. 때로는 기도하지 않았던 것이 응답될 때도 있습니다. 이것은 하나님이 나를 사랑하신다는 표시입니다. 과연 엘리사의 말대로 이 수넴 여인은 임신하게 되었고 일 년 후에 아이를 낳아서 안고 젖을 먹이게 되었습니다. 수넴 여인은 자기가 감히 기도하지도 않았던 것을 하나님이 선물로 주시니까 얼마나 감격스러웠는지 모릅니다.

3. 믿음의 가정에 생긴 환란

수넴 여인의 집은 아이가 없다가 생기니까 활력이 넘치게 되었습니다. 그리고 아이가 어느 정도 커서 제법 걷기도 하고 말도 하게 되었습니다. 그런데 하루는 이 아이가 굳이 아버지가 일꾼들을 데리고 추수하는 데 따라가겠다고 합니다. 그래서 어머니가 가라고 했더니 그곳에 가서 아이가 잘 놀다가 갑자기 "머리가 아파, 머리가 아파" 하더니 몸이 불덩이같이 뜨겁게 되었습니다. 그러니까 아버지는 아이를 엄마에게 데리고 가라고 했습니다. 그렇게 와서 아이가 아픈 채 엄마 무릎에 낮까지 있다가 그만 죽어버렸습니다.

세상에 어떻게 이런 일이 일어날 수 있습니까? 수넴 여인은 엘리사를 도울 때 정말 아무것도 바란 것이 없었습니다. 그냥 순수한 마음으로 하나님의 사람을 돕고 싶었던 것뿐입니다. 그런데 하나님은 구하지도 않았던 아이를 주시더니 잘 자라게 하시다가 어느 날 갑자기 아이가 죽어버린 것입니다. 이 여인에게는 아예 아이가 없었던 것보다 아이가 생겨서 잘 자라다가 갑자기 죽은 것이 더 고통스러웠습니다. 그러나 엘리사는 거기에 없었습니다. 엘리사는 아주 먼 곳 갈멜산에 돌아가 있었습니다.

이때 이 아이의 엄마라면 어떻게 해야 하겠습니까? 그냥 울면서 통곡하면서 아이를 땅에 묻어야 하겠습니까? 아니면 아이를 붙들고 계속 있어야 하겠습니까? 이때 이 엄마가 생각한 것은 아이가 살아나든지, 살아나지 않든지 하나님의 종 엘리사를 붙잡아야 한다는 것이 었습니다. 이 여자의 남편은 신앙이 별로 없었기 때문에 아이가 죽었다고 하면 하나님을 원망하고 욕할 것입니다. 그래서 이 수넴 여인은 아이를 엘리사가 있던 다락에 안고 가서 엘리사가 사용하던 침상에 아이를 눕히고 문을 닫았습니다.

그리고 이 여인은 남편을 찾아가서 내가 선지자를 꼭 보고 와야 할 일이 있으니까 사환 한 명과 나귀 하나를 내어달라고 했습니다. 남편은 "지금 절기도 아니고 안식일도 아닌데 왜 선지자를 보려고 하느냐?"고 물었습니다. 그러니까 이유는 묻지 말고 내어달라고 했습니다. 그래서 남편은 여인에게 그렇게 원하면 갔다 오라고 하면서 나귀와 종을 내어주니까 이 여인은 종에게 "내가 서라고 하기 전에는 절대로 서지 말고 끝까지 달리기만 하라"고 지시했습니다. 그러니까 나귀는 수넴 여인을 싣고 조금도 쉬지 않고 갈멜산으로 달렸습니다.

수넴 여인은 갈멜산으로 가서 하나님의 사람 엘리사의 발을 붙들고 자신의 사정을 고합니다. "하나님의 사람이여, 제가 무엇을 달라고 했습니까? 제가 아들을 달라고 했습니까? 아들이 생길 것이라고 했을 때 여종을 속이지 말라고 말하지 않았습니까? 그런데 오늘 갑자기 아이가 죽었습니다. 선지자여, 어떻게 하면 좋습니까?"

이때 엘리사에게 하나님의 말씀이 들린 것 같았습니다. 그래서 엘리사는 자기 종 게하시에게 "지금 빨리 수넴 여인의 집으로 달려가라. 중간에 아는 사람을 만나더라도 인사하지 말라. 그리고 내 지팡이를 아이의 얼굴 위에 두어라"고 했습니다. 그러나 아이의 어머니는 엘리사의 발을 놓지 않았습니다. 그것은 '당신이 직접 가기 전까지는 저는 이 다리를 놓지 않겠습니다' 라는 강한 의지의 표현이었습니다. 지금 영의 세계에서는 이 아이의 생명을 빼앗아가기 위해서 엄청난 사탄이 덤비고 있는데 게하시가 들고 간 지팡이로는 이 아이를 살릴 수 없었던 것입니다.

4:34-35, "아이 위에 올라 엎드려 자기 입을 그의 입에, 자기 눈을 그의 눈에, 자기 손을 그의 손에 대고 그의 몸에 엎드리니 아이의 살이 차차 따뜻하더라 엘리사가 내려서 집 안에서 한 번 이리 저리 다니고 다시 아이 위에 올라 엎드리니 아이가 일곱 번 재채기 하고 눈을 뜨는지라"

그래서 이번에는 엘리사가 직접 달리기 시작했습니다. 그리고 그 뒤를 아이의 어머니가 따라갔습니다. 엘리사가 집에 들어가 보니까 자기가 자던 침상에 아이를 눕혀 놓았는데 아이의 몸은 싸늘하게 식어 있었습니다. 엘리사는 문을 닫고 아이 위에 엎드렸습니다. 그래서 아이의 눈에 자기 눈을 맞추고, 자기의 입에 자기 입을 맞추고, 아이의 손에 자기 손을 대고 하나님께 기도했습니다. 이렇게 엘리사가 아이에게 몸을 대고 오래 있으니까 아이의 몸이 따뜻해지기 시작했습니다. 엘리사는 자기 몸에 있는 에너지가 다 빠지니까 집 안에서 일어나서 이리저리 다니다가 다시 아이 위에 엎드려서 똑같이 기도하고 살을 맞대었습니다. 그러니까 아이가 살아나기 시작하는데 재채기를 일곱 번 하고 살아났습니다. 손에 손을 대고, 눈에 눈을 대고, 입에 입을 대는 것은 예수님이 우리를 살리시는 방법입니다. 우리 한 사람 한 사람은 이런 방법으로 새 생명을 얻은 것입니다. 그리고 일곱 번 재채기한 것은 호흡을 막고 있는 모든 것을 완전히 제거하는 것입니다.

하나님의 말씀을 소중하게 여겼던 수넴 여인은 기대하지도 않았던 응답을 받았습니다. 우리는 한번 기도해서 안 되면 또 하면 됩니다. 하나님의 세계는 놀라운 세계입니다. 우리는 예수님이 우리를 살리신 것을 믿고 끝까지 그분을 의지하시기 바랍니다.

07
폭발적 기도 응답
왕하 4:38-44

전쟁 영화를 보면 다리를 폭파하려고 다리에 다이너마이트를 설치하지만 전선이 잘 연결되지 않고 실패로 끝나는 장면이 종종 나옵니다. 연결 부위에 녹이 슬어 있으면 폭파 스위치를 눌러도 전혀 폭발이 일어나지 않습니다. 그러나 다시 전선을 연결하고 녹슨 부분을 제거한 후에 스위치를 누르면 엄청난 폭발이 일어나면서 다리나 모든 것이 다 날아가 버리게 됩니다.

우리의 인생을 보면 그런대로 성공적으로 잘 나가다가 갑자기 회사가 부도 위기에 처하든지 아니면 암이나 큰 화재로 인해 인생이 낭떠러지로 떨어지는 경우가 있습니다. 이것은 그 인생에 큰 브레이크가 걸렸다고 할 수 있습니다.

이때는 아무리 기도해도 응답이 되지 않는 것 같고 신앙은 아무 소용이 없는 것처럼 느껴지게 됩니다. 이런 경우에 예수를 믿지 않는 사람들은 참 운도 없다고 말을 할 것입니다. 그러나 그리스도인에게는 운이 나쁜 것은 없습니다. 우리는 이런 위기를 돌파해야 신앙이 자랄 수 있습니다.

1. 위기에 빠진 엘리사

엘리사의 장점은 자기가 나타내는 능력이 자기 것이 아니라, 하나님의 능력임을 믿는 것이었습니다. 엘리사는 수넴 여인의 아들이 죽었을 때, 자기 종 게하시에게 말한 것이 아무 소용이 없었을 때도 놀라지 않고 계속 하나님의 말씀을 기다렸습니다. 하나님은 과연 새로운 말씀을 엘리사에게 주셨습니다. 그것은 엘리사가 직접 그 아이에게 가서 그 죽은 아이의 눈과 입과 손에 자기 몸을 맞추라는 것이었습니다. 엘리사는 즉시 수넴 여인의 집으로 달려가서 하나님의 영감대로 죽은 아이의 눈과 입과 손에 자기 눈과 입과 손을 맞추고 간절하게 기도했습니다. 그러나 이번의 기도도 큰 효력은 없었습니다. 단지 아이의 몸이 조금 따뜻해지는 것 같았습니다. 이것은 마치 엘리야가 삼년 반 동안 비가 오지 않았을 때 비가 오도록 일곱 번 기도했지만 손바닥만 한 구름이 떠오른 것과 비슷합니다.

그러나 엘리사는 절망하지 않았습니다. 엘리사는 계속 기도하지 않고 약간의 휴식을 가졌는데 방을 이리저리 돌면서 팔 운동도 하고 숨도 쉬고 했습니다. 그리고 다시 엘리사가 아이 위에 올라가서 눈에 눈을 맞추고 입에 입을 맞추고 손에 손을 붙잡고 숨을 크게 입 안에 불어 넣었더니 아이가 살아나기 시작했습니다. 아이가 고개를 움직이더니 일곱 번 크게 재채기를 하고 일어났습니다. 엘리사는 드디어 게하시를 불러서 수넴 여인을 오라고 하고 아이를 주니까 엄마는 엘리사에게 절을 하고 아이를 안고 자기 방으로 아이를 데리고 갔습니다.

엘리사가 깨달았던 것은 자신의 영감이 자기 것이 아니라는 것이었습니다. 결국 병자를 고치시고 죽은 자를 살리시는 분은 하나님이시고, 우리는 오직 종에 불과한 것입니다. 그런데 엘리사는 말도 되지 않는 하나님의 영감을 믿고 전하는 능력이 있었다는 사실입니다. 이것은 사람의 생각으로는 아무리 말도 되지 않고 미친 짓같이 생각되어도 하나님은 못 하실 것이 없다는 믿음에서 나온 것입니다. 엘리사의 영감은 결국 죽은 아이를 살렸습니다. 하나님의 가장 큰 능력이 임한 것입니다. 그러면 우리는 다른 것은 더 이상 두려워할 것이 없습니다. 우리는 무조건 하나님만 의지하고 나가면 되는 것입니다.

2. 죽음의 독이 있는 죽

엘리사가 하나님의 말씀으로 제자들을 가르치는 데 가장 심각한 문제는 역시 먹는 문제였습니다. 선지자의 제자들은 하던 일들을 다 포기하고 하나님의 말씀만 배우고 기도하는 것만 배우니까 그들에게는 돈이 없었고 그래서 먹을 것이 항상 부족했습니다. 그래서 선지자의 제자들은 다른 사람에게 밀이나 보리를 빌리거나 아니면 들이나 산에서 풀을 뜯어서 먹는 수밖에 없었습니다.

엘리사 선지자가 길갈에 갔을 때 그곳에 큰 흉년이 들어서 먹을 것이 없었습니다. 그러나 선지자의 제자들은 배가 고픈 것을 참고 엘리사의 말을 듣기 위해서 모였습니다. 엘리사는 제자들이 모두 배가 고픈 것을 알고는 큰 솥을 걸어서 불을 피우고 국을 많이 끓이라고 지시했습니다. 여기서는 국이라고 했지만, 사실은 죽이라고 할 수 있습니다. 가지고 있는 밀가루나 밀은 적은데 많은 사람이 먹어야 할 때는 그것을 가지고 죽을 끓이면 적은 양으로 많은 사람을 먹일 수 있었습니다.

저희들이 어렸을 때는 그것을 '갱죽'이라고 했습니다. 밥이나 쌀을 조금 넣고 물을 많이 넣은 다음에 김치나 채소를 넣고 끓이면 죽인지 국인지 모르지만 먹을 만한 것이 만들어집니다. 우리는 그것을 먹었습니다. 그러나 지금은 그런 것을 절대로 먹지 않습니다. 어렸을 때 너무 많이 먹어서 물렸기 때문입니다. 그런데 놀라운 것은 요즘 젊은 여성 중에 그것을 좋아하는 이들이 많이 있다는 것입니다. 그들은 이것을 '김치 국밥'이라고 해서 그런 죽을 만들어서 먹는데 저는 절대로 이해할 수 없습니다. 그런데 내가 더 견딜 수 없는 것은 아내가 너무 맛있다고 하면서 억지로 내 입 안에 넣어준다는 것입니다. 남들이 그것을 먹는 것은 괜찮지만 내 입에 억지로 넣는 것은 견딜 수 없습니다.

아마 제자들도 그런 죽을 만들었던 것 같습니다. 그래서 큰 솥을 걸어놓고 거기에 물을 많이 넣은 후 밀가루나 보릿가루를 넣고 채소를 많이 넣어서 여러 사람이 먹을 수 있는 죽을 끓였던 것입니다. 그런데 문제는 채소를 캐러 간 사람에게 있었습니다. 그 사람은 들에서 채소를 많이 캤는데 그것에서 정체불명의 열매를 보게 되었습니다. 포도 넝쿨에 들 호박이 맺혀 있는 것이었습니다. 포도 넝쿨이면 포도가 맺혀야 하는데 들호박이 맺힌 것입니다. 그 사람은 이런 정체불명의 열매를 여러 개 싸서 가지고 온 후에 칼로 썰어서 국에 넣었습니다. 그러나 사실 그 호박은 사람이 먹어서는 안 되는 죽음의 독이 들어 있었습니다.

선지자의 제자들은 아무것도 모르고 죽을 퍼서 먹으려고 하는데 맛이 고약하고 써서 도저히 먹을 수 없었습니다. 아마 이미 먹은 사람은 배가 아파서 떼굴떼굴 구르고 있었을는지도 모릅니다. 이제 제자들은 그 많은 죽을 전부 다 버려야 했고 이미 먹은 사람은 구토와 설사를 하면서 아파했을 것입니다. 그런데 엘리사는 하나님의 영감으로 이미 죽은 아이가 살아나는 체험을 했습니다. 죽은 아이가 살아났다면 먹는 문제 같은 것은 얼마든지 믿음으로 이겨낼 수 있을 것입니다. 독이 든 죽을 전부 버려야 합니까? 또 이 독이 든 죽을 먹고 배가 아픈 제자들을 그냥 내버려 두어야 합니까?

4:41, "엘리사가 이르되 그러면 가루를 가져오라 하여 솥에 던지고 이르

되 퍼다가 무리에게 주어 먹게 하라 하매 이에 솥 가운데 독이 없어지니라"

이때 엘리사에게 하나님의 영감이 떠올랐습니다. 그것은 밀가루나 보릿가루를 죽에 넣으라는 말씀이었습니다. 사실 죽음의 독이 들어있는 죽에다 가루 조금 더 넣는다고 해서 그것이 먹을 수 있는 죽이 되겠습니까? 이것은 인간적으로 생각하면 그야말로 조금 남아 있는 보릿가루나 밀가루를 버리는 것밖에 되지 않는 것입니다. 어쩔 수 없이 그 죽을 다 버려야 하는 것이 가장 좋은 방법일 것입니다. 그러나 선지자의 제자들도 엘리사의 말씀을 믿었습니다. 그들은 그 아까운 가루를 죽에 더 집어넣었습니다. 이것은 우리가 다음에 먹을 것을 염려하지 않고 현재 하나님의 말씀에 충실한다는 뜻이 들어 있습니다. 그런데 놀라운 것은 가루를 조금 더 솥에 집어넣었더니 죽의 색깔이 변하고 냄새가 변하면서 독이 없어졌다는 것입니다. 그리고 이미 죽을 퍼먹고 배가 아픈 사람들도 이 새 죽을 먹고는 아픈 것이 깨끗이 사라졌습니다.

우리에게 하나님의 말씀이 있으면 죽을 자도 살고, 먹을 것이 없는 가운데도 먹을 것이 생깁니다. 그러나 이 말씀을 오해해서 일부러 상한 음식을 먹거나 독이 있는 음식을 먹으면 안 됩니다. 상한 음식은 빨리 버리는 것이 좋습니다.

3. 부족한 보리떡

선지자의 제자들에게 늘 따라오는 것은 배고픈 문제였습니다. 그것은 그들이 단순히 가난하다거나 먹을 것이 없다는 뜻이 아닙니다. 하나님의 종은 일단 가난해 봐야 진짜 하나님의 말씀을 붙들게 되고,

배고프고 죽을 것 같은 가운데 하나님의 말씀을 믿어야 말씀의 능력이 살아나게 됩니다. 그래서 우리는 직장이 없거나 돈이 없고 먹을 것이 없을 때 좋은 믿음의 기회가 왔다고 생각해야 합니다.

하루는 어떤 사람이 바알 살리사라는 곳에서 왔는데, 그는 선지자 제자들이 배가 고프다는 것을 알고는 먹을 것을 가지고 왔습니다. 그가 가지고 온 것은 무려 보리떡 이십 개였지만, 이것은 거기에 있는 제자들에게는 너무나 적은 분량이었습니다. 그곳에 있는 선지자의 제자들은 백 명이나 되었기 때문입니다. 그러면 제자들이 해야 할 것은 이십 개의 보리떡을 백 개로 나누어서 모두 조금씩 먹는 수밖에 없을 것입니다. 보리떡을 이십 개나 가지고 온 것은 고마운데 사람 수에 비하면 너무 적었던 것입니다. 이때 하나님의 영감이 엘리사에게 떠오르는데 '그대로 나누어주라'는 것이었습니다. 그러면 모든 사람이 보리떡을 다 먹고 남을 것이라고 했습니다. 엘리사는 이 말도 되지 않는 하나님의 영감을 믿었습니다. 그리고 제자들에게 그대로 전했습니다. 그랬더니 제자들도 하나님의 영감을 믿고 안심하고 떡을 나누어 먹었는데 스무 개로 백 명이 먹고도 남았습니다.

> 4:43-44, "그 사환이 이르되 내가 어찌 이것을 백 명에게 주겠나이까 하나 엘리사는 또 이르되 무리에게 주어 먹게 하라 여호와의 말씀이 그들이 먹고 남으리라 하셨느니라 그가 그들 앞에 주었더니 여호와께서 말씀하신 대로 먹고 남았더라"

엘리사는 끝까지 하나님의 말씀을 믿었을 때 아이는 살아났습니다. 그리고 죽은 아이가 한번 살아나고 나니까 그 후에는 폭발적인 말씀의 응답이 있었습니다. 독이 든 죽도 먹을 수 있는 죽이 되고, 형편없이 부족한 보리 떡도 백 명이 먹고도 남는 역사가 나타났습니다. 예수님은 보리떡 다섯 개와 물고기 두 마리로 오천 명을 먹이시고 열두

광주리를 남기셨습니다.

돈이 없어서 하나님의 일을 하지 못한다고 생각하지 마시기 바랍니다. 한번 어려움을 통과한 후 끝까지 포기하지 않고 기도에 응답받는다면 그 후에는 폭발적으로 연쇄적인 기도의 응답이 나타날 것입니다. 우리는 하나님을 믿어야 합니다. 하나님은 천재 중의 천재이시고, 못할 것이 아무것도 없으시기 때문입니다. 그러므로 하나님의 말씀을 들을 때 흘려듣지 마시고 나에게 적용하고 끝까지 인내하시기 바랍니다.

08
일곱 번 씻으라
왕하 5:1-14

옛날 엘리사 시대에 이스라엘과 원수였던 아람 나라에 나아만이라는 유명한 장군이 있었습니다. 이 사람은 아람 나라에서는 아주 존경받는 영웅이었는데, 그 이유는 하나님께서 이 사람을 사용하셔서 아람 나라를 여러 차례 구원했기 때문입니다. 그러나 이스라엘의 입장에서 보면 이 사람은 최고의 원수였습니다. 이런 것을 보면 나아만은 이스라엘도 여러 차례 공격해서 큰 피해를 주고 많은 사람을 포로로 잡아갔던 것 같습니다. 그래서 만일 이 나아만이 병에 걸려 죽든지 격리가 된다면 이스라엘은 너무나도 좋아했을 것입니다. 그런데 이상하게도 악한 사람들은 병에도 잘 안 걸립니다. 그것은 그들이 잘 먹어서 영양상태가 좋아서 그럴 수도 있고 너무 독해서 병균들도 잘 안 가서 그런 것 같기도 합니다. 대개 악한 사람들은 아주 이기적이기 때문에 자기 몸 하나는 철저하게 챙기는 법입니다.

그런데 놀랍게도 아람의 영웅 나아만이 한센병(나병)에 걸렸습니다. 이 한센병은 결국 그 사람의 온몸에 퍼지게 되어 있고 살이 썩어 문드러지게 되어 있습니다. 그런데 이 병은 치료 약이 없었습니다. 그래서 한센 환자들은 일단 걸렸다는 사실이 확인되는 순간 영구 격리에 들어가게 됩니다. 즉 나아만의 그 모든 명성이나 돈이나 쌓았던 공은 전부 아무것도 아닌 것이 되어버리고, 한 사람의 병자로 격리되어서 쓸쓸하게 죽어갈 수밖에 없었던 것입니다. 그런데 그 당시 나아만은 몸의 일부에만 이 증세가 나타나 있었고, 옷을 입으면 한센병을 가릴 수 있는 초기 상태였던 것 같습니다.

1. 나아만의 위기

나아만은 아람 나라의 영웅이었습니다. 그는 전쟁에서 이긴 결과로 얻은 부가 어마어마했고 이 세상에서 부족한 것이 아무것도 없었습니다. 그러나 작은 병 하나가 그의 이 모든 행복을 빼앗아가고 가장 비참한 사람으로 만들어버렸습니다. 그 병은 바로 그가 걸린 한센병이었습니다.

> 5:1, "아람 왕의 군대 장관 나아만은 그의 주인 앞에서 크고 존귀한 자니 이는 여호와께서 전에 그에게 아람을 구원하게 하셨음이라 그는 큰 용사이나 나병환자더라"

여기에 보면 이스라엘의 원수 나라에서 나아만이 유명하고 존귀한 사람이 된 것도 하나님께서 그렇게 만들어주셨다는 사실입니다. 그래서 이 세상에서 성공하고 유명하게 된 자들 중에 하나님의 도우심을 받지 않은 사람은 한 사람도 없다는 사실입니다. 그러나 문제는 이것이 하나님께서 시켜주신 것이라고 생각하지 않고 자기가 잘 나서 성공했다고 생각한다는 것입니다. 이제 한센병에 걸린 나아만의 인생은 끝난 것이나 마찬가지였습니다.

그런데 이 나아만 장군의 집에 이스라엘에서 포로로 끌고 온 여자아이가 있었습니다. 이 여자아이는 나아만 장군 집의 종으로 팔려 왔습니다. 그 여자아이는 어느 날 여주인이 한숨을 쉬면서 눈물을 흘리고 모든 삶의 의욕을 잃은 것을 보았습니다. 그리고 주인과 아내가 하는 말을 엿들어보니까 남자 주인이 그 무서운 한센병에 걸린 것이 틀림없었습니다. 이 여자아이는 종으로 팔려 와서 노예로 있었지만, 하나님을 믿고 선지자의 말씀의 능력을 아는 소녀였습니다.

그 여자아이는 여자 주인에게 몰래 "우리 주인님이 이스라엘 선지자를 만났으면 참 좋을 뻔했습니다. 그 선지자는 능히 이 병을 고칠수 있기 때문입니다."라고 이야기했습니다. 이 말을 듣고 여주인은 깜짝 놀라면서 남편이 집에 오기를 기다렸다가 조심스럽게 말을 꺼냅니다. "우리 집에 포로로 잡혀 온 여종이 말하는데 이스라엘에는 한센병을 고치는 선지자가 있다고 합니다. 왕에게 이야기하고 그 선지자를 한번 찾아가는 것이 어떨까요?"

5:3, "그의 여주인에게 이르되 우리 주인이 사마리아에 계신 선지자 앞에 계셨으면 좋겠나이다 그가 그 나병을 고치리이다 하는지라"

이것은 나아만의 겸손을 테스트하는 큰 시험거리였습니다. 만약 그가 그 여자아이 종의 말을 듣고 이스라엘을 찾아갔는데 그것이 사실이 아니라면 자기 병만 온 세상에 소문이 다 퍼지게 되고 자기는 망신을 당하게 될 것입니다. 그러나 만의 하나라도 이 여자아이의 말이 사실이라면 나아만은 새 인생을 살게 되는 것입니다. 나아만은 지금의 현실을 생각하지 않았습니다. 그는 미래를 생각했습니다. 나아만은 한센병을 고치기 위하여 자신의 모든 자존심이나 체면을 버리고 이스라엘 선지자를 찾아가기로 결심했습니다. 이것은 굉장히 잘한 결단이었습니다. 그렇지 않고 그냥 그대로 있었더라면 결국 한센병 환자를 벗어나지 못했을 것입니다. 왕은 나아만 장군의 말을 듣고 놀랐습니다. 그리고 나아만을 적국인 이스라엘에 보내는 것이 너무나도 싫었지만, 그가 병을 고치기 위하여 이스라엘 선지자를 만나러 간다는 결심은 막을 수 없었습니다.

그래서 아람 왕은 이스라엘 왕에게 긴 편지를 썼습니다. 아람 왕은 그 편지에 "이 장군은 나 자신이나 아람 나라에 가장 중요한 사람인데 불행하게도 한센병에 걸려서 치료를 받으러 가니 꼭 낫게 해주기를 바라오."라고 썼습니다. 그리고 선물로 금 육천 덩어리와 은 십 달란트, 그리고 옷 열 벌을 궤짝에 넣어서 보내었습니다.

나아만 장군은 그 엄청난 선물을 가지고 그 더운 날씨에 이스라엘 왕궁을 찾아가서 드디어 왕을 만났습니다. 그리고 나아만 장군은 이스라엘 왕에게 아람 왕의 편지를 드렸습니다.

5:6, "이스라엘 왕에게 그 글을 전하니 일렀으되 내가 내 신하 나아만을 당신에게 보내오니 이 글이 당신에게 이르거든 당신은 그의 나병을 고쳐 주소서 하였더라"

아람 왕은 이스라엘 왕에게 나아만 장군의 한센병을 고쳐달라고 했습니다. 이 편지를 읽은 이스라엘 왕의 얼굴은 잿빛이 되었습니다. 한센병은 이 세상 어느 누구도 고칠 수 없는 불치의 병이었기 때문입니다.

5:7, "이스라엘 왕이 그 글을 읽고 자기 옷을 찢으며 이르되 내가 사람을 죽이고 살리는 하나님이냐 그가 어찌하여 사람을 내게로 보내 그의 나병을 고치라 하느냐 너희는 깊이 생각하고 저 왕이 틈을 타서 나와 더불어 시비하려 함인줄 알라 하니라"

이스라엘 왕은 신이 아닌 이상 한센병을 고칠 수 없다는 것을 알았습니다. 그리고 결국 이것은 아람 왕이 핑곗거리를 만들어서 전쟁하려는 계책인 줄 알았습니다. 그래서 왕은 자기 옷을 찢어버렸습니다. 이것은 이제 우리나라의 평화는 끝장났다는 뜻입니다. 결국 우리는 아람과 전쟁하는 수밖에 없는데 우리의 국력으로는 아람을 이길 수 없다는 의미입니다.

나아만이 온 것은 진짜 한센병을 고침 받으려는 목적이었습니다. 그러나 믿음이 없는 이스라엘 왕과 신하들은 전쟁을 일으키려는 핑계로 생각했습니다. 그들은 하나님을 믿는다고 하면서도 믿음이 전혀 없었습니다. 결국 믿음이 없으면 별것 아닌 것을 가지고 엄청나게 오해하고, 말도 안 되는 소리를 하게 되는 것입니다.

2. 엘리사의 믿음

엘리사는 아람의 군대 장관 나아만이 사마리아에 한센병을 고치러 왔는데 왕은 이것을 전쟁의 핑계로 삼으려는 줄 알고 옷을 찢었다는 소문을 들었습니다. 아마 엘리사는 하나님이 주신 영감으로 나아만의 한센병은 고칠 수 있으며, 나아만이 겸손하게 하나님의 말씀을 믿어야 한다는 것을 알았을 것입니다. 엘리사는 왕이 옷을 찢었다는 말을 듣고 자기 종을 왕에게 보내어서 "왕이 어찌하여 옷을 찢으십니까?"라고 말을 전했습니다. 엘리사는 하나님을 믿었습니다. 그러니까 나아만이 찾아온 것이 전혀 문제 될 것이 없었습니다. 그는 오직 한 사람의 환자였고 하나님의 은혜가 필요한 죄인이었던 것입니다. 그래서 엘리사는 왕에게 나아만을 자기에게로 보내라고 했습니다. 즉 이것은 오직 하나님의 종이 해결해야 할 문제라는 것입니다.

그리고 엘리사는 아주 중요한 말을 했습니다. 즉 "그가 이스라엘 중에 선지자가 있는 줄을 알리이다"라는 말이었습니다. 이스라엘이 아무리 썩었고 국력이 약해도 이스라엘에는 하나님의 종 선지자가 있다는 의미입니다. 이 하나님의 종 선지자 한 명의 위력은 핵무기를 능가하는 위력이 있는 것입니다. 이스라엘에는 하나님의 선지자가 있었습니다. 그래서 다른 나라들은 이스라엘을 무시할 수 없었던 것입니다. 엘리사가 이 말을 하니까 나아만 장군은 방향을 바꾸어서 왕궁에서 엘리사가 있는 곳으로 찾아갔습니다. 나아만 장군은 모든 좋은 것이 다 이스라엘 왕궁에 있는 줄 알았지만, 하나님의 선지자는 왕궁에 있지 않았습니다.

그런데 나아만이 엘리사를 찾아갔을 때 크게 실망하게 되었습니다. 그래도 나아만은 아람 나라의 장관이고 유명한 사람이었습니다. 이런 사람이 찾아왔으면 선지자가 집 앞에까지 나와서 영접하고 집에 들어가자고 해서 차라도 한 잔 대접을 한 후 자신의 아픈 부분을 보고 약을 바르든지 기도를 해주든지 할 줄 알았습니다. 그러나 엘리사는 이 유명하고 대단한 사람이 자기 집에 왔는데 나와 보지도 않았습니다. 그리고 그의 병이 난 부분을 진찰하지도 않았습니다. 그 선지자는 오직 나아만에게 돌아가다가 요단강에서 일곱 번 몸을 씻으라는 말만 했습니다.

3. 나아만의 분노

나아만은 그래도 자기가 아람 나라에서는 가장 유명하고 존경받는 장군인데 이스라엘 선지자도 자기를 존귀하게 대할 줄 알았습니다. 그러나 이스라엘 선지자는 자기를 만나주지도 않았고 자기의 환부를 진찰도 해주지 않았습니다. 이스라엘 선지자는 나아만을 아예 방으로 들어오게도 하지 않았습니다. 단지 선지자는 나아만에게 "집으로 돌아가다가 요단강을 만나게 될 텐데 거기서 일곱 번 몸을 담그

라. 그러면 네 살이 회복되어서 깨끗하게 될 것이라"고 했습니다.

이때 나아만은 자기가 무시당했다고 생각해서 엄청나게 화를 내었습니다. 그래도 자기는 아람에서 존경받는 사람이 아닙니까? 그런데 이스라엘 선지자는 자기가 얼마나 대단한지 몰라도 자기를 만나주지도 않았습니다. 이때 나아만의 분노는 폭발했습니다.

> 5:11, "나아만이 노하여 물러가며 이르되 내 생각에는 그가 내게로 나와서 그의 하나님 여호와의 이름을 부르고 그의 손을 그 부위 위에 흔들어 나병을 고칠까 하였도다"

나아만은 선지자에게 무시당한 것이 너무나도 기분이 나빴습니다. 적어도 그 먼 곳에서 자기를 찾아왔으면 방에서 나와서 만나주기라도 하고 위로의 말이라도 해주고 관심을 가져주기라도 해야 하는데, 엘리사는 아예 나아만을 상대조차 해주지 않았던 것입니다.

아람의 다메섹에는 아바나와 바르발이라는 아주 깨끗하고 아름다운 강물이 있었습니다. 나아만은 기왕 물에서 목욕해야 이 병이 낫는다면 "기왕이면 다메섹에 있는 깨끗하고 좋은 물에서 몸을 씻으라고 해야지, 요단은 거의 진흙탕과 같고 물도 깨끗하지 않은 그런 더러운 물에서 일곱 번이나 씻으라고 하느냐?"고 하면서 불같이 화를 내었습니다. 지금 아람 장군의 눈에는 보이는 것이 없었고 이대로 아람으로 돌아가면 그는 틀림없이 군대를 몰아서 이스라엘 왕이나 엘리사 선지자를 잡아서 죽이려고 할 것입니다. 많은 교인이 사람의 위로나 인정을 받으려 하고 사람들이 자기를 인정해주지 않을 때면 화를 내는 것을 보게 됩니다.

하나님께서 우리에게 기도를 응답해주실 때 마지막으로 파놓은 함정이 있는데 그것은 바로 겸손의 함정입니다. 이때 나아만은 자기를 누구라고 생각해야 합니까? 나아만은 한 사람의 환자요 하나님의 은혜가 필요한 이방인일 뿐입니다. 그는 지금 장군도 아니고 유명한 사람도 아니고 오직 한 사람의 환자일 뿐입니다.

이때 나아만의 종들은 믿음이나 양식이 있는 사람들이었습니다. 그들은 자기 주인 나아만이 화를 머리끝까지 내면서 복수심이 불타서 아람으로 돌아가려고 할 때 주인을 말렸습니다. 그들은 나아만으로 하여금 그가 왜 이곳까지 오게 되었는지 생각하게 했습니다. 즉 "장군이시여. 당신은 지금 외교 관계로 오신 것도 아니고, 구경을 온 것도 아니고, 한 사람의 환자로 오신 것입니다. 환자는 환자다워야 합니다. 장군은 지금 장군이 아닙니다."라고 설득했던 것입니다.

그리고 종들은 나아만 장군을 계속 설득했습니다. "만일 선지자가 요단강에 들어가서 몸을 담그는 것보다 훨씬 더 어려운 일을 시켰더라면 하지 않았겠습니까? 요단강물이 깨끗하건 깨끗하지 않건 무슨 상관이 있습니까? 우리가 여기까지 왔는데 속는 셈 치고 한번 몸을 담가 봅시다. 그래도 몸이 낫지 않으면 그 후에 얼마든지 전쟁해서 복수할 수 있을 것입니다."라고 요청했습니다. 나아만이 가만히 생각해 보니까 전적으로 맞는 말이었습니다. 자기는 어디까지나 한 명의 환자였습니다. 환자는 의사를 믿어야 합니다. 나아만은 엘리사가 시킨 일이 너무 쉬워서 화가 났던 것입니다.

그래서 나아만은 못 이기는 체 하고 그러면 "너희들이 하는 말대로 요단강에서 한번 몸을 씻어 볼까?"라고 했습니다. 그러나 한 번 씻어도 전혀 표시가 나지 않았습니다. 일곱 번 씻어야 한다면 조금이라도 나아야 하는데 전혀 낫지 않았습니다. 나아만은 자꾸만 자기가 선지자에게 조롱당하는 것 같아서 중간에 그만두고 싶었습니다. 그러나 결국 속는 셈 치고 일곱 번째 몸을 요단강물에 담갔을 때 한센병은 치료되었습니다. 그의 살이 어린아이의 살 같이 되어 있었습니다.

나아만 장군의 집에 잡혀 온 여종은 불치의 병에 걸린 주인에게 하나님 선지자의 존재를 알렸습니다. 우리는 어떤 형편과 처지에 있든지 영혼을 살릴 수 있습니다. 이스라엘에는 선지자가 있었습니다. 이것은 핵무기보다 더 강력한 힘이었습니다. 우리나라에도 목사가 있고 기도하는 성도들이 있다는 사실을 알아야 합니다. 하나님의 말씀은 너무 쉬워서 사람들이 우습게 압니다. 그러나 우리는 병자이고 죄인입니다. 하나님이 뭐라고 말씀하시든지 끝까지 순종해야 합니다. 중간에 의심하지 마시고 끝까지 순종하시기 바랍니다.

09
나아만의 선물
왕하 5:15-27

경우에 따라서 어떤 목사는 심방을 갈 때 밥이나 반찬을 초라하게 차린 집에서는 아주 짧게 성의 없이 기도해주고, 입이 떡 벌어지게 한 상을 차려주고 금일봉도 주고 하는 부잣집에서는 온갖 복을 다 빌어주고 길게 기도하는 경우가 있다고 합니다. 이런 목사는 엉터리 목사입니다.

아람 군대 장관 나아만은 이스라엘에 올 때 병이 나으면 선물을 주려고 많은 선물을 준비해왔습니다. 그가 가져온 선물은 금이 육천 개였고 은이 십 달란트였는데 이때 은은 돈이었습니다. 아마 십 달란트는 지금 돈으로 수억 원 정도 되었을 것입니다. 그리고 비싼 옷도 가지고 이스라엘을 찾아왔습니다. 나아만은 병을 치료받는데 참 우여곡절이 있었습니다. 그는 처음에 이스라엘 왕을 찾아갔지만 실패하고, 그다음에 엘리사를 찾아갔지만 만나주지도 않고 돌아가면서 요단강에서 일곱 번 몸을 담그라고만 했습니다. 나아만은 엘리사에게 무시당한 것이 너무 화가 나서 요단강에도 들어가지 않고 바로 집으로 돌아가려고 했습니다. 그러나 나아만의 종들이 설득해서 억지로 요단강에서 일곱 번 몸을 담갔는데 선지자의 말대로 한센병이 깨끗이 낫게 되었습니다.

1. 나아만에 대한 예수님의 평가

놀랍게도 나아만이 한센병을 치료받은 것에 대하여 예수님께서 나아만과 이스라엘 사람들을 비교해서 말씀하신 것이 있습니다.

눅 4:26-27, "엘리야가 그 중 한 사람에게도 보내심을 받지 않고 오직 시돈 땅에 있는 사렙다의 한 과부에게 뿐이었으며 또 선지자 엘리사 때에 이스라엘에 많은 나병환자가 있었으되 그 중의 한 사람도 깨끗함을 얻지 못하고 오직 수리아 사람 나아만뿐이었느니라"

엘리야 때 이스라엘에는 남편이 죽은 과부가 많았습니다. 그들은 흉년이 들어 먹을 것이 없어서 굶어 죽고 있었습니다. 그러나 하나님이 엘리야를 보내신 곳은 이스라엘 과부가 아닌 이방 땅 사렙다 과부의 집이었습니다. 하나님은 같은 과부이면 이스라엘 과부에게 엘리야를 보내서 기적을 행하실 것이지, 왜 이스라엘 여인도 아닌 시돈 땅의 이방인 과부에게 보내어서 기적으로 그 식구를 살리셨을까요? 그것은 바로 믿음 때문이었습니다. 이스라엘 여인들은 하나님에 대하여는 아주 잘 알고 있었습니다. 아마 이스라엘 여인들에게 하나님에 대하여 말하라고 하면 줄줄줄 가르칠 수 있는 수준이었을 것입니다. 그러나 그들은 하나님의 말씀을 믿지 않았습니다. 즉 하나님을 아는 것과 믿는 것이 달랐던 것입니다. 이스라엘 과부들의 믿음은 실천이 없었습니다. 그들의 믿음은 입으로만 떠드는 믿음이었지, 하나님의 말씀이 상식과 맞지 않으면 욕을 하고 아예 불신했던 것입니다.

이것은 엘리사 때도 마찬가지였습니다. 엘리사 때도 이스라엘에 많은 한센병 환자들이 있었습니다. 그러나 하나님은 그 어느 누구도 엘리사에게 보내지 아니하셨습니다. 오히려 하나님은 이스라엘의 철천지원수 아람 나라의 장군 나아만에게 작은 믿음이 있는 것을 보시고 그를 엘리사에게 보내셨습니다. 나아만은 한센병이 걸린 것을 알았을 때 자기 명예나 돈이나 지위에도 불구하고 자기 살이 썩어가면서 죽어야 한다는 것을 알았습니다. 그러나 그의 집에 있는 여자아이 노예가 이스라엘에 있는 엘리사라는 선지자를 소개했습니다. 엘리사를 소개한 사람은 학자나 유명한 의사가 아니라 전쟁에서 붙들려온 여종이었습니다. 나아만은 그 여종의 말을 믿고 용기를 내어서 이스라엘로 내려갔습니다. 나아만은 우여곡절 끝에 엘리사의 집까지 찾아갔지만 결과는 실패였습니다. 왜냐하면 엘리사는 그를 만나주지도 않았고 그의 환부를 봐주지도 않았고 무성의하게 요단강에서 일곱 번 몸을 씻으라고 했기 때문입니다. 나아만은 너무 화가 나서 바로 아람 나라로 돌아가려고 했습니다. 그러나 나아만의 종들이 나아만을 설득했습니다. 선지자가 더 힘든 것을 시켰더라도 했을 것인데 요단강에 일곱 번 씻는 것 정도는 속는다고 생각하고 한번 해 보자고 간청했습니다. 나아만은 종들에게 설득당해서 속는 셈 치고 요단강에서 일곱 번 몸을 잠갔는데 한센병은 나았습니다.

나아만의 신앙은 행동하는 신앙이었습니다. 그러나 이스라엘의 많은 한센 환자들은 하나님에 대하여 알기는 많이 아는데, 실제로 하나님의 말씀이 그런 능력이 있다는 것을 믿지 않았습니다. 이스라엘의 한센 병자들은 말도 되지 않는 하나님의 말씀을 믿을 생각을 하지 않았던 것입니다. 그러나 나아만의 신앙은 움직이는 신앙이었고 말도 되지 않고 믿어지지도 않았지만 순종하는 신앙이었습니다.

하나님께서 찾으셨던 신앙은 말씀만 가지고도 믿고, 말도 되지도 않는 말씀을 믿는 신앙이었습니다. 하나님께서는 아주 좋은 신앙의 사람을 찾는 것이 아니라 믿음이 부족하지만 억지로 못 이기는 체하고 설득당하는 믿음의 사람이라도 좋아하셨습니다. 그러나 교회에서 신앙이 좋은 사람들을 보면 한번 자기가 생각한 것은 절대로 양보하지 않고 끝까지 우기고 고집을 부리는 모습을 종종 보게 됩니다. 하여튼 엘리사 당시에 많은 한센 환자들이 있었지만, 하나님의 뜻에 합격한 환자는 이방인 나아만 한 사람뿐이었습니다.

2. 나아만이 다시 돌아옴

나아만은 엘리사가 자기를 만나주지 않고 너무 무성의하게 요단강으로 가서 씻으라고 해서 너무나 화가 나서 엘리사의 집을 떠났습니다. 그러나 그는 말도 되지도 않는 엘리사의 말에 순종했을 때 불치병인 한센병이 나아있었습니다. 나아만에게는 두 가지 길이 있었습니다. 그 하나는 이미 자기 병이 나았기 때문에 본국으로 돌아가서 더 유명한 장수가 되는 것이었습니다. 이제 나아만이 더 높아지고 유명해지는 데 걸림돌이 되는 것은 아무것도 없었습니다. 그러나 다른 한편으로 생각하면 나아만은 한센병에 걸렸을 때 목숨은 붙어 있었지만, 사회적으로 이미 죽은 목숨이었고 그의 모든 돈이나 명성이나 성공은 아무 소용이 없었습니다. 그는 오직 단 하나의 한센 병자, 옛날로 말하면 나병환자였던 것입니다. 그러나 나아만은 하나님의 말씀에 억지로 순종한 결과 살아나게 되었던 것입니다.

나아만은 자기가 죽었다가 다시 새 사람으로 태어났다고 생각했습니다. 나아만은 병이 나았기 때문에 그냥 집으로 돌아갈 수도 있었지만, 다른 한편으로는 그 건방진 선지자를 만나서 그가 하신 하나님의 말씀에 대하여 감사할 수도 있었습니다. 나아만은 자기가 한번 죽었다가 살아났다고 생각했기 때문에 모든 군대와 함께 길을 돌려서 엘리사의 집을 찾아갔습니다.

5:15, "나아만이 모든 군대와 함께 하나님의 사람에게로 도로 와서 그의 앞에 서서 이르되 내가 이제 이스라엘 외에는 온 천하에 신이 없는 줄을 아나이다 청하건대 당신의 종에게서 예물을 받으소서 하니"

나아만은 자기 병이 나을 경우를 대비해서 선물을 많이 가지고 왔습니다. 금이 육천 개, 은이 십 달란트, 그리고 옷이 열 벌이었습니다. 만약 병이 낫기만 한다면 이런 돈이 아깝겠습니까? 아마 나아만은 얼마든지 더 많은 금이나 돈을 선물로 줄 수 있었을 것입니다. 나아만이 가지고 온 선물은 병이 나았을 때 선지자에게 주려고 가지고 온 것이고 이것은 이미 자기 것이 아니었습니다. 그래서 나아만은 엘리사 선지에게 감사하다고 하면서 천하에 참 신은 여호와 하나님밖에 없는 줄 믿는다고 했습니다. 그리고 가지고 온 선물을 제발 받아주시기 바란다고 했습니다.

그러나 엘리사는 제자들을 키우느라 늘 가난했지만, 하나님의 이름으로 맹세하기를 자기는 그 선물을 받을 수 없다고 하며 받지 않았습니다. 나아만은 강권해서 받으라고 했지만, 엘리사는 끝까지 나아만이 주는 금이나 돈이나 옷을 받지 않았습니다.

왜 엘리사는 나아만이 감사해서 가지고 온 금이나 돈이나 옷을 일절 받지 않았을까요? 그것이 이방인의 돈이기 때문에 부정해지니까 받지 않았을까요? 아니면 돈이 너무 많아서 그것을 가지면 자기가 청렴결백하지 않게 될까 봐 받지 않았을까요? 아니면 하나님이 엘리사에게 영감으로 받지 말라고 말씀하셨기 때문에 받지 않았을까요?

엘리사가 걱정한 것은 그것이 아니었습니다. 이스라엘 백성은 하나님을 너무 잘 알고 있었고 종교의식이나 회의는 잘했지만 그들의 신앙은 모든 것을 버리고 하나님의 말씀에 무조건 순종하는 신앙이 아니었습니다. 이것은 결국 믿음 없는 것과 같았습니다. 그 결과 이스라엘의 한센 환자는 한 명도 엘리사를 찾아와 병이 나은 사람이 없는데, 이방인인 나아만은 찾아와서 억지로이지만 하나님의 말씀에 순종해서 병이 나았습니다. 이것은 이제 하나님 말씀의 등불이 이스라엘에서 꺼지고 있다는 것입니다. 하나님의 백성에게서 부흥의 등불이 꺼지는 것은 금 6천 개와 수억 원이나 명품 옷 수십 벌과 도무지 비교할 수 없는 손해였습니다. 엘리사는 이스라엘에 부흥의 등불이 꺼지는 것이 너무 가슴 아파서 나아만이 주는 선물을 받을 수 없었습니다.

나아만은 아무리 자기가 강권해도 엘리사가 선물을 받지 않으니까 이스라엘의 흙을 노새 두 마리에 실어가겠다고 했습니다. 그는 이제 이 이스라엘의 흙을 깔고 하나님께만 제사 드리겠다는 것입니다. 그러나 단 하나 아람 왕이 자기가 섬기는 신 림몬 신전에 들어갈 때 자기가 반드시 그를 부축해야 하는데, 그때 고개를 숙이는 것은 용서해주기를 바란다고 했습니다. 이것은 마음으로는 믿지 않지만 자기 신앙을 왕에게 강요하지 않고 조용히 믿겠다는 의지의 표현이었습니다. 엘리사는 그것은 좋은 생각이라고 해서 찬성했습니다. 아주 작은 겨자씨만 한 믿음을 가졌던 나아만은 무서운 질병을 고침 받고 새사람이 되어서 집으로 돌아가게 되었습니다.

3. 게하시의 탐심

엘리사의 종 중에서 게하시는 탐심이 많은 사람이었습니다. 게하시는 엘리사가 하는 행동이 이해되지 않았습니다. 엘리사는 늘 돈이 없어서 어려움을 겪고 있었습니다. 그런데 나아만의 병을 고쳐주고 나아만이 선물로 금 6천 개와 억대의 돈과 명품 옷을 주는데 엘리사가 아무것도 받지 않고 돌려보내는 것이었습니다. 게하시는 엘리사가 너무 어리석다고 생각했습니다. '저 선물을 받으면 우리가 얼마나 덜 고생하고 하나님의 일을 할 수 있는데 왜 주는 선물을 받지 않느냐?' 하는 것이었습니다. 그래서 게하시는 자기 주인 엘리사에게 말하지 않고 선물을 도로 받기 위하여 나아만의 뒤를 따라갔습니다. 이것은 정말 무서운 일이었고 탐욕에 눈이 먼 행동이었습니다.

나아만이 기쁨으로 수레를 몰고 길을 가고 있는데 뒤를 보니까 엘리사의 종이 뛰어오고 있었습니다. 나아만은 너무나도 반가워서 수레에서 내려서 안부를 물었습니다. 그러니까 게하시는 모두 다 평안하다고 하면서 지금 갑자기 선지자의 제자 둘이 에브라임 산지에서 찾아왔는데 그들은 아무것도 가진 것이 없는 자들이라 조금 전에는 금이나 은이 필요가 없어서 받지 않았지만, 지금은 조금 필요하게 되었다고 나아만에게 거짓말을 했습니다. 그래서 돈 조금과 옷 두 벌만 주시면 고맙겠다고 했습니다. 나아만은 너무 반가워서 그렇지 않아도 선물을 주지 못하고 와서 마음이 찝찝했는데 이제라고 필요하다고 하니까 너무 좋아서 억지로 두 달란트를 주고, 옷도 두 벌 주어서 자기 종이 메고 게하시 앞에서 가게 했습니다. 아마 나아만은 게하시가 더 달라고 했으면 얼마든지 더 주었을 것입니다.

이제 집에 내려가는 언덕까지 왔을 때 게하시는 나아만의 종에게서 은과 옷을 받아 가지고 자기 집에 감추고, 나아만의 종들을 돌려보내었습니다. 그리고 아무 일도 없는 듯이 시치미를 떼고 자기 선생 엘리사 앞에 들어갔습니다. 게하시는 엘리사 몰래 어떤 일을 꾸미면 엘리사가 모를 줄 알았던 것입니다. 엘리사는 자기 종 게하시에게 "네가 어디서 오느냐?"고 물었습니다. 그랬더니 게하시는 아무 데도 가지 않았다고 대답했습니다. 이때 엘리사는 "한 사람이 수레에서 내려서 너를 맞이할 때 내가 이미 알지 않았느냐?"고 말을 했습니다. 즉 나아만이 게하시를 영접하려고 수레에서 쿵 하고 내렸을 때 이미 엘리사의 마음에도 쿵 하고 소리가 났던 것입니다. 그리고 엘리사는 개하시에게 "어떻게 지금이 은을 받으며 옷을 받으며 금을 받고 감람원을 받고 포도원이나 양이나 소나 남종이나 여종을 받을 때냐?"고 책망했습니다. 그리고 "지금 이스라엘은 믿음이 없어서 부흥이 이방 나라로 떠나고 있고 병 고침도 떠나고 있는데, 지금 네가 돈이나 재물을 챙길 때냐?"라고 한탄했습니다.

그러면서 엘리사는 나아만에게 걸렸던 한센병이 너에게 옮아와서 네 자손까지 한센병에 걸릴 것이라고 저주했습니다. 게하시가 엘리사의 책망을 받고 그 방에서 나왔을 때 이미 그에게는 한센병이 온몸에 퍼져서 눈같이 희게 되었습니다.

> 5:27, "그러므로 나아만의 나병이 네게 들어 네 자손에게 미쳐 영원토록 이르리라 하니 게하시가 그 앞에서 물러나오매 나병이 발하여 눈같이 되었더라"

사람들은 나라가 어려워질 때도 자기 주머니만 챙기기에 바쁩니다. 그리고 교회의 부흥이 꺼지고 말씀의 등불이 사라지고 있을 때 더 돈을 많이 받으려고 거짓말하고 애를 쓰고 있습니다. 하나님은 그런 사람에게 침을 뱉으십니다. 그 침이 바로 병인 것입니다. 우리는 똑똑하든지 많이 배우지 못했든지 말도 되지 않는 하나님의 말씀에 묵묵히 순종하여 부흥의 불을 지키는 성도들이 되시기를 바랍니다.

10
불 말과 불 병거
왕하 6:1-17

제가 개척교회를 하면서 여러 번 어려웠을 때가 있었습니다. 한번은 어느 아파트에 있는 어린이집 지하 공간에 교회가 있었는데 그 건물이 팔리는 바람에 졸지에 갈 곳이 없게 되었습니다. 그 부근에서 멀리 떨어진 곳까지 아무리 건물을 뒤져도 우리가 가진 돈으로는 임대할 만한 곳이 없었습니다. 그래서 건물 찾는 것을 포기해버렸습니다. 그런데 교인 중 할머니 한 분이 버스 타고 가다가 무조건 내려 복덕방에 들어가서 교회가 들어갈 만한 데가 있느냐고 물으니까 있기는 한데 할머니가 무슨 힘으로 그 건물을 빌리겠느냐고 했습니다. 그 소식을 듣고 제가 그곳에 가보니까 우리가 있기에 너무 적합한 곳이었습니다. 그리고 그 낡은 건물 4층을 빌려서 교회를 옮기고 나서 교회가 폭발적으로 부흥하기 시작했습니다.

나쁜 짓을 하는 사람은 사람 눈에만 보이지 않으면 아무도 보지 않는 줄 알고 있지만, 도시에는 수많은 CCTV가 있어서 모든 사람이 하는 행동을 녹화하고 있습니다. 그래서 다른 사람이 보지 않는다고 해서 나쁜 짓을 하거나 도둑질한 사람은 CCTV 때문에 거의 다 잡힌다고 합니다. 심지어 코로나가 유행하면서 확진자와 접촉한 사람 중에 자택에 2주간 격리된 사람들이 많았습니다. 그런데 이제는 사람마다 전부 다 스마트 폰을 가지고 있는데 그 안에 위치추적기가 있어서 집에 있는지 아니면 밖에 나가서 돌아다니고 있는지 다 확인된다는 것입니다.

여호수아 때 이스라엘 백성으로 하여금 걸어서 요단강을 건너게 하셨습니다. 그리고 이스라엘 백성이 요단강을 걸어서 건너갈 때 하나님은 여호수아에게 각 지파의 대표들을 뽑아서 강 한가운데 있는 큰 돌들을 하나씩 들고 나와서 단을 세우라고 명령하셨습니다. 이를 통해 이스라엘의 하나님은 이 세상 어느 누구도 할 수 없고 심지어는 생각할 수도 없는 능력을 행하시는 하나님이신 것을 깨닫게 하시려는 목적이었습니다.

출애굽 때의 하나님, 이스라엘 백성이 광야 때 함께 하셨던 하나님, 그리고 요단강을 갈라서 이스라엘 백성을 건너게 하셨던 하나님은 지금도 우리와 함께하십니다.

1. 강에 빠진 도끼

엘리사는 많은 금과 돈을 가지고 온 아람의 군대장관 나아만의 한센병을 고쳤기 때문에 그가 가지고 온 선물만 받아도 하나님의 일을 하는데 큰 도움이 될 수 있었을 것입니다. 그러나 엘리사는 지금 우리가 사람의 병을 고쳤다고 해서 금이나 은을 받을 때가 아니라고 하면서 나아만이 가지고 온 엄청난 금과 돈과 옷을 하나도 받지 않고 그대로 돌려보냈습니다. 심지어는 그 돈과 옷이 탐이 나서 엘리사를 속이고 나아만을 따라가서 은과 옷을 받고 돌아온 자신의 종 게하시를 저주해서 나아만이 걸렸던 한센병에 걸리게 했습니다. 그럼에도 엘리사는 여전히 가난했습니다. 그것은 이유가 있었습니다. 엘리사는 하나님의 종은 가난해야 하나님의 말씀이 살아서 역사한다는 것을 알았기 때문입니다. 그럼에도 불구하고 가난은 미래를 아주 불안하게 하고 늘 먹는 문제와 입는 문제와 사는 문제로 걱정하게 됩니다.

엘리사도 예외가 아니어서 엘리사는 조그마한 집에서 제자들에게 하나님의 말씀을 가르치고 있었습니다. 그런데 제자들은 점점 더 많아져서 도저히 수용할 수 없을 만큼 비좁아지게 되었습니다. 즉 엘리사의 집에는 많은 제자 때문에 앉을 곳도 없었고 밤에 누워서 잘 곳도 없었습니다. 그래도 엘리사는 아무 대책이 없었습니다. 제자들은 엘리사에게 요단강가에 가서 나무를 베어다가 거기에 좀 더 넓은 집을 지어서 선생님의 말씀을 배우면 어떠신지 물었습니다. 엘리사는 제자들의 말을 듣고 좋은 생각이라고 했습니다. 그래서 모두 요단강가에 있는 큰 나무를 베다가 집을 짓기로 했습니다. 그런데 문제는 나무를 자를 도구조차 없는 것이었습니다. 그래서 제자들이 수소문해서 도끼를 하나 빌려서 집을 짓기로 했습니다.

그렇게 해서 제자들은 도끼 하나를 가지고 돌려가면서 나무를 베어서 집을 지으려고 했습니다. 그러나 엘리사의 제자들은 도끼질 하나 제대로 하지 못했습니다. 그래서 누군가가 도끼질을 하다가 도끼를 놓치는 바람에 요단강에 빠트리고 말았습니다. 제자들은 자기들이 도끼를 강에 빠트려놓고는 엘리사에게 찾아와서 도끼를 빠트렸다고 했습니다. 그러나 엘리사는 조금도 당황해하지 않았습니다. 왜냐하면 하나님의 말씀이 살아서 역사하실 줄 믿었기 때문입니다. 엘리사는 제자들에게 어디서 도끼를 빠뜨렸는지 물으니까 제자들이 그곳이라고 하면서 가르쳐주었습니다.

6:6, "하나님의 사람이 이르되 어디 빠졌느냐 하매 그 곳을 보이는지라 엘리사가 나뭇가지를 베어 물에 던져 쇠도끼를 떠오르게 하고"

그때 엘리사는 나뭇가지 하나를 꺾어서 물에 던졌습니다. 그랬더니 이상하게 쇠도끼가 물에 떠 올랐습니다. 제자들은 그 도끼를 다시 건져내어서 나무를 베어서 집을 만드는 데 성공했습니다. 쇠도끼는 물보다 엄청 무거운 것인데 어떻게 나뭇가지를 던졌다고 해서 떠오를 수 있었겠습니까? 바로 이것이 하나님의 말씀이 살아서 움직이는 것이었습니다. 엘리사가 나아만이 가져온 금과 은을 포기하고 믿음을 붙잡았을 때 말씀의 능력은 살아났습니다. 하나님의 세계에는 우리 머리로 이해할 수 없는 것이 너무 많이 있습니다. 그래서 우리가 어려운 가운데 하나님의 말씀을 믿을 때 미지의 세계에 와 있다고 생각해야 합니다. 그 나라는 정말 이상한 나라입니다. 그래서 우리는 돈이냐, 하나님의 말씀이냐 할 때 하나님의 말씀을 택해야 합니다. 우리는 하나님의 능력으로 다른 사람의 인생을 바꿀 수 있고 새 인생을 만들어줄 수도 있습니다.

2. 엘리사가 군대를 도움

엘리사 당시에 북쪽에 아람 나라가 있었는데 수시로 이스라엘을 쳐들어와서 물건을 약탈하기도 하고 사람들을 잡아가기도 했습니다. 그러나 이때 아람 왕 벤하닷은 워낙 게릴라식으로 군대를 밤에 출동시켰기 때문에 아람 군대가 어느 도시를 쳐들어올지도 몰랐고, 또 피해가 아주 막심했습니다. 그런데 엘리사는 하나님의 음성을 듣는 데 전념을 다 했습니다. 그래서 엘리사의 영감은 더 정확해지게 되었습니다. 엘리사가 전하는 하나님의 말씀은 거의 백 프로 하나님의 말씀이었습니다. 엘리사가 워낙 하나님의 말씀을 듣는 데 집중하니까 하나님은 엘리사에게 또 다른 능력까지 주셨습니다. 엘리사는 적의 왕 벤하닷이 작전을 지시하는 소리까지 듣게 된 것입니다. 그래서 어느 날 벤하닷이 신하에게 오늘은 어느 어느 곳으로 가서 매복하고 성을 약탈하라고 지시하면 엘리사는 그 소리를 들을 능력이 있었던 것입니다.

그래서 엘리사는 아람 군대의 작전 짜는 소리를 듣고 이스라엘 왕에게 제자를 보내어서 알려주었습니다. 오늘 밤에는 어느 곳에 아람 군대가 매복하고 있으니까 그쪽으로 가지 말고 다른 쪽을 치라고 알려주는 것입니다. 그런데 그다음 날 보니까 그것이 사실이었습니다. 아람 왕은 우연의 일치라고 생각하고 다른 작전을 지시했습니다. 그랬더니 이스라엘 군대가 미리 알고 그곳에 나와서 아람 군대를 쳐서 물리쳤습니다. 이런 횟수가 많아지니까 아람 왕은 깊은 고민에 빠지게 되었습니다. 아람의 비밀은 누설되고 있었고, 이것은 아람 왕의 신복 중에 첩자가 있다는 뜻이었기 때문입니다.

그래서 아람 왕은 드디어 자기가 모르는 첩자를 잡아내기 위해서 회의를 열었습니다. "지금까지 수차례에 걸쳐서 비밀회의를 하고 이스라엘을 기습하거나 매복을 했는데 그때마다 이스라엘 왕은 우리 작전을 다 알고 있었다. 이것은 틀림없이 우리 중에 첩자가 있다는 증거인데, 과연 그 첩자가 누구이며 그를 어떻게 잡아낼 것인가를 의논하기 바란다"라고 말했습니다.

그때 한 신하가 "그 첩자는 우리 신하가 아니라 이스라엘에 있는 선지자 엘리사입니다."라고 대답했습니다. "그는 하나님의 음성을 듣고 예언하는 자인데 얼마나 귀가 예민한지 하나님의 말씀만이 아니라 왕이 침실에서 하는 이야기까지 다 듣는다고 합니다."라고 보고했습니다. 또 다른 신하는 말하기를 "그 사람의 귀는 귀가 아니라 도청기와 같습니다."라고 했습니다. 그때야 아람 왕은 왜 그동안 모든 작전이 실패했는지 이해가 갔습니다.

하나님의 말씀을 잘 듣는 것이 중요합니다. 하나님의 말씀을 듣는 자에게는 적을 이길 수 있는 지혜까지 주시기 때문입니다. 드디어 아람 왕은 근본적으로 문제를 해결하는 방법을 생각했습니다. 그것은 문제의 근원이 되는 엘리사를 밤에 군대를 보내어 잡아서 죽이면 되는 것이었습니다. 그래서 아람 왕이 엘리사가 어디에 있는지 알아보니까 도단에 있다고 했습니다. 아람 왕은 군대를 밤에 몰래 보내어서 도단 성을 포위해서 엘리사와 도단 성 사람들을 다 죽이라고 했습니다.

3. 하나님의 불 말과 불 병거

이스라엘 백성 특히 도단 성 사람들은 꿈에도 모르는 가운데 무서운 전쟁이 준비되고 있었습니다. 그것은 바로 엄청난 아람 군대가 자기들이 잠들어있는 밤에 출동해서 도단 성을 포위 공격하는 것이었습니다. 성을 수비할 때 가장 위험한 것은 성이 포위되는 것입니다. 왜냐하면 성이 포위되면 일단 양식을 공급받을 수 없으므로 언젠가는 굶어 죽든지 아니면 항복해야 하기 때문입니다.

6:14, "왕이 이에 말과 병거와 많은 군사를 보내매 그들이 밤에 가서 그 성읍을 에워쌌더라"

이스라엘 백성이 얼마나 어리석었는가 하면 밤에 아람 군대가 와서 성을 완전히 포위했는데도 아침이 올 때까지 이 사실을 몰랐던 것입니다. 아침이 되어서 엘리사의 종이 무슨 일로 성 밖을 내다보니 그곳에 수많은 아람 군대의 말과 병거와 군사들이 와서 성을 에워싸고 있었습니다.

6:15, "하나님의 사람의 사환이 일찍이 일어나서 나가보니 군사와 말과

병거가 성읍을 에워쌌는지라 그의 사환이 엘리사에게 말하되 아아, 내 주여 우리가 어찌하리이까 하니"

엘리사의 제자가 엘리사에게 "아아"라고 하면, 이미 큰일이 벌어진 것입니다. 그런데 이번의 "아아"는 더 심각한 것이었습니다. 이것은 너무 절망적이고 우리에게 살길이 없다는 뜻이었습니다. 하나님께서는 엘리사에게 두 개의 세계를 볼 수 있는 능력을 주셨습니다. 엘리사는 이 세상을 보는 눈도 있었지만, 하나님의 세계 곧 천사들의 세계를 볼 수 있는 능력도 가지고 있었습니다.

엘리사의 종은 도단 성이 포위된 것을 보고 "주여, 우리는 절망에 빠졌습니다"라고 말했습니다. 그러나 그때 엘리사는 또 다른 세계를 보고 있었습니다. 그것은 바로 보통 사람에게는 보이지 않는 천사들의 세계였습니다. 그래서 엘리사는 자기 종에게 "두려워하지 말라. 우리와 함께 한 자들이 적의 숫자보다 훨씬 많다."고 했습니다. 엘리사의 종은 주인의 말이 이해되지 않았습니다. 지금 도단 성 밖에는 온 성을 에워쌀 만큼 많은 아람 군대와 말과 병거가 있었고, 이 성에는 이스라엘 군대나 말이 거의 없었기 때문입니다. 만일 성이 포위되지만 않았어도 말에 군사를 태워서 사마리아로 보내 군대를 보내달라고 할 텐데, 지금 성 전체가 포위되어 있으므로 왕에게 사신을 보낼 수도 없었습니다.

그때 엘리사는 하나님께 기도했습니다. "하나님, 이 종의 눈을 열어서 하나님의 세계를 한번 볼 수 있게 해 주십시오." 하나님께서 엘리사의 기도를 들으시고 엘리사의 종 청년의 눈을 뜨게 하였더니, 아람 군대보다 더 많은 하나님의 천사들이 도단 성안을 둘러싸고 있는 모습을 볼 수 있었습니다. 그런데 이들이 타고 있는 말은 불 말이었고 그들이 타고 있는 병거는 불 병거였습니다. 즉 말은 불 말인데, 온몸이 불로 되어 있고 말에서 불이 붙고 있었고 말이 숨을 쉴 때마다 말의 콧구멍에서 불이 나오고 있었습니다. 그리고 천사들이 타고 있는 병거는 전부 불로 되어 있는데, 그 시뻘겋게 달아있는 병거가 지나가기만 해도 그 곁의 군사들은 불에 타 죽을 수밖에 없었습니다. 그런데 이 불 말과 불 병거는 여차하면 아람 군대를 향해서 튀어 나가려고 대기하고 있었습니다. 만일 하나님께서 이 천사들의 부대에 '돌격!' 한 마디만 하면 아람 군대 전체는 왕으로부터 졸병까지 전부 전멸하고 말 것입니다. 이것을 본 이 종은 비로소 이 세상에는 우리만 있는 것이 아니라 하나님의 군대가 우리를 지키고 있다는 사실을 깨닫게 되었습니다.

우리가 이 세상만 바라보면 낙심하고 절망할 수밖에 없습니다. 우리는 집도 좁고 빌려온 것이고, 적들은 우리를 에워싸고 있습니다. 우리는 굶어 죽든지 항복하는 수밖에 없을 것입니다. 그러나 우리가 하나님의 말씀을 듣는 훈련을 자꾸 하면 기적이 일어나서 물에 빠진 도끼도 떠오르고, 적의 작전을 미리 알 수도 있을 것입니다. 또 우리는 철저하게 에워싸고 있는 불 말과 불 병거를 볼 수도 있을 것입니다. 그래서 우리는 세상일에 집착하지 말고 하나님의 말씀을 선택하시기 바랍니다. 하나님의 말씀을 살아나게 하고 기적을 일으키는 성도들이 다 되시기 바랍니다.

11
은혜의 배신
왕하 6:18-7:1

어떤 교회의 한 집사님 집에 아들은 있었지만, 딸이 없었습니다. 그분은 자신이 고아원에서 자라난 뼈아픈 기억이 있으므로 가난한 신학생들에게 장학금도 주고 거기에다가 미혼모가 낳은 여자아이 하나를 입양해서 이 아이에게 예쁜 이름도 지어주고 친딸처럼 키웠습니다. 그리고 이분은 어디를 가나 자기가 입양한 이 아이가 잘 크는 것을 자랑했습니다. 그러나 이 아이가 청소년이 되니까 정체성의 혼란이 생겼고, 언젠가 자기가 이 집의 자녀가 아니라는 사실을 알게 되었습니다. 그리고 이 아이는 슬슬 도벽이 생기게 되었고 부모에게 반항하고 가출까지 했습니다. 저는 세월이 많이 지난 후에 그 아이가 어떻게 되었을까 궁금해서 우연히 그 집사님을 만났을 때 그 아이 소식을 물어보니까 그 아이는 자기 몫을 챙겨 가출해서 사는데 이제 남남이 되었다고 했습니다. 마치 자기 몫을 챙겨서 외국에 가서 방탕하게 사는 탕자처럼 되고 말았다는 것입니다.

이 세상에 다른 사람의 은혜를 받으면 최소한도 그 사람에게 감사하는 마음을 가지고 살아가야 합니다. 그러나 사람이 너무 이기적이고 악할 때는 남이 자기에게 잘해 준 것은 다 잊어버리고 섭섭하게 했던 것만 생각해서 불평하고 악하게 대하는 사람들이 있습니다. 또 우리는 가장 믿었던 사람이 배신해서 큰 어려움에 빠지게 하면 그 사람에 대한 신뢰를 다 잃어버리고 세상을 살아갈 의욕까지 잃을 때도 있습니다.

1. 포로가 된 아람 군대

이스라엘에 가장 가까운 나라 중에서 항상 나쁜 심보를 가지고 기회만 있으면 몰래 쳐들어와서 백성을 죽이고 가축을 빼앗아가고 여자 아이들을 노예로 잡아가는 족속이 있었습니다. 이들은 바로 아람 사람들이었습니다. 우리 속담에 "열 명의 경찰이 한 사람의 도둑을 잡을 수 없다"는 말이 있는데, 아람 군대는 정말 한밤중에 어디를 공격할지 모르는 게릴라 전법으로 오늘은 여기를 공격했다가 내일은 저기를 공격하는 식으로 이스라엘에 큰 피해를 주고 있었습니다.

그러나 그 수많은 아람 군대의 게릴라 전법을 혼자 막아내는 사람이 있었는데 그는 바로 엘리사였습니다. 하나님께서 엘리사에게 아람 왕이나 신하들의 작전 계획을 세우는 소리도 다 들을 수 있게 하셨습니다. 그래서 엘리사의 귀는 요즘으로 치면 도청 장치와 같은 것이었습니다. 아람 군대가 어느 곳으로 기습하면 사람들이 이미 다 피해 있었고, 또 어느 곳으로 가려고 하면 이스라엘 군대가 기다리고 있다가 공격을 했습니다. 아람 왕은 부하 중에 첩자가 있는 것은 아닌가 생각을 했습니다. 그때 아람 왕의 한 신하가 말하기를 그것은 엘리사라는 선지자 때문이라고 했습니다. 엘리사는 하나님의 말씀만 잘 듣는 것이 아니라 왕이 침실에서 하는 말도 다 듣고 이스라엘 왕에게 알려준다고 했습니다.

그래서 아람 왕은 엘리사를 잡아 죽이기 위해서 엘리사가 있는 도단 성을 밤중에 몰래 군대를 보내 포위해버렸습니다. 하나님께서 틀림없이 엘리사에게 아람 왕의 군대가 도단 성으로 포위하러 간다고 하셨을 텐데 엘리사는 도망가지 않았습니다. 왜냐하면 엘리사는 더 큰 능력을 가지고 있었기 때문입니다. 그것은 바로 남들은 보지 못하는 하나님의 군대를 볼 수 있는 능력이었습니다.

아침에 엘리사의 사환이 성 밖을 내다보다가 성이 아람 군대에 의해 완전히 포위된 것을 보고는 "아아, 선지자여 성이 포위되었나이다"라고 보고했습니다. 그 말을 듣고 엘리사는 조금도 놀라지 않고 우리 편에 있는 군대가 적군보다 더 많다고 하며 하나님께 자기 사환의 눈이 열리게 해 달라고 기도했습니다. 사환의 눈이 열리니까 그도 하나님의 나라를 볼 수 있게 되었는데, 하늘에 수도 헤아릴 수 없을 만큼 많은 천사의 군대가 내려와서 성을 보호하고 있었습니다. 하나님의 천사들의 부대는 모두 불 말을 타고 있었고 불 병거를 이끌고 있었습니다.

이때 엘리사는 어떻게 해야 할까요? 기왕에 아람 군대가 하나님의 군대에 걸려들었으니까 한번 본때를 보여주는 것이 좋을 것 같습니다. 하나님께서 한마디만 하시면 모든 아람 군대는 불에 타서 죽게 되고 아마 전멸을 면치 못할 것입니다.

옛날 로마와 한니발이 이끄는 카르타고가 전쟁할 때였습니다. 그때 한니발 군대는 코끼리 수십 마리와 수만 명의 군대를 데리고 눈이 덮인 알프스 산을 넘어왔습니다. 한니발 군대는 칸나에에서 로마 군대를 포위해서 공격하는데 수만 명을 죽이고 죽인 로마 군인들의 반지를 손가락에서 빼서 땅에 쌓아 올렸는데 산을 이루었다고 합니다. 이것이 바로 이 세상 영웅들이 하는 행위입니다. 그들은 자신들이 우세하면 적 군대를 전멸시키는 것이 잘하는 전략입니다.

그러나 엘리사는 그렇게 하지 않았습니다. 엘리사는 하늘의 불 말과 불 병거를 볼 수 있지만, 아람 군대는 그것을 보지 못합니다. 이것은 마치 앞을 볼 수 있는 사람과 앞을 보지 못하는 맹인과 하는 전쟁이라고 할 수 있습니다. 앞을 볼 줄 아는 사람과 맹인이 싸우면 되겠습니까? 그것은 절대로 안 되는 일입니다. 그리고 우리가 알아야 할 것은 사람을 무조건 두들겨 부수고 죽인다고 해서 이기는 것은 아니라는 사실입니다. 사람을 진정으로 바꿀 수 있는 것은 사랑밖에 없기 때문입니다.

2. 아람 군대에 베푼 은혜

엘리사는 하나님의 불 말과 불 병거에 의해 모두 타 죽을 수밖에 없는 아람 군대를 사랑으로 대하기로 작정했습니다. 그래서 엘리사는 하나님께 기도하기를 아람 군대의 눈을 전부 어둡게 해 달라고 기도했습니다.

> 6:18, "아람 사람이 엘리사에게 내려오매 엘리사가 여호와께 기도하여 이르되 원하건대 저 무리의 눈을 어둡게 하옵소서 하매 엘리사의 말대로 그들의 눈을 어둡게 하신지라"

하나님의 불 말과 불 병거가 한번 쓸고 지나가면 거기에는 시체만 남게 될 것입니다. 그래서 엘리사는 이 사람들의 눈을 다 어둡게 해 달라고 기도했습니다. 엘리사는 그들이 영적인 맹인이니까 육체적으로도 맹인이 되게 해 달라고 기도했던 것입니다. 결국 도단 성을 에워싸고 있는 아람 군대는 모두 앞이 보이지 않게 되었습니다. 아람 군대는 눈만 보이지 않았는데 그들이 할 수 있는 것은 아무것도 없었습니다.

그때 엘리사가 아람 군대 앞에 나타났습니다. "너희들은 지금 엘리사와 이스라엘 사람들을 치러 온 모양인데 길을 잘못들었다"고 했습니다. 그리고 길을 잃어버리면 안 되니까 모두 동료들 어깨에 손을 얹으라고 했습니다. 그리고 내가 너희들을 인도해서 엘리사와 이스라엘 군대가 있는 곳으로 데려갈 테니까 한 사람도 이탈하지 말고 앞 사람의 어깨를 잡고 따라오라고 했습니다. 그래서 그 많은 아람 군대가 졸지에 엘리사의 기도 한 번으로 유치원생들같이 되었습니다.

엘리사는 이 아람의 앞을 보지 못하는 군사들을 전부 사마리아 성 안으로 데리고 갔습니다. 그리고 아마 아람 군대가 사마리아 성으로 들어갈 때 이스라엘 군대는 그들이 가지고 있던 무기를 다 빼앗았을 것입니다. 그리고 이스라엘 왕과 군대가 다 출동해서 아람 군대를 포위했습니다. 아마 이때 아람 군대는 자신들의 처지를 알았는지 모릅니다. 그들은 나름대로 작전을 잘 짜서 전쟁한다고 생각했지만, 사실은 앞을 보지 못하는 맹인이었던 것입니다.

아람 군대가 모두 사마리아 성으로 들어갔을 때 엘리사는 하나님께 모든 아람 군대의 눈을 열어서 다시 보게 해 달라고 기도했습니다. 아람 왕과 군대가 눈을 떠 보니까 그들은 모두 사마리아 성안에 들어와 있는데 포위가 되어 있었고 숨을 곳이나 도망칠 곳이 전혀 없었습니다. 그때 이스라엘 왕은 엘리사에게 물어보았습니다. "내 아버지여, 지금 아람 군대가 포위되었을 때 전부 공격해서 전멸시켜버릴까요? 그동안 이들은 우리를 무지하게 괴롭히던 원수들입니다. 지금 다 죽여버리는 것이 어떨까요?"

하나님께서는 아람 군대같이 악한 자들은 아무리 죽이고 때린다고 해서 변하지 않는다는 것을 아셨습니다. 이 악한 자들을 바꿀 수 있는 것은 오직 하나님의 사랑밖에 없습니다. 그래서 엘리사는 이스라엘 왕에게 죽이면 안 된다고 했습니다. 만약 우리가 전쟁하다가 이들을 포로로 잡아 왔다 하더라도 전쟁 포로에 대한 인격적인 대우를 해주어야 하는데, 하나님의 능력으로 포로로 잡아 왔으니 그들을 죽이면 안 된다고 했습니다. 그리고 엘리사는 이스라엘 왕에게 이들이 여기까지 오느라고 목이 마르고 배가 고플 테니까 성안에 있는 물과 떡을 가지고 와서 이들을 먹이도록 하라고 했습니다.

> 6:22, "대답하되 치지 마소서 칼과 활로 사로잡은 자인들 어찌 치리이까 떡과 물을 그들 앞에 두어 먹고 마시게 하고 그들의 주인에게로 돌려보내소서 하는지라"

그래서 밤에 몰래 엘리사를 잡아가려고 왔던 아람 군대는 졸지에 포로가 되었지만, 손님 대접을 받게 되었습니다. 아마 아람 군대도 양심이 있었기 때문에 조금은 깨달았을 것입니다. 자기들은 엘리사를 잡으러 왔는데 오히려 엘리사는 그들을 물과 음식으로 대접했던 것입니다. 우리는 과연 원수들에게 이렇게 대할 수 있겠습니까? 우리는 우리의 원수가 망해야 속이 시원해지지 않겠습니까? 그러나 진짜 원수에게 복수하는 것은 원수에게 잘해주어서 조금이라도 깨닫게 해주는 것입니다.

3. 은혜를 배신한 아람 왕

아람 왕은 자기가 보낸 부대가 엘리사에 의해서 포로 되고 사마리아 성까지 끌려갔다가 다 죽을 뻔했는데 오히려 대접을 받고 왔다면 이스라엘이 자기들과는 차원이 다르다는 것을 깨닫고 미안하게 생각해야 했을 것입니다. 물론 이스라엘 백성이 아람 군대를 죽이지 않고 물과 떡으로 대접한 것은 어느 정도는 효과가 있어서 아람 군대가 이스라엘에 감히 쳐들어오지 못했습니다.

6:24, "이 후에 아람 왕 벤하닷이 그의 온 군대를 모아 올라와서 사마리아
를 에워싸니"

그러나 세월이 지나면서 아람 왕 벤하닷이나 그의 신하들은 엘리
사나 이스라엘 왕의 은혜를 점차 잊어버리게 되었습니다. 그래서 그
들은 또다시 이스라엘을 공격하게 되었습니다. 이번에는 엘리사가 있
는 도단 성만 포위한 것이 아니라 아예 이스라엘의 수도인 사마리아
를 포위해버렸습니다. 이것은 너무나도 배은망덕한 일이었습니다.

아람 군대가 사마리아를 완전히 포위해버리니까 양식이 공급되지
않아서 백성이 몹시도 굶주리게 되었습니다. 이때 밀이나 보리 같은
것은 아예 구경할 수도 없었고 나귀 머리 하나에 은 팔십 세겔이나 했
고, 비둘기 똥이 사분의 일 갑에 은 다섯 세겔이나 되었습니다. 이스
라엘은 거룩한 백성이었기 때문에 나귀를 잡아먹지 않았습니다. 그러
나 너무나도 배가 고프니까 나귀를 잡아먹었습니다. 그런데 나귀 고
기를 먹지 못하는 사람들을 위하여 나귀 머리만 떼어서 파는데 이것
이 은 팔십 세겔이나 되었던 것입니다. 아마 지금 우리 돈으로 치면
십만 원쯤 되었던 것 같습니다.

그리고 여기서 비둘기 똥이라는 것은 비둘기가 콩이나 옥수수 같
은 것을 먹으면 완전히 소화시키지 못해서 비둘기 똥에 콩이나 옥수
수 알갱이가 섞여서 나오는데 이스라엘 백성은 똥에 묻어 나오는 이
알갱이를 씻어서 팔았던 것입니다. 그것이 사분의 일 갑에 은 다섯 세
겔이나 되었던 것입니다. 요즘 우리 돈으로는 만 원쯤 했던 것 같습니
다. 그나마 돈이라도 있는 사람들은 나귀 머리나 비둘기 똥을 사 먹을
수 있지만, 일반 백성은 그냥 굶는 수밖에 없었습니다.

그래서 그들이 한 일은 아이들을 잡아먹는 것이었습니다. 이 장면
을 왕이 직접 목격했습니다. 왕이 성벽 위를 걸어가고 있는데 한 여인
이 찢어지는 소리를 내면서 도와달라고 했습니다. 그러면서 그 여자

는 너무 끔찍한 말을 했습니다. 즉 자기들이 먹을 양식이 없으니까 옆집 여자와 양쪽 집 아이를 삶아 먹기로 약속했다는 것입니다. 이 여자가 그래도 용기가 있어서 자기 집 아이를 먼저 죽여서 양쪽 집이 맛있게 삶아 먹었고 오늘은 저쪽 집 아이를 삶아 먹어야 하는데 저 집 여자가 자기 아이를 어디엔가 숨겨서 절대로 안 내어놓는다는 것입니다. 아이를 삶아 먹는다는 것은 미친 짓입니다. 그런데 이스라엘 백성이 전부 다 굶어서 미치고 있는 것이었습니다.

이스라엘 왕은 이 여자의 말을 듣고 너무 기가 막혀서 옷을 찢어버렸습니다. 왕도 속살에 굵은 베옷을 입고 있었습니다. 즉 왕도 겉으로만 왕복을 입고 있었지, 속으로는 회개하고 있었고 하나님 앞에 잘못한 것이 많다는 것을 인정하고 있었습니다.

그러나 이스라엘 왕은 여인들이 아기를 삶아 먹는다는 말을 들었을 때 이 모든 책임은 엘리사에게 있다고 생각했습니다. 왜냐하면 지난번에 아람 군대가 사마리아 성안에 들어왔을 때 다 죽여버렸으면 이런 일이 없을 텐데, 엘리사가 포로들에게 물과 음식을 주고 돌려보내는 바람에 이들이 다시 쳐들어오게 되었다는 것입니다. 그때 아람 군대를 전부 노예로 만들어버렸으면 되는데 적에게 자비를 베풀었기 때문에 그 적들이 다시 쳐들어오게 되었다는 것입니다.

그래서 왕은 이 모든 복수를 엘리사에게 하기로 했습니다. 즉 "오늘 엘리사의 머리가 그 몸에 붙어 있으면 내가 저주를 받는다"고 했습니다. 그때 엘리사는 이스라엘 장로들과 집 안에 있었는데, 엘리사는 "이 살인자의 아들이 사신을 보내는데 속지 말라 그 뒤에 나를 죽이려고 군대가 오고 있으니까 문을 잠그라"고 했습니다(32절). 우리가 이것을 통해서 알 수 있는 것은 왕이 살인자 아합의 아들이라는 것입니다. 그러니까 아무리 베옷을 입고 회개하는 척해도 완전히 아버지의 정신을 버리지 않는 이상 하나님이 벤하닷을 써서 이스라엘을 두들겨 패시는 것입니다.

왕은 혼자 소리를 지르고 있습니다. "이 재앙이 여호와께로부터 나왔으니 어찌 더 여호와를 기다리리요?"(33절)라고 했습니다. 이것은 하나님이 재앙을 주셨기 때문에 이제 더 이상 하나님을 기다리지 않겠다는 뜻입니다.

이것은 우리도 마찬가지입니다. 코로나가 하나님으로부터 온 재앙은 틀림이 없는데 아무리 기다려도 끝나지 않고 예배만 못 드리게 되니까 기도의 능력이나 예배의 능력을 버리겠다고 생각하는 사람들도 있습니다. 이번 기회에 아예 신앙을 버리는 사람들도 많이 있을 것입니다.

이때 엘리사는 거의 원자 폭탄과 같은 하나님의 말씀을 전했습니다.

7:1, "엘리사가 이르되 여호와의 말씀을 들을지어다 여호와께서 이르시되 내일 이맘때에 사마리아 성문에서 고운 밀가루 한 스아를 한 세겔로 매매하고 보리 두 스아를 한 세겔로 매매하리라 하셨느니라"

엘리사는 내일 이맘때 즉 스물네 시간 안에 사마리아의 양식 문제는 완전히 해결될 것이라고 선포했습니다. 한 '스아'는 아주 큰 통을 말합니다. 밀가루 한 통이 한 세겔 즉 몇천 원밖에 안 하고, 보리가루는 두 스아에 한 세겔로 매매할 것이라고 했습니다. 이것은 인간의 머리로는 불가능한 일이었습니다. 우리가 생각하기에는 백성도 미치고 엘리사도 미친 것 같습니다. 즉 엘리사는 불가능한 말을 하고 있는 것입니다. 그러나 이것은 하나님의 말씀이었습니다. 하나님은 어떠한 경우에도 우리에게 살 수 있는 길을 열어주십니다. 우리는 절망하지 말고 하나님의 말씀을 믿어야 합니다.

12
두려운 하나님의 말씀
왕하 7:1-20

우리나라에 6.25 전쟁이 일어났을 때 아이들은 먹을 것이 없으니까 미군이 주는 가루우유를 큰솥에 끓여서 배급을 받아먹었습니다. 그런데 처음에는 우유가 우리나라 아이들의 배에 맞지 않아서 그 우유를 먹은 아이마다 설사했다고 합니다. 제가 신천에 가다 보면 옛날 전쟁 때 대구 아이들의 사진을 걸어 놓았는데, 사진 하나에는 아이들이 전부 머리에 이불 같은 것을 이고 피난 가는 모습이고, 다른 하나는 아이들이 배급 주는 곳에 몰려와서 무엇인지 모르지만 하나라도 받으려고 결사적으로 몰려 있는 모습을 볼 수 있습니다. 전쟁 때에는 고아들도 많았고 이미 총에 맞아 죽은 엄마의 젖을 빨고 있는 아이도 있었습니다.

엘리사는 이 세상 나라와 하나님 나라를 함께 볼 수 있는 능력이 있었습니다. 그래서 아람 왕 벤하닷이 군대를 보내어서 엘리사가 살던 도단 성을 몇 겹으로 포위했을 때, 엘리사는 아람 군대의 눈을 다 멀게 해 달라고 기도해서 사마리아로 데리고 가서 포로가 되게 했는데, 한 명도 죽이지 않고 전부 본국으로 돌려보내었습니다. 그래서 몇 년 동안은 감히 아람 군대가 이스라엘을 공격하지 못하더니 시간이 지나니까 옛날의 그 은혜를 다 잊어버리고 더 많은 아람 군대가 침략해서 이제는 수도인 사마리아를 에워쌌습니다.

그때 아람 군대가 사마리아를 포위한 기간이 길어지니까 이스라엘 백성은 양식이 떨어져서 모두 굶주리게 되었습니다. 심지어는 이웃끼리 서로 아이를 삶아 먹는 지경까지 이르렀습니다. 이스라엘 사람들은 제정신이 아니었던 모양입니다. 이때 이스라엘 왕은 옛날 아람 군대가 포로로 잡혀 왔을 때 다 죽였어야 이런 일이 없는데 엘리사가 모두 살려 보내는 바람에 이런 어려움을 당하게 되었다고 하면서 당장 군대를 보내서 엘리사를 죽이려고 했습니다. 이때 엘리사는 왕의 속셈을 알아차리고 문을 잠그라고 하면서 왕에게 도저히 인간의 머리로는 상상할 수 없는 하나님의 말씀을 외쳤습니다.

1. 불가능해 보이는 하나님의 말씀

엘리사가 이스라엘 왕이나 백성에게 한 말은 인간의 머리로는 절대로 불가능한 일이었습니다. 그것은 단 하루 즉 스물네 시간 안에 아람 군대에 포위된 사마리아 성의 양식 문제가 해결되고, 전쟁이 해결되고, 경제 문제가 완전히 해결된다는 것이었습니다.

7:1, "엘리사가 이르되 여호와의 말씀을 들을지어다 여호와께서 이르시되 내일 이맘때에 사마리아 성문에서 고운 밀가루 한 스아를 한 세겔로 매매하고 보리 두 스아를 한 세겔로 매매하리라 하셨느니라"

하나님께서는 이스라엘이 가장 절망적일 때 선지자를 통해서 하나님의 말씀을 주셨습니다. 그런데 사람들이 하나님 말씀의 가치를 인정하지 않고 믿지 않아서 그렇지, 믿기만 하면 얼마나 놀라운 일이 일어나는지 모릅니다. 그러나 유감스럽게도 엘리사 선지가 한 말은 도저히 믿을 수 없고 실현 불가능했습니다. 지금 예루살렘은 양식이 없어서 밀이나 보리는 구경조차 할 수 없고, 심지어는 옆집끼리 아기들을 삶아서 먹을 정도로 경제 파탄 지경이었습니다. 그런데 아무리 하나님의 말씀이라고 하지만 어떻게 단 하루 만에 양식 문제가 다 해결이 되어서, 밀가루 한 스아가 천 원에 팔리고 보리가 두 스아에 천 원에 팔릴 수 있겠습니까? 한 스아는 제법 큰 통을 말합니다. 아마 우리 계량으로 한 말 정도 될지 모르겠습니다. 우리는 아무리 머리로 이해되지 않는 하나님의 말씀이라 하더라도 일단 하나님의 말씀에는 '아멘!' 할 수 있어야 합니다. 그러나 이스라엘 왕이나 이스라엘 백성은 모두 이 선지자가 정말 미쳤나 할 생각이 들었는지 침묵만 지키고 있었습니다.

그때 이스라엘 왕이 가장 신임하는 장관이 엘리사를 대적하면서 엘리사가 한 말은 실현 불가능하고, 설사 하늘에 창문이 있어서 하나님이 양식을 부어주셔도 안 되는 일이라고 장담했습니다. 엘리사가 이런 허무맹랑한 말을 하는 것은 백성에게 헛된 희망을 안겨다 주어서 인기를 끌려고 한다고 생각했습니다. 요즘 우리는 자주 '희망 고문'이라는 말을 듣게 됩니다. 이것은 어떤 일이 실현이 불가능한데도 좋은 방법이 있다고 말을 퍼트려서 희망을 가지고 기다리게 하지만 결국 더 큰 고통을 받게 된다는 것입니다. 그리고 나중에 그 모든 것이 엉터리로 밝혀지면 사람들은 더 큰 박탈감이나 허탈감에 빠지게 되는 것입니다. 그러나 사실 현실적으로는 이 장관의 말이 맞습니다.

이때 엘리사는 왕의 신하에게 너무나도 무서운 저주를 퍼부었습니다. 그것은 "네가 네 눈으로 이것을 보리라. 그러나 그것을 먹지는 못하리라."는 말이었습니다. 그 신하가 양식 문제나 전쟁 문제, 경제 문제가 해결되는 것을 보기는 하겠지만, 그 양식을 먹지는 못한다는 말은 이것을 보기만 하지, 먹지 못하고 죽는다는 뜻입니다. 그가 하나님의 말씀을 믿지 않았고 하나님의 말씀을 대적했기 때문입니다.

> 7:2, "그 때에 왕이 그의 손에 의지하는 자 곧 한 장관이 하나님의 사람에게 대답하여 이르되 여호와께서 하늘에 창을 내신들 어찌 이런 일이 있으리요 하더라 엘리사가 이르되 네가 네 눈으로 보리라 그러나 그것을 먹지는 못하리라 하니라"

사실 장관이 한 말은 옳습니다. 하늘에서 양식이 쏟아 부어진다고 해도 이 굶주린 사마리아 사람들을 다 먹일 수는 없습니다. 지금 결정해야 하는 것은 항복이냐, 굶어 죽느냐 하는 것뿐이었습니다. 그러나 믿음은 말도 되지 않는 하나님의 말씀을 믿는 것입니다. 우리에게 이런 하나님의 말씀이 있다는 것이 얼마나 다행스러운 일입니까? 그러나 우리는 하나님의 말씀은 너무 현실과 맞지 않고 우리 이성으로 판단해 볼 때 실현 불가능하다고 생각합니다. 그래서 신앙은 내가 보고 믿을 수 있는 것만 믿고 믿을 수 없는 것은 안 믿는 것이 아닙니다. 신앙은 말도 되지 않는 하나님의 말씀을 믿는 것입니다.

그러나 우리에게는 문제가 있습니다. 그것은 우리가 가지고 있는 성경은 엘리사의 말처럼 구체적이지 않다는 것입니다. 그리고 때로는 우리가 아무리 하나님의 뜻이라고 생각하고 믿어도 안 될 때가 많다는 것입니다. 그래서 하나님의 말씀이 너무 모호하고 너무 광범위하여서 어느 말씀을 믿어야 할지 모르는 것입니다. 그런데 우리에게는 너무 하나님의 말씀이 많아서 어떤 말씀을 믿어야 할지 고민이 됩니다. 그러나 우리가 매일 하나님의 말씀을 붙들고 살아가면 하나님은 절대로 우리를 망하게 하시지 않습니다. 우리는 이것을 믿어야 합니다. 즉 지금 당장은 어려움이 있지만 언젠가는 이 모든 어려움을 다 극복하고 기적 같은 삶을 살게 될 것입니다.

2. 하나님의 방법

하나님께서는 사마리아 사람들을 굶주림에서 건지시기 위하여 하늘에서 양식을 부어주시거나 혹은 하늘의 불 말과 불 병거를 사용하시지 않으셨습니다. 하나님께서 사용하신 것은 하나님의 앰프였습니다. 하나님께서는 캄캄한 밤에 아람 군대 앞에 하나님의 앰프를 크게 틀어 놓으셨는데, 그것은 바로 수많은 말이 달리는 소리와 군사들이 외치는 소리였습니다.

7:6-7, "이는 주께서 아람 군대로 병거 소리와 말 소리와 큰 군대의 소리를 듣게 하셨으므로 아람 사람이 서로 말하기를 이스라엘 왕이 우리를 치려 하여 헷 사람의 왕들과 애굽 왕들에게 값을 주고 그들을 우리에게 오게 하였다 하고 해질 무렵에 일어나서 도망하되 그 장막과 말과 나귀를 버리고 진영을 그대로 두고 목숨을 위하여 도망하였음이라"

말도 없는데 어떻게 말발굽 소리를 낼 수 있습니까? 그리고 사람이 없는데 어떻게 많은 군대의 소리를 낼 수 있습니까? 그리고 병거가 없는데 어떻게 많은 병거가 굴러가는 소리를 낼 수 있습니까? 그것은 불가능한 일입니다. 그러나 하나님은 그렇게 하실 수 있습니다. 거기에다가 하나님은 아람 왕이나 신하들의 머리를 사용하였고, 아람 군대의 불안 심리를 이용하셨습니다. 아람 군대는 이제 사마리아의 항복은 시간문제라고 생각하면서 느긋하게 준비하고 있는데, 그들의 귀에 틀림없이 수많은 말 소리가 들렸습니다. 수많은 군대가 쳐들어오고 있는 것입니다. 그리고 엄청난 군대가 외치는 소리와 수많은 병거의 바퀴가 굴러가는 소리가 들렸습니다.

그때 아람 왕과 신하들의 머리에 번쩍 떠오른 생각은 이스라엘 왕이 절대로 순순히 항복할 리가 없다는 의심이었습니다. 그들은 벌써

헷 족속과 애굽 왕에게 돈이나 보물을 보내어서 군대를 샀는데 자기들만 모르고 지금 성을 포위하고 있다는 생각이었습니다. 만약 지금 우리가 애굽 군대나 헷 군대에 포위를 당하면 양쪽에서 공격을 당하기 때문에 전멸을 피할 수 없다고 생각했습니다. 아람 군대는 자신들의 작전이 틀렸다는 것을 깨닫고는 패닉 상태에 빠지게 되었습니다. 그래서 그들은 지금 아직 기회가 있을 때 목숨이라도 건져야겠다고 생각해서 모든 양식이나 무기, 말과 나귀를 다 버리고 맨몸으로 도망치기 시작했습니다. 왕과 장군이 도망치니까 일반 병사들도 모두 가지고 있는 것을 다 내버리고 도망치기에 급급했습니다.

우리가 이것을 보면 하나님은 심리전의 명수인 것을 볼 수 있습니다. 하나님께서는 그 많은 아람 군대를 쫓아내는데 활 하나 쏘지 않고 군대를 보내시지도 않고 효과 음향만 틀어 놓으니까 무기나 식량이나 말이나 나귀를 다 버려두고 맨몸으로 도망쳤던 것입니다.

3. 가장 비참한 사람들

이스라엘 사람 중에서 가장 비참한 사람들은 한센병 환자였습니다. 이들은 이스라엘 백성이 음식을 갖다 놓으면 그것을 가져가서 먹고사는 사람들이었습니다. 그런데 사마리아 성안에 사람들이 아이를 잡아먹을 정도니까 한센병자들을 위해서 전혀 먹을 것을 내어주지 못했습니다. 결국 한센병 환자들은 굶어서 죽게 되었습니다. 그때 한센병 환자 네 사람은 용기를 내었습니다. "우리가 아람 군대에 가서 항복하자. 그래서 먹을 것을 주면 사는 것이고, 우리를 다 죽이면 죽자"라고 의논하고 아람 군대에 항복하러 갔습니다.

그런데 이 한센병 환자들이 아람 진영에 가보니까 놀랍게도 너무 조용했습니다. 말과 소나 나귀, 양식들은 그대로 있는데 군사들이 아무도 없었습니다. 그래서 이들은 아람 군대의 떡과 고기와 포도주를 가지고 배가 터지도록 먹었습니다. 또 거기에 보니까 금과 은 같은 보석도 있고 좋은 의복과 담요도 있었는데 이들은 가지고 가서 숨기고 또 가져가서 숨겼습니다(8절).

> 7:9, "나병환자들이 그 친구에게 서로 말하되 우리가 이렇게 해서는 아니 되겠도다 오늘은 아름다운 소식이 있는 날이거늘 우리가 침묵하고 있도다 만일 밝은 아침까지 기다리면 벌이 우리에게 미칠지니 이제 떠나 왕궁에 가서 알리자 하고"

한센 환자들은 배가 터지도록 떡이나 고기나 포도주를 마시고 거기에 있는 귀한 보물이나 옷을 가지고 갈 수 있는 한 많이 가지고 가서 감추어 두었습니다. 그리고 그들은 그제야 성안에서 굶주리고 있는 사람들이 생각났습니다. 그들도 이스라엘 사람들이었고 성안에는 아들이나 아내나 가족들이 있었기 때문입니다. 그래서 이들은 이렇게 먹을 것이 많고 보물이 많은 날 우리만 먹고 내일 아침까지 이 소식을 성안에 있는 사람들에게 전하지 않고 굶어 죽게 한다면 하나님께서 우리에게 벌 주실 것이라고 생각했습니다. 그래서 이 한센병 환자들은 사마리아 성을 찾아가서 문지기에게 이 사실을 전했습니다. 문지기는 한센병 환자들이 하는 말이 의심스러웠지만, 워낙 중요한 사안이기 때문에 즉시 왕궁에 알렸습니다.

그래서 이 문제를 두고 밤에 왕궁에서는 긴급회의가 열렸습니다. 즉 아람 군대가 다 없어지고 한센병 환자들이 말한 것처럼 양식이나 물건은 그대로 남아 있다는 말이 사실일까 하는 것이었습니다. 그래서 하나님이 주신 구원을 두고서 왕궁에는 대논쟁이 벌어지고 있었습니다. 즉 어떤 사람들은 이것이 바로 유인책이라는 주장도 있고, 어쩌면 하나님이 주신 기회인지도 모르니까 일단 나가보자는 사람들도 있었습니다. 이것이 바로 우리 인간의 문제입니다. 하나님을 의심하는 것입니다. 하나님이 축복을 주셨으면 그것을 받아 누리면 되는데, 이것이 어떤 의미를 가지느냐 하면서 끊임없이 토론만 하고 있습니다.

그때 한 지혜 있는 사람이 있었습니다. 그 사람은 우리가 다 나갈 것이 아니라 일단 성안에 말 다섯 마리를 택해서 병거 둘에 메어가지고 일단 정찰이나 해보자는 것이었습니다. 그래서 병거 둘에 말을 메어서 정찰을 보내었습니다. 그러나 아무리 둘러보아도 아람 군대는 보이지 않았습니다. 그 대신 아람 군대가 요단강 쪽으로 급하게 도망가면서 버린 옷가지와 무기가 널려 있었고 아람 진영 안에는 엄청난 양식과 포도주와 밀가루와 보릿가루들이 남아 있었습니다. 그런데 왜 아람 군대가 갑자기 사라졌는지는 알아내지 못했습니다.

이 소식을 듣고는 그동안 굶주리고 있던 사마리아 사람들이 떼거리로 밀려 나가서 아람 진영으로 양식을 가지러 갔습니다. 그때 엘리사의 예언이 말이 안 된다고 주장하던 신하가 성문에 서서 백성에게 질서를 유지하라고 소리를 쳤습니다. 그러나 그들은 너무 굶어서 아무 소리도 들리지 않았습니다. 그들이 밀려 나가니까 이 신하는 밀려서 넘어졌는데 그 위에 사람들이 밟고 지나가면서 그만 그들의 발에 밟혀 죽고 말았습니다(17절). 그리고 그날 저녁에 사람들이 아람 진에서 가지고 온 밀가루와 보릿가루를 성문에서 파는데 고운 가루 한 스아에 한 세겔이었고, 보리는 두 스아에 한 세겔이었습니다. 하나님의 말씀은 무섭게 성취가 되었습니다.

우리는 여기서 하나님의 백성이 조금만 더 기다렸다면 얼마나 좋았겠는가 하는 생각이 듭니다. 하나님은 사마리아에서 쫓겨난 한센병 환자들에게 가장 먼저 은혜를 베푸셨습니다. 하나님은 상상할 수 없는 방법으로 우리를 구원하십니다. 하나님의 말씀이 구체적이지 않다고 자기 멋대로 행동할 것이 아니라, 하나님의 말씀을 앞에 두고 걸어가면 하나님의 구원이 나타날 것입니다.

13
수넴 여인이 돌아옴
왕하 8:1-6

요즘에 기독교나 목회자에 대하여 적대적인 사람을 많이 볼 수 있습니다. 그리고 교회 안에서 사랑이 점점 식어가는 모습을 볼 수 있습니다. 그리고 목회자도 자신을 하나님의 종이라고 생각하지 않고, 기업가나 경영인처럼 생각하거나 아니면 목회를 하나의 직업이나 월급쟁이로 생각하는 것을 볼 수 있습니다. 장로 중에는 목사 위에 올라서거나 불만을 드러내는 이들이 많고, 부교역자 사이에도 같은 하나님의 종이 아니라 서로 미워하고 경쟁하는 상대로 생각하는 모습을 볼수 있습니다.

옛날 엘리사 시대에도 나라 전체가 우상숭배에 빠지니까 하나님의 종에 대한 태도가 아주 적대적이었습니다. 그래서 엘리사가 벧엘에 올라갈 때 거기의 청년들이 몰려와서 엘리사에게 대머리라고 하면서 저주했습니다. 그러다가 암곰 두 마리가 나와서 청년 마흔두 명을 물어 죽였습니다. 이런 것을 보면 얼마나 많은 사람이 엘리사를 적대시했는지 알 수 있습니다.

엘리사는 항상 가난했습니다. 엘리사는 수넴이라는 곳에 가서도 쉴 곳이 없었고 음식을 대접하는 사람도 없었습니다. 그런데 수넴에는 선지자의 말씀과 하나님을 귀하게 생각하는 한 여인이 있었습니다. 그 여인은 엘리사가 그 동네에 갈 때마다 자기 집에서 음식을 대접하고 나중에는 담 위에다 다락을 지어서 엘리사가 부담 없이 그곳에 와서 쉬고 묵상할 수 있게 했습니다. 하나님은 엘리사를 통하여 아이를 낳게 하시고 이 아이가 일사병으로 죽었을 때 그 아이를 살려 주시기도 하셨습니다.

그러나 이스라엘 백성의 하나님에 대한 적대감이나 불신앙은 변함이 없었고 바알 숭배도 중단되지 않았습니다. 하나님께서는 엘리야 때 3년 반 동안 비가 오지 않게 하셨는데, 이번 엘리사 때에는 7년 동안의 흉년을 준비하고 계셨습니다. 7년이라면 얼마나 심한 흉년입니까? 그러나 사람들은 자신 앞에 무엇이 기다리고 있는지 알지 못하고 자기 기분대로 살고 있었습니다. 그러나 하나님은 선지자를 선대한 수넴 여인에게 흉년이 오기 전에 미리 피하게 하셨습니다.

1. 칠년 기근을 알려주는 엘리사

엘리사는 대부분 사람이 자기를 무시하고 적대시하는 가운데 자기에게 식사를 대접하고 쉴 수 있는 다락까지 만들어준 수넴 여인에게 아주 고마운 마음을 가지고 있었습니다. 이 수넴 여인이 엘리사를 귀하게 생각했던 것은 그의 입에서 나오는 하나님의 말씀 때문이었습니다.

엘리사는 수넴 여인이 너무 귀해서 일부러 그를 찾아가서 하나님의 무서운 계획을 알려주면서 피하게 했습니다.

8:1, "엘리사가 이전에 아들을 다시 살려 준 여인에게 이르되 너는 일어

나서 네 가족과 함께 거주할 만한 곳으로 가서 거주하라 여호와께서 기근
을 부르셨으니 그대로 이 땅에 칠 년 동안 임하리라"

미래에 자기에게 일어날 일을 알 수만 있다면 얼마나 좋겠습니까?
이스라엘 백성이 엘리야 때 있었던 그 엄청난 표적과 기적을 다 잊
어버리고 여전히 하나님께 대하여 적대적이고 우상숭배가 심하고 불
의한 정치를 하고 있었기 때문에 하나님은 이번에는 벤하닷의 몽둥이
대신에 칠년 대흉년을 부르셨습니다. 대흉년이 오면 아무리 돈이 있
고 양식이 있는 사람이라 하더라도 굶주리게 되고 또 도둑이나 강도
들이 들끓어서 부자 집안이 몰살당할 수도 있습니다. 엘리사가 우려
했던 것도 바로 이런 점이었습니다. 즉 수넴 여인의 집이 돈이나 밭이
있었고 또 신앙심이 깊은 여인이었기 때문에 흉년이 들면 사람들이
그 집에 쳐들어가서 사람들을 죽이고 곡식을 탈취해갈 가능성이 있었
던 것입니다. 그래서 엘리사는 아직 조금 여유가 있을 때 수넴 여인에
게 식구들을 다 챙겨서 어디 양식이 있을 만한 곳으로 피난을 가라고
조언했습니다.

수넴 여인은 엘리사의 말을 하나님의 말씀으로 믿었기 때문에 그
의 말대로 피난을 갔습니다. 그래서 가지고 있던 패물이나 양식을 챙
겨서 블레셋에 가서 칠 년을 살았습니다. 그동안에 이스라엘에는 무
시무시한 칠년 대흉년이 오게 되었습니다. 우리가 미래를 알 수 있다
면 이 세상 사는 것이 하나도 어려울 것이 없을 것입니다. 미래를 모
르기 때문에 미래를 위해서 많은 고민도 하고 생각도 하고 두려워하
기도 합니다.

수넴 여인은 엘리사의 말을 듣고 블레셋에 가서 피난 생활을 했는
데 이때 블레셋에는 양식이 있었던 것 같습니다. 그래서 수넴 여인은
자기가 가지고 갔던 양식을 먹고 또 양식이 떨어지면 패물을 팔아서
칠 년을 무사히 잘 견디어내었던 것입니다.

2. 고향으로 돌아온 수넴 여인

하나님께서는 무한정 재앙을 내리시지 아니하시고 재앙에도 한계를 정하십니다. 그래서 이스라엘에 기근의 재앙을 내리셨던 하나님은 이스라엘 백성을 불쌍히 여기셔서 비록 그들이 다 회개하지 않았지만 회개할 것을 믿고 흉년이 끝나게 하셨습니다. 이제 이스라엘에도 비가 내리고 농사를 지어서 양식이 있게 되었습니다. 이스라엘에 양식이 있다는 소식을 듣고 수넴 여인은 칠년 동안 살던 블레셋 생활을 청산하고 이스라엘로 돌아왔습니다. 아무리 블레셋이 안전하고 먹을 것이 있다고 해도 역시 그들은 이방인이었고 하나님을 몰랐기 때문입니다. 수넴 여인은 블레셋에서 육신은 편했는지 모르지만, 하나님의 말씀에는 굶주리게 되었습니다. 그래서 수넴 여인은 다시 하나님의 말씀이 있고 선지자가 있는 고향으로 돌아오게 되었습니다. 하나님의 백성은 하나님의 말씀으로 돌아오기 전에는 다른 것으로는 절대로 만족을 누릴 수 없습니다.

하나님의 백성이 세상을 가까이하면 즐거울 것 같은데, 조금도 즐겁지 않은 이유가 무엇일까요? 하나님의 백성에게는 또 다른 갈증이 있기 때문입니다. 바로 하나님의 말씀에 대한 갈증이고, 하나님의 은혜에 대한 갈증입니다. 그래서 지금은 교회에 안 나가는 '가나안족'으로 있을 것이 아니라, 하나님께로 돌아올 때입니다. 코로나로 교회를 떠났던 사람들도 이제는 교회로 돌아와야 합니다.

그런데 수넴 여인이 자기 집에 돌아와 보니까 집이 엉망이 되어 있었습니다. 자기들이 살던 집은 권세 있고 힘이 센 사람들이 차지하고 있어서 절대로 나가려고 하지 않았습니다. 그리고 밭은 이 사람 저 사람이 멋대로 농사를 지어서 자기 것이라고 주장하고 있었고, 과일나무 열매도 누구든지 와서 따 먹는 바람에 주인이 없는 나무가 되고 말았습니다. 이제는 수넴 여인도 가난하게 되어서 돈이 없었고, 아마 남편도 블레셋에 있는 동안 죽었던 것 같습니다. 수넴 여인은 힘이 없어서 자기 재산을 찾을 수 없었습니다.

이때 이 여인은 왕을 찾아가서 자기 집과 밭을 찾게 해 달라고 호소하려고 했지만, 그때는 부동산 등기등본이 있는 것도 아니고 이웃 사람들도 정직한 사람들이 아니었으므로 재산을 도로 찾을 가능성은 거의 없었습니다. 그러나 수넴 여인은 하나님을 믿는 사람이었습니다. 즉 그의 호소는 왕에게 하는 것이 아니라 지금까지 자기를 돌보아 주시고 불쌍히 여기신 하나님께 하는 것이었습니다.

3. 끝까지 도우시는 하나님

하나님은 자기 종에게 냉수 한 그릇이라도 대접한 사람을 축복하실 때 한두 번으로 끝나는 것이 아니라 끝까지 도우시는 것을 볼 수 있습니다.

그런데 참 이상한 일이 일어나게 되었습니다. 그것은 이스라엘 왕이 그동안 엘리사가 행했던 기적이 어떠한 것이 있는지 알고 싶었던 것입니다. 왕이 왜 엘리사가 한 기적에 관심을 가지게 되었는지 알 수 없습니다.

왕이 신하들에게 물어보니까 엘리사의 제자였던 게하시가 가까운 곳에 살고 있다는 사실을 알게 되었습니다. 그런데 이 게하시는 전에 한센병에 걸렸던 사람이었습니다. 아람의 군대 장관 나아만이 가져온 선물에 대한 욕심을 버리지 못해서 거짓말을 하다가 엘리사의 저주로 인해 한센 병자가 되었던 것입니다. 그러나 성경에는 나오지 않지만, 게하시는 어느 정도 기간이 지난 후 다시 엘리사를 찾아가서 회개하고 다시는 물질을 탐하지 않겠다고 약속하고 한센병을 치료받은 것 같습니다.

왕은 게하시를 불러서 엘리사가 한 모든 기적을 자기에게 이야기 하라고 했습니다.

8:4, "그 때에 왕이 하나님의 사람의 사환 게하시와 서로 말하며 이르되 너는 엘리사가 행한 모든 큰 일을 내게 설명하라 하니"

사실 엘리사는 의식을 하지 못하고 있었지만 엘리사 때에도 부흥이 있었습니다. 엘리사의 집이 터져 나갈 정도로 많은 제자가 몰려와서 결국 집을 새로 지어야 할 정도로 제자들이 많아졌던 것입니다. 나라 전체에 부흥은 일어나지 않았지만, 엘리사의 제자들을 통해서 부흥은 일어나고 있었습니다.

엘리사의 삶은 그야말로 기적의 연속이었습니다. 엘리사는 처음에 자기 밭과 소를 포기하고 엘리야의 종이 되었을 때 망한 것 같았습니다. 더욱이 엘리야가 하늘로 올라간 후 엘리사는 더 망한 것 같았습니다. 그러나 그 후로 엘리사의 사역은 기적의 연속이었습니다. 엘리사가 엘리야의 겉옷을 가지고 요단강을 치니까 요단강이 갈라졌습니다. 그는 자기를 조롱하던 벧엘의 청년들을 저주하니까 암곰 두 마리가 숲에서 뛰어나와서 조롱하던 청년 마흔두 명을 물어 죽였습니다. 엘리사의 제자 중 하나가 병들어 죽고 채주들이 그의 아들들을 종으로 잡아가려고 할 때 그 미망인에게 이웃에게 빈 그릇을 있는 대로 빌리라고 했습니다. 그 과부가 엘리사의 말대로 빈 그릇을 있는 대로 빌려서 자기의 한 병 남은 기름을 부었을 때 모든 빈 그릇이 기름으로 가득 차게 되었습니다. 또 엘리사는 벤하닷이 이스라엘을 공격하려는 모든 비밀을 다 알아서 왕에게 알려주었고, 하늘의 불 말과 불 병거를 보았습니다. 심지어 아람 군대가 사마리아를 포위해서 양식이 없어 고통받고 있을 때 하나님의 말씀으로 그 포위가 풀려지고, 밀가루 한 스아에 한 세겔, 보리 두 스아에 한 세겔로 팔린다는 예언이 이루어지게 했고, 그 말씀에 적대하던 신하는 사람들의 발에 밟혀 죽고 말았습니다.

그런데 게하시에게 가장 인상적이었던 기적은 아무래도 수넴 여인의 죽은 아들이 살아난 것이었습니다. 그때 게하시는 엘리사의 말을 듣고 엘리사의 지팡이 들고 아이에게 가서 아이 얼굴에 올라놓았지만 아이는 살아나지 않았습니다. 그러나 엘리사가 달려와서 아이 위에 자기 몸을 굽히고 기도하고 또 기도했을 때 그 아이는 일곱 번 재채기하고 살아났습니다. 게하시는 왕에게 "엘리사가 한 기적이 많지만 죽은 아이를 살린 것이 가장 큰 기적인 것 같습니다."라고 대답했습니다. 그때 왕은 게하시에게 엘리사가 아무리 능력이 크다고 하지만 어떻게 죽은 사람을 다시 살릴 수 있는지 믿을 수 없다고 말했던 것 같습니다.

그런데 바로 그 순간 수넴 여인이 왕 앞에 자기의 빼앗긴 집과 밭을 도로 찾아달라고 간청하려고 왔습니다. 게하시는 그 여인을 알아보고 왕에게 "왕이시여, 바로 이 여인의 아들, 저 여인 옆에 있는 아이가 죽었을 때 엘리사가 다시 살렸습니다. 바로 이 여인입니다."라고 말했습니다. 그래서 왕은 수넴 여인에게 이 모든 것이 사실이냐고 물으니까 여인은 사실이라고 대답했습니다. 이것은 사람의 힘으로는 아무리 맞추려고 해도 할 수 없는 기가 막힌 타이밍이었습니다. 이것으로 엘리사의 기적은 저절로 증명되어버렸습니다.

8:6, "왕이 그 여인에게 물으매 여인이 설명한지라 왕이 그를 위하여 한 관리를 임명하여 이르되 이 여인에게 속한 모든 것과 이 땅에서 떠날 때부터 이제까지 그의 밭의 소출을 다 돌려 주라 하였더라"

이에 왕은 관리를 따로 임명해서 이 여인의 집과 이 여인의 밭과 모든 농기구들을 다 찾아서 반납하게 하고 사람들이 이 여인의 밭에서 농사지은 곡식과 과일 먹은 것까지 모두 계산해서 돌려주라고 명령했습니다.

하나님께서는 우리를 도우실 때 끝까지 도우시는 분이십니다. 다른 사람들이 아무리 교회나 하나님의 종들에 대해 적대적이라 하더라도 따라가지 마시기 바랍니다. 그래서 우리를 통해 죽은 자가 살아나고 병이 치료되는 기적이 일어나기를 바랍니다.

14
이스라엘의 가시
왕하 8:7-15

사람에게는 많은 가시가 있습니다. 어떤 여성은 젊은데 위 안에 큰 혹이 있는 것을 발견하게 되었습니다. 그렇다고 해서 암은 아니고 또 병원에서도 함부로 제거하는 수술을 할 수도 없었던 모양입니다. 그래서 일 년에 한두 번은 위내시경을 해서 이 혹이 암으로 자랐는지 확인해야 했습니다. 그 여성의 몸 안에 있는 혹은 하나의 가시였습니다. 또 어떤 사람이 가시가 될 수도 있습니다. 나라적으로 북한의 핵무기나 전쟁 위협은 우리나라에 큰 가시가 됩니다.

이스라엘 백성이 하나님을 제대로 믿지 않고 자꾸 우상숭배하고 악한 짓을 하니까 하나님은 이스라엘 백성의 가시이면서도 그들을 두들겨 팰 몽둥이를 준비하셨습니다. 그것은 바로 아람 나라의 벤하닷이었습니다. 가시와 몽둥이는 큰 차이가 있습니다. 가시는 많이 아프지 않기 때문에 참을 만하지만, 몽둥이로 맞으면 많이 아플 뿐 아니라 머리를 잘못 맞으면 죽을 수도 있습니다. 또 팔이나 다리를 몽둥이로 잘못 맞으면 뼈가 부러질 수도 있습니다. 아람 나라의 벤하닷은 이스라엘의 가시였고 몽둥이였습니다. 그러나 벤하닷은 이스라엘의 몽둥이 역할을 제대로 하지 못했습니다. 왜냐하면 하나님께서 아람 나라를 통해서 이스라엘을 두들겨 부수려고 하면 꼭 하나님이 이스라엘을 불쌍히 여기셔서 오히려 벤하닷을 두들겨 패셨기 때문입니다.

1. 실패한 몽둥이

아람의 벤하닷은 이스라엘에 가시 노릇을 많이 했습니다. 그래서 자주 이스라엘을 습격해서 백성을 잡아 오고 재물을 약탈해 오기도 했습니다. 그러나 벤하닷이 이스라엘을 치는 몽둥이로 변해서 이스라엘을 거의 죽도록 두들겨 패려고 할 때마다 하나님은 이스라엘을 지켜주셔서 망하지 않게 하셨습니다.

벤하닷은 적어도 네 번 이스라엘에 몽둥이가 되려고 하다가 네 번 모두 다 실패하고 말았습니다. 처음 두 번은 벤하닷이 이스라엘을 상대로 전쟁하려고 했을 때입니다. 한번은 벤하닷의 군대가 사마리아에 쳐들어와서 왕비와 청년들과 처녀들과 모든 재물을 다 빼앗아가겠다고 했습니다. 그때 이스라엘 왕 아합은 벤하닷을 이길 수 없었기 때문에 달라고 하는 대로 다 주겠다고 했습니다. 그런데 벤하닷은 욕심이 커져서 직접 사마리아에 들어가서 사람들이나 물건을 빼앗아오겠다고 했습니다. 이것은 이스라엘을 완전히 망하게 하겠다는 뜻이었습니다. 그래서 아람 군대와 이스라엘이 전쟁하게 되고 이스라엘은 패배해야 하는데, 하나님이 보시니까 이스라엘에는 바알에게 무릎을 꿇지 않은 사람들이 칠천 명이 있었습니다. 그래서 하나님은 바알에게 오염되지 않은 청년 이백삼십이 명을 앞세워서 그 많은 아람 군대를 치게 하셨는데 아람 군대가 무너지면서 아람 왕은 겨우 말을 얻어 타고 도망쳤습니다. 이것이 벤하닷의 첫 번째 실패였습니다.

벤하닷은 자기들이 전쟁에 진 이유를 이해할 수 없었습니다. 그래서 그다음 해에 더 많은 군사를 데리고 이스라엘로 쳐들어왔습니다. 벤하닷이 얼마든지 이길 수 있는 전쟁이었는데 여호와는 산의 하나님이시라는 쓸데없는 말을 하는 바람에 아람 군대는 십만 명이 죽고 이만칠천 명이 성으로 도망치다가 성이 무너져서 다 죽습니다. 그리고 벤하닷도 거의 포로가 될 뻔했는데 아합이 풀어주는 바람에 살아서 도망쳤습니다. 그러나 이때 아합이 길르앗 라못에서 죽은 것은 자기 스스로 무덤을 판 것이었습니다. 아합이 거짓 선지자의 말만 듣고 전쟁터에 나가려고 했는데 미가야 선지는 전쟁하러 나가면 죽는다고 예언했습니다. 그럼에도 불구하고 아합은 하나님의 선지자의 말을 듣지 않고 싸우러 나갔다가 적이 우연히 쏜 화살이 갑옷 사이를 파고 들어가서 박히는 바람에 피를 많이 흘려서 죽게 됩니다.

세 번째는 벤하닷이 엘리사를 잡으려고 밤에 군대를 보내어서 엘리사가 사는 도단 성을 포위한 때였습니다. 그때 엘리사는 자기 사환이 성이 포위된 것을 보고 두려워하니까 하나님께 이 사환의 눈을 열어달라고 기도했습니다. 이 사환은 하나님의 불 말과 불 병거가 도단 성을 에워싸고 있는 모습을 보게 됩니다. 우리도 하나님께서 눈을 열어주시면 우리를 지켜주는 불 말과 불 병거를 볼 수 있습니다. 하나님의 불 말과 불 병거를 볼 수 있어야 사람을 두려워하지 않습니다.

네 번째 공격은 벤하닷이 사마리아를 포위하고 사람들을 굶겨 죽이려고 했을 때였습니다. 그때 하나님은 말 달리는 소리와 병거 소리로 수많은 아람 군대를 쫓으시고 그들이 가져온 곡식을 성 사람들이 몰려나와서 먹게 만드셨습니다. 하나님께서는 벤하닷을 이스라엘을 괴롭히는 가시와 두들겨 패는 몽둥이로 준비하셨지만, 이스라엘 안에 작은 믿음을 가진 사람들이 있어서 그들 때문에 벤하닷만 실컷 두들겨 맞고 도망치는 신세가 되었던 것입니다.

그래서 우리는 가시나 몽둥이 자체를 두려워할 것이 아니라, 하나님을 두려워해야 합니다. 그러면 가시나 몽둥이는 우리의 적을 괴롭히고 두들겨 패는 몽둥이로 변할 것입니다.

2. 벤하닷이 병이 듦

이제는 세월이 흘러서 그렇게 혈기와 교만이 넘치던 벤하닷도 병들어 죽게 되었습니다. 그때 마침 하나님의 사람 엘리사는 아람 나라의 수도 다메섹에 가 있었습니다. 벤하닷은 하나님의 사람 엘리사 때문에 자기가 한평생 전쟁에 지고 고통받았지만, 병이 드니까 하나님의 사람에게 자기가 살 수 있을지 죽을지 사신을 보내 물어보았습니다.

8:7-8, "엘리사가 다메섹에 갔을 때에 아람 왕 벤하닷이 병들었더니 왕에게 들리기를 이르되 하나님의 사람이 여기 이르렀나이다 하니 왕이 하사엘에게 이르되 너는 손에 예물을 가지고 가서 하나님의 사람을 맞이하고 내가 이 병에서 살아나겠는지 그를 통하여 여호와께 물으라"

벤하닷 왕이 비록 이스라엘의 가시였고 이스라엘의 몽둥이였다 하더라도 다른 신에게 묻지 않고 엘리사에게 물은 것은 잘한 일입니다. 그런데 우리는 여기서 엘리사의 의문스러운 행동을 보게 됩니다. 그것은 이번에 벤하닷은 살지 못하고 죽는데, 엘리사는 자기에게 예물을 들고 찾아온 사신 하사엘에게 벤하닷이 반드시 산다고 말을 한 것입니다. 이것은 분명히 거짓말입니다. 엘리사가 하나님의 종이라면 벤하닷이 죽을 것 같으면 죽는다고 말을 해야 할 것입니다. 그러나 엘리사는 벤하닷이 그냥 사는 것도 아니고 반드시 살 것이라고 거짓말을 합니다. 어찌 된 일입니까?

8:9, "하사엘이 그를 맞이하러 갈새 다메섹의 모든 좋은 물품으로 예물을 삼아 가지고 낙타 사십 마리에 싣고 나아가서 그의 앞에 서서 이르되 당신의 아들 아람 왕 벤하닷이 나를 당신에게 보내 이르되 나의 이 병이 낫겠나이까 하더이다 하니"

여기에 보면 벤하닷이 엘리사에게 최선을 다해서 묻는 모습을 볼 수 있습니다. 벤하닷은 엘리사에게 "당신의 아들 벤하닷"이라고 했습니다. 그리고 무려 사십 마리의 낙타에 예물을 가득 실어서 엘리사에게 자기 병이 나을 것인지 물어보라고 했습니다. 여기서 우리는 벤하닷이 한 행위가 결코 믿음이 아니라는 것을 알 수 있습니다. 벤하닷이 조금이라도 믿음이 있었다면 하나님의 종에게 자기를 불쌍히 여기시고 병을 고쳐달라고 요청해야 할 것입니다. 그러나 벤하닷은 자기가 나을 수 있는지 알아봐 달라고 했습니다. 이것은 마치 점치는 사람의 심리와 같은 것입니다. 이것은 결코 엘리사의 아들의 자세가 아닙니다. 벤하닷은 자기 병이 낫는 것에 앞서서 자기가 지금까지 하나님의 백성에게 원수가 되었고 사람들을 잡아 오고 물건을 빼앗은 것과 하나님을 대적한 것을 회개해야 합니다. 그리고 하나님 앞에 나아가서 담대하게 병을 낫게 해 달라고 간구해야 합니다.

그러나 벤하닷은 이런 진정한 행동은 하나도 하지 않고 예물로 엘리사의 환심을 사서 살지 죽을지 알아봐 달라고 부탁한 것입니다. 하나님은 살리든지 죽게 하시든지 하실 분이지, 죽을지 살지 알려주시는 분이 아닙니다. 우리는 하나님이 싫어하는 것부터 제거하고 하나님께 살려달라고 담대하게 요구해야 합니다. 그런데 벤하닷은 그럴 수 있는 믿음이 없었습니다. 하나님을 안 믿는 사람에게 있어서 가장 어려운 문제는 평소에는 자유롭고 자기 멋대로 살 수 있는데 막상 어려움을 당했을 때 기도할 줄 모른다는 것입니다.

그러나 여기서 엘리사는 우리가 도저히 이해할 수 없는 이중적인 말을 합니다.

8:10, "엘리사가 이르되 너는 가서 그에게 말하기를 왕이 반드시 나으리라 하라 그러나 여호와께서 그가 반드시 죽으리라고 내게 알게 하셨느니라 하고"

벤하닷은 하나님의 가시와 몽둥이로 사용되던 사람이었습니다. 그러나 이제는 그 용도 기간이 다 되어서 벤하닷을 폐기하려고 하셨습니다. 하나님은 이제 가시는 뽑아버리고 몽둥이를 부러트리려고 하시는 것입니다. 그런데 엘리사는 벤하닷에게는 그가 살 수 있다는 희망을 줍니다. 그러나 하사엘에게는 진짜 하나님의 말씀을 전하는데, 벤하닷이 이번에 죽는다고 했습니다. 왜 엘리사는 벤하닷과 하사엘에게 서로 다른 말을 했을까요?

우리는 그 정확한 이유를 알 수 없습니다. 그러나 일단 벤하닷에게 네가 살 것이라고 하면 그가 조용히 있을 것은 틀림없습니다. 하나님은 벤하닷을 더 이상 자극할 필요가 없다고 생각했습니다. 만약 그렇지 않고 네가 반드시 죽을 것이라고 하면 벤하닷은 입에 거품을 흘리면서 잡아 온 이스라엘 포로들을 다 죽일지도 모릅니다.

벤하닷이 병들었다는 것은 이스라엘 백성에게는 엄청난 축복의 기회였습니다. 그동안 그렇게 괴롭게 하던 가시가 드디어 뽑히고 몽둥이가 없어진다는 것은 축복이기 때문입니다. 사실 우리에게 가시가 있는 것이 좋을까요, 없는 것이 좋을까요? 하나님 앞에서 신앙 생활할 때는 가시가 있는 것이 그래도 우리를 겸손하게 하고 기도하게 합니다. 하나님은 벤하닷이 자기를 엘리사의 아들이라고 하면서 많은 예물을 보내었지만 그를 자극하지 않고 죽이려고 하셨던 것입니다. 우리에게 부흥이 일어날 때는 가시가 뽑히고 몽둥이가 치워지게 됩니다. 그때 하나님께 더 감사하고 하나님께 더 가까이 나아가면 됩니다.

3. 하사엘에게 주신 말씀

엘리사는 벤하닷의 신하인 하사엘에게는 벤하닷이 죽으리라는 것을 알려주었습니다. 거기까지는 우리가 이해할 수 있는데 그다음 순간 엘리사는 아무 말도 없이 한참 하사엘의 얼굴을 뚫어지라고 쳐다보았습니다. 엘리사가 아무 말도 하지 않고 하사엘의 얼굴을 빤히 쳐다보니까 하사엘은 부끄러워졌습니다. 엘리사는 하사엘의 얼굴을 한참 쳐다보다가 울기 시작했습니다. 그것도 눈물을 흘리는 수준이 아니라 엄청나게 우는 것이었습니다. 이것은 정말 이해가 되지 않는 행동입니다.

엘리사는 하사엘이 무서워서 쳐다보다가 우는 것이 아니었습니다. 그것은 엘리사가 앞으로 하사엘이 이스라엘 백성에게 행할 모든 악을 생각하고 한참 쳐다보다가 우는 것이었습니다.

8:12, "하사엘이 이르되 내 주여 어찌하여 우시나이까 하는지라 대답하되 네가 이스라엘 자손에게 행할 모든 악을 내가 앎이라 네가 그들의 성에 불을 지르며 장정을 칼로 죽이며 어린 아이를 메치며 아이 밴 부녀를 가르리라 하니"

하사엘은 하나님이 이스라엘을 위하여 준비하신 가시나 몽둥이가 아니었습니다. 하사엘은 벤하닷보다 훨씬 잔인한 칼이었습니다. 그래서 엘리사는 도대체 그가 어떻게 생겼기에 이스라엘에 그렇게 큰 피해를 주고 백성을 죽일지 빤히 쳐다본 것입니다. 즉 '네가 아무리 이스라엘 백성을 죽이고 괴롭혀도 나는 너를 쳐다보고 있다' 는 뜻이었습니다. 이때 아람 군대가 이스라엘을 치는 것은 아주 어려운 일이었던 것 같습니다. 하나님이 늘 이스라엘을 돌보아 주셨기 때문입니다. 그래서 하사엘은 이렇게 말을 합니다.

8:13, "하사엘이 이르되 당신의 개 같은 종이 무엇이기에 이런 큰일을 행
하오리이까 하더라 엘리사가 대답하되 여호와께서 네가 아람 왕이 될 것
을 내게 알게 하셨느니라 하더라"

　하사엘은 앞으로 아람의 왕이 되어서 이스라엘의 모든 집을 불사
르고 장정들을 죽이며 아이들을 돌에 메쳐서 죽이고 임신한 여인들의
배를 갈라서 죽일 것이라고 했습니다. 벤하닷이 병들어 죽는 것은 이
스라엘에게는 하나님의 사랑을 체험할 큰 기회였습니다. 그러나 그들
이 회개하지 않는 바람에 더 무서운 칼을 맞이하게 되었습니다.
　하사엘이 벤하닷에게 돌아가니까 벤하닷은 엘리사가 뭐라고 하더
냐고 물었습니다. 그래서 하사엘은 "하나님의 종이 왕은 틀림없이 살
것이라고 했습니다"라고 대답하니까 벤하닷은 기분이 좋아서 더 이
상 발악하지 않고 병이 나을 때를 기다렸습니다. 그러나 그다음 날 하
사엘이 이불에 물을 적셔서 벤하닷의 얼굴을 누르니까 그는 꿈틀거리
고 발악하다가 숨을 쉬지 못해 죽었습니다. 이스라엘을 괴롭히기 위
해 이 세상에 태어났던 벤하닷은 자기 신하에 의하여 무참하게 죽었
습니다. 그러나 이스라엘 백성은 벤하닷이 죽은 것을 축복의 기회로
삼지 못하고 회개하지 않음으로 더 사나운 칼날을 얻게 되었습니다.
　하나님은 사람의 살고 죽는 것을 다 주관하십니다. 하나님께서 우
리에게 기회를 주실 때 하나님이 싫어하는 우상을 버리고 하나님께
가까이 나아가는 성도들이 다 되시기 바랍니다.

15
유다의 영적 쇠퇴
왕하 8:16-29

우리나라에서 같은 예수 믿는 교회라 하더라도 큰 교회와 작은 교회는 건물의 웅장함이나 헌금의 액수 등에서 어마어마하게 차이 나는 것을 볼 수 있습니다. 얼마 전에 서울에 있는 어느 큰 교회에서 작은 교회 목회자 수백 명을 모아놓고 강의도 하고, 아마 한 사람에게 백만 원씩을 나누어 준 것 같습니다. 코로나로 인해 건물 월세도 제대로 내지 못하는 작은 교회 목회자들에게는 아주 큰 돈이었을 것입니다. 그래서 어떤 목회자는 감격해서 울고 또 감사하다는 이메일까지 그 교회에 보내었다고 합니다. 그 작은 교회 목회자들이 보기에는 그 큰 교회 목사가 얼마나 부럽고 위대하게 보였을지 충분히 짐작할 수 있습니다. 그러나 그 큰 교회가 정말 작은 목회자들을 도우려고 했다면 사람들을 모아서 돈을 나누어주지 말고 몰래 온라인으로 보내주면 되었을 것입니다. 그래야 그 작은 교회 목회자들이 큰 교회라고 해서 대단하게 생각하지 않고 위축감을 가지지 않으리라 생각됩니다.

이런 사고방식이 바로 이스라엘과 유다 사이에 늘 있었습니다. 유다에는 하나님의 성전이 있고 기도하는 제사장들이 있고 하나님의 말씀이 있었습니다. 그러나 유다에 비해 이스라엘은 금송아지를 섬기고 바알신을 섬겼지만, 영토의 규모나 경제적 능력이 유다의 몇 배는 되었을 것입니다. 그래서 유다의 왕들과 지도자들은 유다의 순수한 신앙을 버리고 점점 이스라엘을 닮아가게 되고 이스라엘처럼 부강한 나라가 되려고 바알 신을 끌어들이는 바람에 유다 부흥의 불길은 점점 식어가게 되었습니다.

1. 여호사밧의 부흥

북쪽 이스라엘 왕이나 백성이 너무 세상을 좋아하고 하나님을 멀리하니까 하나님께서는 강력한 능력을 가진 선지자 엘리야와 엘리사를 보내어서 이스라엘을 지켜주셨습니다. 그래서 엘리야 한 사람이 다른 나라의 말과 마병 십만 명보다 더 능력이 있었고, 엘리사 한 사람이 아람 군대의 수십만 대군보다 더 능력이 있었습니다. 그러나 이스라엘 백성은 이런 능력과 기적을 보고서도 하나님께 가까이 오지 않았습니다. 사람이 세상맛을 한번 보게 되면 하나님의 말씀으로 돌아오는 것이 너무나도 어렵습니다. 이스라엘 왕과 백성은 자기들 앞에 무엇이 기다리고 있는지도 모르고 세상으로 잘 나가고 있었습니다. 그러나 이스라엘 왕을 기다리고 있는 것은 하나님의 무서운 심판의 칼날이었습니다. 그래서 곧 예후라는 사람이 등장해서 아합의 자손이나 종은 단 한 명도 남겨두지 않고 전멸시켜버립니다.

8:16, "이스라엘의 왕 아합의 아들 요람 제오년에 여호사밧이 유다의 왕이었을 때에 유다의 왕 여호사밧의 아들 여호람이 왕이 되니라"

한편 그 무렵 남쪽 유다에는 옛날 다윗처럼 하나님만 잘 섬기는 왕이 등장했습니다. 그 왕의 이름은 여호사밧이었습니다. 그는 다른 유다 왕들처럼 하나님과 세상 사이에 어중간하게 양다리를 걸치는 신앙이 아니라, 확실히 하나님만 믿는 신앙이었습니다. 그래서 여호사밧은 유다 안에 일절 바알 신을 섬기지 못하게 하고 왕 자신이 모든 것을 하나님께 물어서 했습니다. 그리고 왕 자신이 하나님의 말씀의 길을 걸어갔습니다. 그랬더니 하나님이 여호사밧을 사랑하셔서 유다에 부흥과 특별한 사랑을 부어 주셨습니다.

여호사밧이 잘한 일은 여러 선지자나 제사장들을 각 지방에 보내서 일반 백성에게 직접 하나님의 말씀을 전하게 한 것이었습니다(대하 19:4-11 참조). 하나님이 원하셨던 진정한 부흥은 바로 이것이었습니다. 즉 선지자나 제사장들이 이스라엘 구석구석에 들어가서 하나님의 말씀을 전하게 해서 백성이 스스로 기도하고, 스스로 하나님의 말씀을 지킴으로 하나님의 축복이 임하게 하는 것이었습니다. 그러니까 하나님은 여호사밧을 점점 더 강성하게 하셨습니다.

여호사밧에게 가장 큰 위기는 사해 동쪽에 있는 암몬과 모압과 마온 사람들이 연합해서 유다를 쳐들어온 때였습니다(대하 20:1-30 참조). 이 많은 군대 앞에서 아무리 믿음이 좋은 여호사밧이라고 해도 절망하지 않을 수 없었습니다. 그래도 여호사밧은 하나님을 떠나지 아니하고 모든 백성에게 금식을 선포하고 하나님께 기도로 매달렸습니다. "하나님, 우리의 무기는 하나님이고 하나님의 성전입니다. 하나님을 향해서 기도하면 하나님이 들어주시고 적을 물리쳐주신다고 하셨습니다. 우리 인간의 힘으로는 이 대군을 물리칠 수도 없고 할 수 있는 것도 없고 오직 주만 바라봅니다." 그때 하나님은 모인 이스라엘 백성 중에서 한 레위 사람을 통해서 말씀하셨습니다. "너희는 두려워하거나 놀라지 말라. 이 전쟁에서 너희는 할 것이 없고, 여호와가 너희를 구원하는 것만 보라"고 하셨습니다.

그래서 유다 백성은 이 말씀을 믿고 군대를 조직하는 것이 아니라 찬양대를 조직해서 찬송하면서 전쟁터로 갔습니다. 그때 여호사밧은 백성에게 "여호와를 신뢰하라. 그리하면 견고히 서리라. 하나님의 선지자들을 신뢰하라. 그리하면 형통하리라."고 선포했습니다. 그 수많은 적이 예루살렘으로 쳐들어오는데 하나님이 복병을 두어서 공격하시니까 암몬과 모압과 세일산 사람들이 자기들끼리 싸워서 다 죽고 말았습니다. 이렇게 여호사밧은 하나님의 말씀을 잘 믿는 왕이었습니다.

그러나 여호사밧에게도 결점이 있었습니다. 그것은 북쪽 이스라엘을 너무 좋아하고 그들과 친하게 지내려는 것이었습니다. 그래서 여호사밧은 자주 아합을 찾아가서 서로 교제하기도 하고 심지어는 전쟁도 같이 했습니다. 여호사밧이 아합과 친해서 좋았던 것이 하나도 없었지만, 그는 자기보다 큰 나라의 왕인 아합을 좋아하고 부러워했던 것입니다. 여호사밧은 아합이 같이 길르앗 라못에 쳐들어가서 그곳을 빼앗자고 했을 때 같이 전쟁하러 갔다가 죽을 뻔했습니다. 그때 여호사밧은 소리를 질러서 구원받았습니다. 그때 하나님의 선지 예후(나중에 이스라엘 왕이 된 예후와 동명이인)는 "왜 왕은 하나님이 미워하는 사람을 그렇게 좋아해서 따라가느냐?"고 하며 여호사밧을 책망했습니다. 그러나 여호사밧은 예후 선지의 말을 듣지 않고 이스라엘을 같은 민족이라고 너무 좋아했습니다.

그 후에 여호사밧은 이스라엘 왕이 같이 모압을 치러가자고 해서 같이 갔다가 물이 없어 고전하는 중에 군사들과 왕이 전멸할 뻔 했습니다. 그때 엘리사를 만나서 그들은 말도 되지 않는 하나님의 말씀에 순종해서 계곡에 구덩이를 팠을 때 밤에 계곡에서 소리도 없이 물이 내려와 모든 군대가 살고 그 전쟁에서 이기게 됩니다(왕하 3:4-27 참조).

그러나 여호사밧의 치명적인 실수는 아합을 너무 좋아해서 아합의 딸을 자기 아들의 아내로 삼은 것인데, 아합의 딸은 그 어머니 이세벨과 똑같이 바알을 섬기고 하나님을 싫어했습니다. 그래서 여호사밧은 우상숭배를 하지 않았지만, 세상을 좋아하는 이스라엘 왕을 가까이하는 바람에 몇 번 죽을 뻔하고 유다의 부흥의 불은 점점 꺼져가게 됩니다.

2. 여호사밧의 아들의 정치

참 놀라운 것은 여호사밧은 돈이 많은 것도 아니고 학식이 많은 사람도 아니었지만 다른 신을 의지하지 않고 하나님의 계명의 길 곧 하나님의 말씀의 길을 따랐을 뿐인데, 하나님은 여호사밧에게 복을 주셔서 부흥이 일어나게 하셨다는 것입니다. 그러나 사람의 머리로 생각하면 그것은 너무나도 어리석은 일이었습니다. 그래서 여호사밧의 아들에 이르러서는 세상 방법을 쓰게 되고 유다는 점점 부흥의 길을 잃어버리게 됩니다.

8:16, "이스라엘의 왕 아합의 아들 요람 제오년에 여호사밧이 유다의 왕이었을 때에 유다의 왕 여호사밧의 아들 여호람이 왕이 되니라"

이 시기에 유다와 이스라엘 왕의 이름이 같아서 혼동을 줍니다. 아합의 큰아들 이름이 아하시야인데, 여호사밧의 손자 이름도 아하시야입니다. 그런데 이 두 아하시야는 모두 허무하게 죽습니다. 아합의 큰아들 아하시야는 다락 난간에서 떨어져서 중상을 입었는데 하나님께 고쳐달라고 하지 않고 에그론의 신 바알세붑에게 치료를 받으러 사신들을 보내었다가 엘리야의 책망을 받고 에그론에 가지도 못하고 병상에서 죽습니다. 그런데 여호사밧의 손자가 또 아하시야였습니다. 그는 자기 장인인 이스라엘 왕이 길르앗 라못에서 부상당한 것을 위로하러 갔다가 그때 쿠데타를 일으킨 예후의 군대를 만나서 활이 등을 관통해서 죽습니다. 이 아하시야나 저 아하시야나 모두 별 볼 일 없는 사람들이었던 것입니다.

그런데 여호사밧의 아들이 여호람인데, 아합의 둘째 아들 이름도 여호람이었습니다. 그래서 이 두 사람이 혼동될 수 있기 때문에 이스라엘 왕은 요람이라 하고, 유다 왕은 여호람이라고 불렀습니다. 여호람이 왕이 되었을 때 그는 참 악한 짓을 했습니다. 그의 아버지 여호사밧은 여러 아들을 낳고 그들에게 성을 하나씩 맡기고 죽었습니다. 그러나 여호람은 자기 형제들이 성을 하나씩 차지하고 있는 것이 불만이었습니다. 그래서 여호람은 자기 형제들을 하나씩 부르든지 아니면 자기가 찾아가든지 해서 전부 다 죽이고 혼자 남아 왕이 되었습니다. 이것을 보면 그가 얼마나 악한 본성을 가지고 있고 시기심이 많았는지 알 수 있습니다.

8:17-18, "여호람이 왕이 될 때에 나이가 삼십이 세라 예루살렘에서 팔 년 동안 통치하니라 그가 이스라엘 왕들의 길을 가서 아합의 집과 같이 하였으니 이는 아합의 딸이 그의 아내가 되었음이라 그가 여호와 보시기에 악을 행하였으나"

여호람의 결혼은 아주 잘못된 것이었습니다. 그가 신앙이 있는 유다 집안의 처녀와 결혼했으면 아버지의 부흥을 물려받아서 계속 하나님의 복을 받았을 텐데 아합 왕의 딸과 결혼했던 것입니다. 여호람의 아내 이름은 아달랴였는데, 그의 어머니가 그렇게 하나님을 싫어하고 선지자들을 죽였던 이세벨이었습니다. 결국 이 결혼의 잘못은 여호사밧 자신에게 있었습니다. 여호사밧이 자기들에게는 성전이 있고 하나님의 말씀이 있고 기도하는 제사장이 있으면 그것으로 자신감을 가지고 이스라엘과 적당한 선에서 관계를 유지하면 되는데 그렇게 하지 않았던 것입니다. 아마도 아합의 딸은 인물이 아주 좋은 여자였던 것 같습니다. 이 신부는 어렸을 때부터 어머니에게 배운 것이 바알 신을 섬기는 것이고 하나님을 미워하는 것이기 때문에 결혼하고 난 후에도 어머니와 똑같이 바알을 섬겼습니다. 그러니까 여호람 왕도 아내를 따라서 바알을 섬겼던 것입니다.

하나님은 여호람에게 아주 실망하셔서 유다를 멸망시키려고 생각하고 계셨습니다. 그런데도 유다를 멸망시키지 않으신 것은 다윗과 한 언약이 있었기 때문입니다. 다윗의 등불을 꺼트리지 않겠다고 약속하셨기 때문입니다. 그러나 유다는 자기도 모르는 사이에 점점 그 힘이 없어지고 있었습니다. 이것을 가장 먼저 눈치채는 것은 사탄입니다.

사탄은 유다에 복종하고 있었던 에돔으로 하여금 배반하게 했습니다. 여호람은 에돔은 간단하게 이길 수 있으리라 생각해서 에돔을 치러갔습니다. 그러나 놀랍게도 에돔은 먼저 기습 작전을 써서 유다 왕의 군대를 포위해서 공격했습니다. 여호람은 나름대로 일어나서 포위한 에돔의 군대를 쳤지만 백성은 전쟁할 의욕이 별로 없었고, 백성은 자다가 공격당하니까 집으로 돌아가고 말았습니다. 그래서 유다는 점점 힘을 잃어가고 말았는데 그 후에 다른 나라도 유다의 수하에서 벗어나서 독립해버렸습니다. 그러나 유다 백성은 자기들이 힘이 없어지는 것을 하나님과 연결하지 못했습니다.

그래서 믿는 사람은 결혼이 아주 중요합니다. 특히 여성의 신앙이 너무나도 중요합니다. 여성이 하나님의 말씀에 분명한 뿌리를 내리고 있으면 남자도 결국은 따라오게 되어 있습니다. 만일 남편이 아내의 바른 신앙을 따라오지 않으면 자기만 망하게 될 것입니다.

3. 아하시야의 몰락

물론 왕이 오래 나라를 다스린다고 해서 좋은 것은 아니지만, 대개 하나님 앞에서 가치 없는 왕은 왕 노릇을 하는 기간도 짧은 것을 볼 수 있습니다. 여호람은 8년 동안 유다의 왕 노릇을 했습니다. 그리고 무슨 업적 같은 것도 남기지 못하고 40세에 죽었습니다.

그런데 여호람의 아들 아하시야는 아버지보다 더 형편없는 사람이었습니다. 이때 이스라엘 왕이 요람 아닙니까? 요람은 아하시야에게는 고모부 정도 되었을 것입니다. 요람은 자기 아버지의 유언을 따르겠다고 아버지가 죽은 길르앗 라못을 차지하려고 올라갔습니다. 아마 이때도 전쟁이 치열했던 것 같은데 이스라엘 왕이 길르앗 라못을 빼앗기는 빼앗았던 것 같습니다. 그러나 그때 심한 부상을 입고 사마리아로 내려오게 되었습니다. 이때 유다 왕 아하시야는 부상한 요람을 위문하기 위해 사마리아로 올라갔습니다.

그런데 바로 그 순간 하나님은 엘리사를 통해서 이스라엘의 장군 예후에게 기름을 부어서 요람에게 반역하게 하셨습니다. 하지만 유다의 아하시야나 이스라엘 왕 요람은 이 반역의 사실을 알지 못했습니다. 요람은 사마리아에서 치료하고 있는데 예후는 미친 듯이 병거를 몰아서 사마리아로 전력 질주하고 있었습니다. 요람은 예후가 반역한 줄 알고 병거를 돌려서 도망치지만, 예후가 활을 당겨서 요람의 등을 관통해서 죽였습니다.

이것을 보고 유다 왕 아하시야도 이스라엘에 반역이 일어난 줄 알고 병거를 타고 도망을 치는데 예후가 따라가면서 저 사람도 한 족속이라고 하면서 쫓아가서 죽이라고 하니까 아하시야도 화살을 많이 맞고 므깃도에 가서 죽게 됩니다. 그때 아하시야의 형제들이 요람을 문병한다고 오다가 또 예후를 만나게 되었습니다. 예후는 그 형제 마흔두 명을 양털 깎는 집 옆에 있는 웅덩이에서 모두 다 죽이고 그 시체를 웅덩이에 던져넣습니다. 아하시야의 형제들이라면 모두 다윗의 후손입니다. 그래서 하나님의 종이나 성도들은 놀러 가는 것도 마음대로 가서는 안 됩니다. 과연 이것이 하나님께 영광이 되는지 깊이 생각해 보고 움직여야지, 한꺼번에 놀러 갔다가 다 죽어버리면 부흥의 불이 완전히 꺼져버리는 것입니다.

이세벨의 딸 아달랴는 자기 아들 아하시야가 이스라엘에서 죽는 것을 보고 하나님에 대하여 굉장히 미워하는 마음이 생겼던 것 같습니다. 그래서 아달랴는 자기 손자인 왕자들을 전부 다 죽이고 자기가 왕이 되었습니다. 이때 유다의 등불이 완전히 꺼지게 됩니다. 물론 부흥의 불도 꺼져버리게 됩니다.

우리는 별것 아닌 사소한 말이나 행동이 교회 부흥의 불을 꺼버릴 수 있다는 것을 항상 생각해야 합니다. 지금 부흥의 불이 많이 식어가고 있습니다. 알아서 하라니까 제멋대로 행동하려는 사람이 있고, 조금 부흥의 불이 붙으려고 하면 코로나로 교회가 폐쇄되고, 또 조금 뜨거워지려고 하면 교회가 폐쇄되고 있습니다. 이 어려운 영적인 싸움 가운데 잘 인내해서 승리하는 성도들이 다 되시기 바랍니다.

16
하나님의 보응
왕하 9:1-26

우리 생각으로는 이 세상에서 악한 지도자나 나쁜 사람들은 심장마비나 암 같은 것에 걸려 빨리 죽게 하셔서 다른 사람들이 피해를 보지 않게 하시면 좋을 것 같은데, 하나님은 악한 자들에 대해서도 오래 기다리시는 것을 보게 됩니다. 심지어 악한 독재자가 나라를 악한 아들에게 물려 주고 그 아들이 또 악한 아들에게 물려주어서 그 악한 정권이 3, 4대까지 이어지는 경우가 많이 있습니다. 그 대표적인 예를 북한에서 보고 있습니다.

하나님이 보시기에 이스라엘의 아합은 아주 악한 왕이었습니다. 아합은 이스라엘 안에 하나님을 믿는 선지자나 백성은 잡히는 대로 다 죽이고 나봇의 포도원을 욕심내어서 빼앗았습니다. 하나님은 아합의 후손을 심판하시기 시작했습니다. 아합이 왕 노릇 하다가 죽고, 그 아들 아하시야는 얼마 못 되어 죽고, 그 동생 여호람이 8년 정도 왕 노릇을 했습니다. 일단 하나님께서 심판하실 때는 철저하게 빈틈없이 단 한 사람의 아합의 후손이나 종도 살아남지 못하도록 완벽하게 심판하셨습니다. 이것이 하나님의 심판의 무서운 점입니다. 죄를 짓고 잘못할 때마다 하나님이 심판하시면 사람들은 하나님이 겁이 나서 감히 죄를 짓지 못할 것입니다.

그러나 하나님께서는 인간이 아무리 악한 죄를 지어도 침묵하고 가만히 계실 때가 많이 있습니다. 그때 사람들은 하나님이 안 계신다고 생각하든지 마음대로 죄를 지어도 된다고 생각하게 되면서 죄짓는 것을 중단하지 않는 것입니다. 그러다가 하나님의 때가 되면 철저하고 완벽하게 심판을 하십니다. 그 대신 하나님을 두려워하는 사람들은 하나님이 침묵을 지키고 계시는 동안 지금이 바로 회개할 때라고 생각해서 자신의 죄를 회개하고 바로 잡으니까 하나님의 용서를 받는 것입니다.

1. 하나님 말씀의 능력

엘리야는 이스라엘 백성의 마음을 하나님께로 돌아오게 하기 위해서 3년 반 동안 비가 내리지 않게 하고, 바알의 제사장 450명과 대결해서 하늘에서 불이 떨어지게 했습니다. 이런 엄청난 기적을 보고서도 아합이나 이스라엘 백성은 하나님께 전혀 돌아오지 않았습니다. 이것을 보고 엘리야는 너무 실망해서 침체되었습니다. 거기에다가 이세벨이 엘리야를 잡아 죽이려고 하니까 엘리야는 이스라엘에서 도망쳐서 유다로 가고, 유다에서 도망쳐서 맨 남쪽 브엘세바로 가고, 거기서 더 황무지로 도망쳐서 로뎀 나무 아래에 누워서 하나님께 자기를 죽게 달라고 했습니다.

그때 하나님은 엘리야로 하여금 아마도 모세가 하나님을 만났던 호렙산의 굴로 가게 하셨습니다. 그리고 하나님은 아주 세미한 음성 가운데서 엘리야를 부르셨습니다. 그리고 하나님은 엘리야에게 세 가지 명령을 내리셨습니다. 하나는 엘리사에게 기름을 부어서 제자로 삼고, 예후라는 장군에게 기름을 부어서 이스라엘의 왕이 되게 하고, 아람의 하사엘이라는 장군에게 기름을 부어서 아람의 왕이 되게 하라는 것이었습니다. 그러나 엘리야가 살아 있을 때 하나님께서 명령하신 것 중에서 한 가지밖에 하지 못했습니다. 그것은 엘리사에게 기름을 부어서 하나님의 선지자가 되게 한 것이었습니다. 엘리야는 예후나 하사엘은 만나보지도 못하고 하늘로 올라가 버렸습니다. 그리고 하나님의 말씀은 불발탄으로 남아 있었습니다. 그러나 하나님의 말씀은 언제든지 폭탄처럼 폭발할 수 있습니다.

하나님의 말씀은 아직 터지지 않은 폭탄 같은 말씀입니다. 우리가 성경을 보면 성경 안에는 아직 폭발하지 않은 수천 개 혹은 수만 개의 폭탄이 박혀 있습니다. 그중에는 핵폭탄도 들어 있습니다. 하나님은 예레미야를 통하여 "내 말이 불 같지 아니하냐 바위를 쳐서 부스러뜨리는 방망이 같지 아니하냐"(렘 23:29)라고 말씀하셨습니다. 하나님의 말씀은 바로 그런 폭탄의 위력을 가지고 있는 것입니다.

그러나 왜 하나님의 말씀은 그토록 오래 잠잠하고 있었을까요? 그것은 하나님의 자비하심 때문입니다. 하나님은 이스라엘 백성이 스스로 깨닫고 하나님께 돌아오도록 하기 위해 기다리고 또 기다리신 것입니다. 이것은 하나님의 축복도 마찬가지입니다. 우리가 하나님의 말씀을 잘 믿는다고 해서 당장 축복이 터지는 경우도 있지만, 우리 생애에는 터지지 않고 있다가 우리 자식들 세대에 가서 터질 수도 있습니다. 하나님은 우리의 믿음이 진정한 믿음인지, 얼마나 오래 기다릴 수 있는 믿음인지 시험해보시기 때문입니다.

그러나 이제 하나님은 하나님의 말씀 속에 있는 뇌관을 건드리기 시작하셨습니다. 이것은 곧 얼마 있지 않아서 어마어마한 폭발이 온다는 뜻이었습니다. 하나님께서 움직이기 시작하신 것은 이제 하나님이 아합 왕가나 이스라엘 백성에 대하여 결심하셨기 때문입니다.

2. 엘리사의 제자

하나님은 원래 엘리야에게 님시의 손자 여호사밧의 아들 예후에게 기름을 부어서 이스라엘 왕이 되게 하라고 명령하셨습니다. 그러나 엘리야는 그것을 완수하지 못하고 하늘로 올라가고, 하나님의 말씀만 남아 있었습니다. 그런데 엘리사는 하나님의 말씀을 알고 있었습니다. 그때 엘리사는 성령이 감동하시니까 드디어 자기 제자를 보내서 예후에게 기름을 붓게 했습니다.

> 9:1-3, "선지자 엘리사가 선지자의 제자 중 하나를 불러 이르되 너는 허리를 동이고 이 기름병을 손에 가지고 길르앗 라못으로 가라 거기에 이르거든 님시의 손자 여호사밧의 아들 예후를 찾아 들어가서 그의 형제 중에서 일어나게 하고 그를 데리고 골방으로 들어가 기름병을 가지고 그의 머리에 부으며 이르기를 여호와의 말씀이 내가 네게 기름을 부어 이스라엘 왕으로 삼노라 하셨느니라 하고 곧 문을 열고 도망하되 지체하지 말지니라 하니"

여기서 우리는 두 가지 사실을 알 수 있습니다. 하나는 이스라엘 백성이 그들의 숙원사업이었던 길르앗 라못을 차지했다는 사실입니다. 예후는 바로 길르앗 라못을 수비하고 있는 장군이었습니다. 이스라엘 백성이 아합 때부터 그렇게 차지하려고 노력했어도 차지할 수 없었던 길르앗 라못을 드디어 아람 나라로부터 빼앗았다는 것은 이스라엘로서는 엄청난 영토의 확장이었고 대단한 자부심이었습니다. 그러나 이스라엘 백성의 정신이 썩어 있었기 때문에 겉으로 보기에는 큰 복을 받은 것 같지만 실제로는 하나님께서 엄청난 심판을 준비하고 계셨던 것입니다.

그리고 두 번째는 엘리사가 자기 제자에게 한 말이 하나님 말씀의 전부가 아니라는 사실입니다. 그것은 실제로 이 제자가 예후에게 기름을 부으면서 자세하게 드러나게 됩니다.

9:7-8, "너는 네 주 아합의 집을 치라 내가 나의 종 곧 선지자들의 피와 여호와의 종들의 피를 이세벨에게 갚아 주리라 아합의 온 집이 멸망하리니 이스라엘 중에 매인 자나 놓인 자나 아합에게 속한 모든 남자는 내가 다 멸절하되"

하나님은 예후에게 그의 사명이 철저하게 아합의 집에 복수하는 것임을 분명히 말씀하셨습니다. 즉 아합의 집은 하나님의 종 선지자들과 백성을 모두 다 죽였습니다. 그리고 그렇게 뒤에서 바람을 넣은 사람이 왕비 이세벨이었습니다. 그래서 하나님은 이스라엘 안에서 아합과 관계되는 사람은 자식이든지 친척이든지 신하이든지 아니면 종이든지 한 사람도 살려두지 않고 다 죽일 것이라고 말씀하셨습니다. 그리고 특히 이세벨은 개가 그 시체를 뜯어 먹어버릴 것이기 때문에 장사 지내지도 못할 것이라고 말씀하셨습니다. 즉 시체의 일부라도 남아 있어야 장사할 것인데 개들이 다 뜯어 먹는 바람에 장사 지낼 것도 없을 정도로 시체가 훼손당하게 된다는 것입니다.

그런데 여기서 재미있는 것은 엘리사가 자기 제자에게 "너는 허리를 동이고 예후를 찾아가서 골방에 데리고 가서 기름을 붓고 그 자리에서 도망을 쳐서 돌아오라"고 했다는 것입니다. 아니, 선지자의 제자가 예후에게 기름을 부어서 왕이 되게 하는 것은 얼마나 명예스러운 일입니까? 그러나 엘리사는 제자에게 기름을 붓자마자 도망쳐 돌아오라고 했습니다. 그 이유가 어디에 있겠습니까?

우리는 우선 실제로 이루어진 일을 살펴볼 필요가 있습니다. 선지자의 제자는 청년이었는데 드디어 길르앗 라못에 도착했습니다. 이 제자가 들어가 보니까 여러 명의 장군이 모여 앉아 있었습니다. 그때 그 선지자의 제자가 "장군이여, 당신에게 할 말이 있습니다"라고 말을 했습니다. 그러니까 예후는 그 제자에게 "여기에 있는 사람들이 다 장군인데 너는 누구에게 할 말이 있느냐?"라고 물었습니다. 그러니까 선지자의 제자가 "예후 당신에게 드릴 말씀이 있습니다"라고 말하고 그를 아무도 없는 빈방으로 데리고 갔습니다. 그래서 예후는 그 제자를 따라서 빈방으로 들어갔습니다. 그러니까 선지자의 제자가 예후에게 기름을 부으면서 "하나님이 당신에게 기름을 부어서 이스라엘의 왕으로 삼노라"고 했습니다. 그리고 "네 사명은 네 주인 아합의 집을 치는 것이라. 아합에게 속한 자는 자유인이나 종이나 자식이나 친척이나 한 명도 남기지 말고 다 죽이라"고 했습니다. 그리고 "이세벨의 시체는 개들이 다 뜯어 먹을 것이니 장사치를 수도 없을 것이라"고 했습니다. 그리고 문을 열고는 그 자리에서 길르앗 라못으로 도망쳐서 엘리사에게 돌아갔습니다.

왜 엘리사는 예후에게 기름을 붓는데 청년 제자를 보내었을까요? 그리고 나중에 보면 이 청년 제자의 행색이 미친 사람 같았던 것을 알 수 있습니다. 왕을 세우는 일이면 할 수 있는 대로 깨끗한 옷을 입고 말을 타고 가서 기름을 붓고 오면 좋을 텐데, 이 제자는 아주 남루한 옷을 입고 있었고 빈방에서 예후에게 기름을 부었고 기름을 붓자마자 도망쳤던 것입니다.

아마 엘리사 자신이 예후에게 갔으면 그 소문이 금방 퍼졌을 것입니다. 그리고 왕의 귀에도 들어갔을 것입니다. 그래서 엘리사는 가지 않았습니다. 그리고 길르앗 라못에는 예후가 왕이 되는 것을 반대하는 요람 파가 여러 명 있었을 수도 있습니다. 그리고 예후의 가장 중요한 사명은 요람을 위시해서 아합의 자손들을 다 죽이는 것이었기 때문에 제자는 기름을 붓고 난 후에는 거기에 더 있어 봐야 방해만 되었을 것입니다.

예후의 부하들이 보니까 미친 것 같은 한 선지자가 예후를 꼭 만나고 싶다고 하더니 예후를 빈방으로 데리고 갔습니다. 그리고는 방에서 금방 나오더니 도망쳐버렸습니다. 그래서 예후의 심복들은 예후에게 그 미친 것 같은 사람이 무슨 이야기를 하더냐고 물었습니다. 그러니까 예후는 아무 일도 아니라고 했습니다. 그러니까 예후의 심복들이 그것은 말도 되지도 않는다고 하면서 그 청년이 무슨 말을 했느냐고 캐물었습니다. 그러니까 예후는 그때까지도 장난인 줄 알고 그 청년이 내 머리에 기름을 부으면서 하나님이 너를 이스라엘의 왕으로 삼는다고 했다고 하면서 별 미친놈을 다 보겠다고 했습니다. 그때 예후의 심복들은 이것이 진정한 하나님의 뜻인 줄 알고 자기들의 옷을 예후가 서 있는 섬돌 위에 깔고 나팔을 불어서 예후가 왕이라고 소리쳤습니다(13절).

3. 하나님의 복수의 시작

처음에는 이상한 선지자 제자가 와서 장난치는 줄 알았는데 진짜 이스라엘 왕이 되어버린 것입니다. 예후는 자기가 진짜 이스라엘 왕이 되려고 하면 지금 이스르엘에 있는 왕 요람을 죽여야 한다는 것을 알았습니다. 그래서 예후는 자기 부하들에게 말하기를 예후가 왕이 되었다는 것을 한 명도 이스르엘에 알려서는 안 된다고 당부했습니다. 왜냐하면 이스르엘의 요람이 이 사실을 알면 방어를 할 텐데 그러면 내란의 기간이 길어지고 예후는 불리해질 수 있었기 때문입니다.

예후는 심복들이 자기를 왕으로 인정하는 즉시 병거를 몰고 이스르엘로 달려갔습니다. 이스르엘 망대에서 파수꾼이 보니까 먼 데서 먼지 구름이 일어나는데 군대가 오는 것 같았습니다. 그래서 파수꾼은 즉시 요람에게 "어떤 군대가 병거를 몰고 오고 있는데 병거를 모는 것이 예후가 모는 것 같습니다"라고 보고했습니다. 그때 요람은 이상하게 생각했습니다. 지금 한창 아람 군대와 싸워야 할 때인데 왜 예후가 전쟁을 하지 않고 여기로 오고 있느냐 하는 것이었습니다. 그래서 자기에게 급히 전할 이야기가 있어서 그런가 아니면 전쟁이 불리해져서 그런가 여러 가지 생각이 들면서 한 사람을 말에 태워 보내어 알아보라고 했습니다. 그래서 왕의 사신이 예후에게 갔는데 돌아오지 않는다고 했습니다. 그래서 요람이 다른 사신을 보내었는데 마찬가지였습니다.

그러니까 요람은 무엇인가 중요한 문제가 생긴 것이라 파악하고 요람이 직접 병거를 몰고 나갔습니다. 그리고 자기 혼자 나가지 않고 때마침 자기 병문안을 온 아하시야를 데리고 함께 갔습니다. 그런데 요람과 예후가 만난 자리가 바로 아합이 죽었던 나봇의 포도원 자리였습니다. 요람이 예후를 보고 "예후야, 별일이 없느냐?"고 물으니까 예후는 "네 어미 이세벨이 그렇게 음행과 미신을 많이 믿는데 어떻게 평안이 있을 수 있느냐?"고 대답했습니다. 이때 요람은 비로소 반란이 일어난 줄 알고 병거를 돌려서 도망치기 시작했습니다. 그때 예후가 힘을 다해서 활을 당겨서 요람에게 쏘니 활이 요람의 등을 뚫고 가슴으로 나왔습니다. 요람이 죽으니까 예후는 "하나님이 말씀하시기를 아합이 나봇을 죽여서 피를 흘린 곳에 네 피도 흘려서 개가 그 피를 먹을 것이라고 말씀하셨다"라고 하면서 요람의 시체를 나봇의 포도원에 던지라고 했습니다. 그래서 하나님이 말씀하신 대로 나봇을 죽였던 바로 그 장소에 아합의 아들이 피를 흘리며 시체가 던져지게 되었습니다.

> 9:26, "여호와께서 말씀하시기를 내가 어제 나봇의 피와 그의 아들들의 피를 분명히 보았노라 여호와께서 또 말씀하시기를 이 토지에서 네게 갚으리라 하셨으니 그런즉 여호와의 말씀대로 그의 시체를 가져다가 이 밭에 던질지니라 하는지라"

하나님은 "내가 어제 나봇의 피와 그의 아들들의 피를 분명히 보았다"고 말씀하셨습니다. 아마 하나님이 예후에게 말씀하신 것이 아닌가 하는 생각이 듭니다. 예후도 기름 부음을 받은 후부터 하나님의 음성을 듣기 시작한 것 같습니다. 사도 바울은 탐심은 우상숭배라고 했습니다(골 3:5). 자기 욕심을 위해 다른 사람의 피를 흘린 자는 자기도 피눈물을 흘리게 되는 것입니다.

성경은 폭탄으로 가득 차 있습니다. 말씀을 믿는 자에게는 축복의 폭탄이지만, 하나님의 말씀을 업신여기는 자에게는 멸망의 폭탄입니다. 지금 세상은 악한 사람들이 자기 세상인 것처럼 교회를 대적하고 나라를 파탄에 빠트리고 있지만, 하나님은 멀지 않아서 보복하실 것입니다. 그때 조금이라도 덕을 보고 아첨했던 자들은 철저하게 심판을 받을 것입니다. 우리는 때때로 하나님의 명령으로 정치인들을 만날 수도 있지만 빨리 도망쳐가야 합니다. 그래야 아첨의 말을 하지 않을 것입니다. 정치인들에게 아첨한 자들은 두고두고 욕을 먹게 될 것입니다.

17
이세벨의 심판
왕하 9:27-37

아마 이세벨은 아주 아름답게 생겼던 것 같습니다. 그러나 그의 입 안에는 독사의 독이 가득 들어 있었습니다. 이세벨은 온 이스라엘에 입을 벌려서 독사의 독을 퍼트리고 사람들을 죽였습니다. 그는 하나 님의 말씀을 전하는 선지자들을 잡혀 오기만 하면 다 죽이고, 조상의 땅을 지키려는 나봇을 하나님과 왕을 저주했다고 해서 불량배를 증인 으로 내세워서 돌로 쳐 죽였습니다. 이세벨은 남편 아합을 뒤에서 조 종해서 이스라엘을 완전히 타락시키려고 했습니다. 그러나 이세벨은 자기가 얼마나 위험한 높은 자리에 있는지 알지 못했습니다. 하나님 은 이세벨에게 대하여 그가 죽었을 때 개가 그 시체를 뜯어 먹어서 장 사지낼 수 없을 것이라고 예언하셨습니다. 그러나 이세벨은 너무나도 교만했기 때문에 하나님의 말씀을 귀담아듣지도 않았습니다.

어떤 사람이 닭을 키우고 있었습니다. 그 사람의 소망은 닭이 알 을 많이 낳는 것이고 그 알이 병아리가 되어서 닭이 많아지는 것이었 습니다. 그런데 어느 날 독사가 양계장 안에 들어가서 닭 둥지를 마치 자기 둥지인 것처럼 둥글게 싸고서 계란을 하나씩 먹고 있었습니다.

만일 그 독사가 계란과 닭을 다 잡아 먹어버리고 그 양계장 안에 독사 새끼들만 가득 까놓는다면 주인이 그것을 보고 놀라서 그 독사와 새끼들을 다 죽일 것입니다.

우리가 이 세상에서 살다 보면 직장 상사나 시집 식구나 혹은 직장 동료나 심지어는 같은 교회 장로나 집사 중에서도 독사 같은 사람을 만날 때가 있습니다. 그들은 말하는 것도 독사같이 하고 입에서는 항상 마음을 상하게 하는 독을 피우고, 심지어는 스트레스를 받아서 죽게 하기도 합니다. 그런데 이 독사가 자기 같은 독사를 많이 까서 독사 새끼들이 우글거린다면 도저히 그 양계장은 그냥 두어서는 안 될 것입니다. 주인은 높이 올라오는 신발을 신고 와서 도망치는 곳을 다 막아놓고 독사들을 다 죽일 것입니다.

1. 유다 왕 아하시야의 죽음

유다 왕 여호사밧은 하나님을 잘 섬기는 왕이었습니다. 그래서 그는 나라를 다스리면서 선지자의 말씀이라고 하면 아무리 말도 되지 않는 말씀이라도 순종해서 여러 번 기적을 체험했습니다. 여호사밧은 아합과 같이 길르앗 라못을 치러갔다가 아람 군대에 포위되어서 죽게 되었는데 소리를 지르는 순간 아람 군대가 아합이 아닌 것을 알고는 포위를 풀었습니다.

또 여호사밧은 이스라엘 왕과 에돔 왕과 함께 모압을 치러갔는데 7일간 행군했지만 물을 구할 수 없었습니다. 물이 없는 군대는 전멸할 수밖에 없습니다. 그때 여호사밧은 지금이라도 하나님의 선지자의 말씀을 듣자고 해서 선지자를 찾아보았더니 마침 엘리사가 가까운 데 있었습니다. 그는 엘리사를 불러서 하나님의 뜻을 물었습니다. 그랬더니 엘리사는 말도 안 되는 말을 했습니다. 그것은 비가 오랫동안 오지 않아서 마른 계곡에 할 수 있는 대로 많은 웅덩이를 파라는 것이었습니다. 여호사밧은 엘리사의 말을 듣고 밤에 수만 개의 웅덩이를 팠는데 밤중에 어디에서인지 모르지만 맑은 물이 내려와서 사람들과 짐승 모두 물을 마시고 전쟁에서 이겼습니다.

그런데 하나님을 잘 믿는 여호사밧에게 하나의 약점이 있었는데 그것은 자기 나라보다 힘이 있고 잘살고 규모도 큰 이스라엘을 늘 부러워한다는 것이었습니다. 그래서 여호사밧은 이스라엘과 같이 어울리는 것을 너무 좋아했고 항상 이스라엘을 부러워했습니다. 그래서 여호사밧은 최고의 실수를 하게 되는데, 그것은 자기 아들 여호람을 이세벨의 딸 아달랴와 결혼시킨 것이었습니다. 이세벨은 두로에서 이스라엘로 시집온 독사였습니다. 그래서 이세벨은 이스라엘 안에 있는 선지자와 하나님을 잘 믿는 자들을 칼로 쳐 죽이고 바알의 제사장과 아세라의 제사장 수백 명의 독사를 키워놓았습니다. 그래서 이제 이스라엘 전체는 하나님의 양계장이 아니라 독사의 새끼들이 우글거리는 독사의 굴이 되고 말았습니다.

하나님은 이미 오래전에 엘리야 선지를 통해서 예후라는 장수에게 기름을 부어서 이스라엘의 왕으로 삼고 아합의 자손들은 씨도 남기지 말고 다 죽이라고 명령하셨습니다. 지금 엘리야는 없지만, 엘리사는 그 하나님의 말씀대로 자기 제자를 길르앗 라못을 수비하고 있던 예후에게 보내어 기름을 부었습니다. 예후는 왕이 되려면 이스르엘에서 요양하고 있는 요람을 죽여야 한다는 사실을 알고 군대를 이끌고 미친 듯이 이스르엘로 돌격했습니다. 예후는 활로 요람을 죽입니다. 그때 병문안 차 찾아온 유다 왕 아하시야는 죽을힘을 다해서 유다 쪽으로 도망쳤지만, 예후의 군대에 의해 부상당하고 므깃도에서 죽습니다. 반역은 이스라엘에서 일어났는데 유다 왕이 거기 갔다가 죽임당한 것입니다.

그러면 유다 왕 아하시야는 어떤 사람이었을까요? 아하시야는 유다의 신앙이 좋기로 유명한 여호사밧의 손자였습니다. 그래서 아하시야가 만일 할아버지의 신앙을 물려받았더라면 죽어야 할 이유가 전혀 없습니다. 그러나 아하시야는 절대로 할아버지의 신앙을 물려받을 수 없었습니다. 그 이유는 그의 아버지와 그가 모두 독사였기 때문입니다. 할아버지 여호사밧은 여러 아들을 낳고 아들에게 모두 성을 하나씩 주어서 모두 행복하게 자기 성을 가지고 잘 살 수 있게 해주었습니다.

그러나 여호사밧의 결정적인 실수는 자기 아들 여호람을 아합의 딸 아달랴와 결혼을 시킨 것이었습니다. 아달랴 안에는 독사의 피가 흐르고 있었습니다. 그래서 여호사밧 다음으로 왕이 된 여호람은 아버지가 주신 성을 차지하고 있는 동생들을 모두 다 죽이고 유다의 왕이 되었습니다. 여호람은 유다의 독사였습니다. 그리고 아하시야와 여러 명의 아들들을 두었는데 그 아들들이 모두 다 독사였습니다. 이미 이스라엘은 이세벨로 인하여 독사의 천지가 되었고 이제는 유다 왕궁도 독사들이 우글거리는 독사굴이 되었던 것입니다.

신약 시대에 세례 요한은 자기가 세례 베푸는 곳에 구경하러 온 바리새인과 서기관들을 향하여 "독사의 자식들아, 누가 너희의 임박한 진노를 피하라 하더냐? 이미 도끼가 나무 뿌리에 놓였으니 좋은 열매 맺지 않는 나무마다 찍혀 불에 던져지리라"(눅 3:7-9)라고 책망했습니다. 마음속에 하나님을 믿는 믿음이 없는 자들은 그 마음과 입안에 독사의 독이 잔뜩 들어 있습니다. 그들이 좋아하는 것은 거짓말하는 것과 돈과 음행과 다른 사람들에게 독을 쏘아서 죽게 하는 것입니다.

독사는 독사를 찾아가게 되어 있습니다. 그래서 유다 왕 아하시야는 이스라엘 왕 요람이 길르앗 라못을 공격하다가 심한 부상을 입었다는 말을 듣고 요람에게 문병을 갔습니다. 적어도 다윗의 자손이라면 움직이는데 굉장히 조심해야 합니다. 즉 내가 하나님의 양 떼를 찾아가는 것인가 아니면 독사나 맹수를 찾아가는 것인지 분별해야 합니다. 하나님의 종들은 인척이 그렇게 중요하지 않습니다. 하나님의 종에게 중요한 것은 하나님의 말씀이고 하나님의 백성입니다. 결국 아하시야는 하나님의 백성을 뒤로하고 독사를 위문한다고 갔다가 때마침 일어난 반역자의 손에 의해 죽임당하고 말았던 것입니다.

9:27, "유다의 왕 아하시야가 이를 보고 정원의 정자 길로 도망하니 예후가 그 뒤를 쫓아가며 이르되 그도 병거 가운데서 죽이라 하매 이블르암 가까운 구르 비탈에서 치니 그가 므깃도까지 도망하여 거기서 죽은지라"

유다 왕 아하시야는 자기 권력만 믿고 하나님의 백성을 물어서 죽이고 또 다른 독사를 만나러 갔다가 예후의 부대를 만나는 바람에 죽임당하고 말았던 것입니다. 하나님의 백성 즉 양 떼와 독사는 본질적으로 맞지 않습니다. 그런데 유다에는 왕 아하시야는 죽었지만 더 무서운 독사가 살아 있었습니다. 그것은 바로 아하시야의 어머니 아달랴였습니다.

우리도 옛날에는 모두 독사였습니다. 우리의 입안에는 독사의 독이 들어 있었고, 생각하는 것이 야망이고 욕심이었습니다. 그러나 우리에게 기적이 일어나서 하나님의 양으로 변한 것입니다. 그래서 우리는 다시 독사로 돌아가서는 안 됩니다. 우리가 다시 술을 마시고 하나님의 말씀이나 교회를 멀리하고 세상 지도자들의 말을 들으면 다시 독사로 돌아가게 됩니다.

2. 이세벨의 자만심

이세벨은 자만심이 아주 강한 여자였습니다. 그는 두로의 제사장의 딸이었고, 아합 왕의 왕비였고, 유다 왕 아하시야의 어머니가 자기 딸 아달랴였습니다. 그리고 이세벨의 몸 안에는 독사의 피가 잔뜩 들어 있었기 때문에 절대로 하나님께 머리 숙일 사람이 아니었습니다.

예후가 요람을 죽인 후에 이세벨을 죽이려고 이스르엘에 몰려오는데 자기를 죽이러 온 것을 보고도 조금도 무서워하지 않았습니다. 그래서 아주 태연하게 화장을 계속하고 있었습니다. 그 이유는 이세벨이 예후를 아주 업신여겼기 때문입니다.

사실 예후는 엘리사의 제자가 와서 자기 머리에 기름을 부을 때만 해도 자기가 왕이 될 줄은 꿈에도 생각하지 못했습니다. 거기에 비하여 이세벨은 아합의 왕비였을 뿐 아니라 아합을 완전히 손안에 넣고 주물럭거렸고, 엘리야를 사로잡으려고 했던 여인이었습니다. 이세벨은 이스라엘에서 하나님의 선지자들은 모조리 다 죽이고 바알을 믿지 않는 백성도 다 죽였습니다. 그리고 이세벨은 이스라엘 안에 수백 명의 바알의 제사장과 아세라의 제사장을 세워서 키우고 있었습니다. 이들은 전부 다 독사들이었습니다. 그러니까 이세벨은 예후 같은 시시한 장군이 부하를 데리고 반역을 일으켜 봐야 절대로 자기를 이길 수 없다고 생각했던 것입니다. 그래서 이세벨은 예후를 보고 가소롭게 생각해서 이렇게 말했습니다.

9:31, "예후가 문에 들어오매 이르되 주인을 죽인 너 시므리여 평안하냐 하니"

아마도 예후가 성문 안으로 들어와서 왕궁 앞에 섰던 것 같습니다. 그리고 이세벨은 왕궁 창문 앞에서 화장하고 있었던 것 같습니다. 이세벨은 예후를 보고 "주인을 죽인 너 시므리여 평안하냐?"고 했습니다. 이는 '자기 주인을 죽인 너 시므리여, 기분이 좋으냐?' 라는 뜻입니다. 시므리는 이스라엘에서 여로보암 다음의 바아사 왕조를 무너뜨렸는데, 그때 바아사는 왕궁에 불을 지르고 들어가서 스스로 죽었습니다. 그러나 왕이 된 시므리는 오므리라는 장군이 반역을 일으켜서 7일 만에 죽게 되는데, 그 오므리가 바로 아합의 아버지였던 것입니다. 그러니까 이세벨은 내 아들 요람은 네 손에 속아서 죽었는지 모르지만, 어머니인 나는 그렇게 바보가 아니므로 네가 먼저 며칠 안에 시므리처럼 죽을 것이라는 뜻이었습니다.

사실 이스라엘을 독사의 나라로 만든 이세벨에 대하여 하나님은 확고하게 심판을 준비하고 있었습니다. 그러나 이세벨은 전혀 하나님의 말씀을 듣지도 않고 무서워하지도 않으니까 모든 것이 자기 뜻대로 될 줄로 생각하고 있었던 것입니다. 이세벨은 온 이스라엘을 이미 바알의 나라로 만들고 아세라의 나라로 만들어놓았기 때문에 예후가 절대로 이 나라를 차지하지 못할 것이라고 믿고 있었습니다. 그러나 이세벨은 정말 위태위태한 자리에서 오랫동안 그 자리를 유지하고 있었습니다. 하나님은 이미 이세벨을 비참하게 심판하시기로 작정하셨기 때문입니다.

3. 이세벨의 최후

이세벨은 창문 밖을 내다보면서 화장하고 있고 왕궁은 닫혔기 때문에 예후는 왕궁 안에는 들어오지 못할 것이고, 곧 다른 장군들이 군인들을 끌고 와서 예후를 죽이고 자기를 여왕으로 세울 것으로 생각하고 있었습니다. 그러나 예후는 지금 자기가 하고 있는 일이 하나님의 일이라면 분명히 성안에도 하나님의 백성이 있을 줄 믿었습니다. 그래서 예후는 창을 향해서 말하기를 "왕궁 안에서 내 편이 될 자가 누구냐?"라고 소리를 질렀습니다. 이세벨이나 성안의 모든 사람은 아무 반응이 없을 줄 알았습니다.

그러나 내시 두어 명이 창밖으로 고개를 내밀었습니다. 그들은 비록 신분은 내시였지만 대세가 예후에게로 기울어진 것을 알고 있었습니다. 그들은 아무 소리도 하지 않고 고개만 창밖으로 내미니까 예후는 그 내시들에게 이세벨을 창밖으로 집어 던지라고 명령을 내렸습니다. 내시들은 그 자리에서 이세벨의 다리를 잡고 창밖으로 집어 던지니까 이세벨은 왕궁에서 떨어져 죽었습니다. 그런데 이세벨은 땅에 부딪히면서 온 사방으로 피가 튀었습니다. 그래서 성벽에도 이세벨의 피가 튀고 예후나 말을 타고 온 사람들의 말에도 피가 튀었습니다. 예후는 독사의 어미에 해당되는 이세벨의 시체를 발로 밟았습니다. 이것은 예후가 이세벨을 비참하게 죽이고 승리한 것을 확인하는 것이었습니다.

9:33, "이르되 그를 내려던지라 하니 내려던지매 그의 피가 담과 말에게 튀더라 예후가 그의 시체를 밟으니라"

예후가 왕궁 안에 들어가서 술을 마시고 음식을 먹으면서 생각해 보니 이세벨이 아무리 저주를 받은 여자라 하더라도 너무 했다는 생각이 들었습니다. 자기는 쉽게 이기기 위하여 내시들에게 이세벨을 창밖으로 집어 던지게 하고 자기 발로 이세벨의 시체를 밟았지만, 그래도 왕비였고 왕의 어머니인 이세벨에게 너무 했다는 생각이 들었습니다. 그래서 예후는 부하에게 그래도 왕비인 여자였는데 아무리 저주를 받은 여자라고 하지만 버려두는 것은 너무 심하다고 생각해서 장사를 지내 주라고 했습니다. 그래서 부하들이 이세벨의 장사를 지내 주려고 가보니까 이미 개들이 이세벨의 시체를 다 뜯어 먹어서 머리와 뼈만 남고 창자나 가슴이나 다 먹어 치워버리고 손과 발의 일부만 남아 있어서 도저히 장례를 치를 수 없었습니다. 그래서 이 사실을 예후에게 보고하니까 예후는 "내가 아무리 잘해주려고 해도 결국 하나님의 말씀대로 되는구나"라고 하며 탄식했습니다. 즉 하나님께서 옛날 엘리야에게 "이스르엘 토지에서 개들이 이세벨의 살을 먹을지라"고 하셨는데, 그 말씀 그대로 되었다고 했습니다. 그리고 그 시체가 밭의 거름같이 되어버렸는데 누가 그것을 이세벨의 시체라고 하겠느냐고 했습니다. 결국 이세벨은 이스르엘의 쓰레기같이 최후를 맞이하게 되었던 것입니다(37절).

우리는 이 세상을 보면 하나님을 믿지 않는 악한 자들이 모든 권력을 다 쥐고 나라를 흔들며 또 자기 밑에 많은 자기 부하들을 심어 놓는 것을 볼 수 있습니다. 그러나 하나님은 이런 독사들을 좋아하시지 않습니다. 모든 것은 사람의 뜻대로 되지 않고 하나님의 말씀대로 이루어지게 되어 있습니다. 독사의 달콤한 말을 따라가지 말고 자신의 위치를 잘 지키는 성도들이 다 되시기를 바랍니다.

18
아합의 아들들
왕하 10:1-36

병원에서 암 수술을 할 때는 암의 뿌리를 찾아서 제거하는 것이 중요합니다. 그렇지 않으면 수술은 잘 되었다고 하는데 암이 재발해서 목숨을 잃는 경우가 많습니다. 그러나 암의 뿌리는 보이지 않게 깊이 감추어져 있어서 찾아내기가 쉽지 않습니다.

우리는 때때로 이 세상에서 왜 악한 자들이 저렇게 번성하고 잘 되는데 하나님은 가만히 침묵하고 계시는지 이해되지 않을 때가 있습니다. 그것은 하나님께서 몰라서 그러시는 것도 아니고 능력이 없어서 잠잠하신 것도 아닙니다. 하나님은 악의 세력을 충분히 키운 후에 그 악의 뿌리를 발견한 후에 뿌리부터 전부를 다 파내어서 처분하시려는 것입니다. 하나님이 그 일을 위하여 준비하신 칼날이 바로 예후였습니다. 예후는 하나님의 말씀에 순종하여 아합의 집안을 철저하게 죽입니다.

그러나 예후는 여로보암 때부터 섬기던 금송아지는 버리지 않았습니다. 따라서 예후는 완전히 하나님의 손에 붙들린 종이라기보다는 오직 반쪽의 목적, 즉 아합의 집을 멸망시키기 위하여 사용된 그릇에 불과하다는 것을 알게 됩니다.

1. 아합의 아들들

요즘 우리나라 청년들은 금수저니 흙수저니 하면서 부모가 돈이 많아서 쉽게 잘 사는 부잣집이나 재벌의 아들들은 부러워하고 부모가 능력이 없어서 힘들게 살아가는 자신을 비관하는 모습을 많이 볼 수 있습니다. 우리가 청년일 때는 부모의 덕을 봐서 성공하는 것을 굉장히 무능하고 가소롭게 생각했었습니다. 자기가 아버지만큼이나 그 이상 능력이 있다면 아버지 덕을 볼 것이 아니라 아버지와 싸워서라도 집을 탈출해서 자기 나름대로 인생을 살아보는 것도 가치가 있기 때문입니다.

그런 의미에서 이스라엘에서 금수저 중에서 금수저는 아합 왕의 70명의 아들이었습니다. 아합은 왕자만 70명이나 되었으니까 딸들까지 합하면 그 자손은 백 명은 넘었을 것입니다. 그런데 아합은 자식들의 교육이 중요하다는 것을 알았습니다. 그래서 아들 70명을 사마리아에 함께 모아서 이스라엘의 최고가는 귀족이나 학자에게 맡겨서 모든 교육을 다 받게 했습니다. 그렇게 왕자들은 이스라엘 안에서 최고의 지위를 누리고 있었고, 그들의 미래를 완전히 열려있었습니다. 그러나 모든 것은 인간의 생각대로 흘러가는 것은 아니었습니다. 이미 하나님은 예후를 사용하셨는데 그에게 아합의 피가 한 방울이라도 들어있는 자가 있으면 전부 다 죽이라고 명령하셨고 예후는 그 임무를 수행하고 있었습니다.

그래서 예후가 가장 먼저 한 일은 이스르엘 성에서 자기를 만나러 나왔다가 반역인 줄 알고 도망치는 요람의 등을 화살로 쏘아서 화살이 등에서 배까지 뚫고 나와서 요람을 죽게 만든 것입니다. 그리고 두 번째 예후가 해야 할 일은 무려 칠십 명이나 되는 아합의 아들들을 다 죽이는 것이었습니다. 이 칠십 명이 자기들을 죽이려고 하는 줄 알고 도망쳐서 숨으면 잡기도 힘들 것입니다. 그런데 예후는 이런 일에 머리가 아주 잘 돌아가는 사람이었습니다.

예후는 사마리아에 있는 아합의 아들들을 가르치는 자들에게 편지를 썼습니다. "너희들은 너희 왕의 아들들을 교육하느라고 수고가 많다. 나는 이미 이스라엘의 왕이 되어서 이스라엘 왕 요람과 유다 왕 아하시야를 처단했다. 내가 알기로는 사마리아 안에는 말과 병거도 많고 유능한 왕의 아들들이 칠십 명이나 된다고 한다. 내가 원하는 것은 왕자들 중에서 가장 용맹스럽고 싸움도 잘하는 사람을 왕으로 세워서 나와 한 번 전쟁해보는 것이다. 너희들이 나를 이기면 너희들은 사는 것이고, 만일 내가 너희들을 이기면 너희들은 다 죽을 것이다." 이런 명령을 내린 것입니다(2-3절).

이때 왕자들을 가르치는 자들은 큰 두려움에 빠지게 되었습니다. 그들은 즉시 모여서 회의했습니다. 예후는 이미 두 나라의 왕, 요람과 아하시야를 죽인 군인들이 추종하는 왕인데 자기들이 가르치는 왕자들 중에는 예후를 상대할 사람은 없었습니다. 아합의 아들들을 가르치는 자들은 예후가 이미 두 왕을 죽였는데 우리가 감히 젖비린내 나는 어린아이를 왕으로 세웠다가는 우리 역시 죽게 될 것으로 생각했습니다. 그래서 사마리아 왕궁을 책임지는 자와 왕자 교육을 책임지는 자는 몰래 예후에게 사람을 보내어서 "우리는 당신의 종입니다. 우리는 당신이 하라고 지시하는 일은 다 할 것이고 절대로 예후의 아들 중에서 왕을 세워서 당신을 대적하지 않을 것입니다"라는 답장을 보내었습니다.

그러나 예후로부터 다시 온 답장은 정말 무시무시했습니다. 예후는 아합의 아들들의 교육을 받은 자들에게 편지하기를 "너희가 정말 내 말에 복종한다면 내일 이맘때까지 칠십 명의 아들들의 머리를 다 베어 가지고 이스르엘로 가지고 오라"고 했습니다. 어제까지만 해도 이 왕자들의 선생이 되어서 아합의 자녀들을 가르치던 자들이 하룻밤에 변절하여 왕자들을 다 죽이는 것은 쉬운 일이 아니었습니다. 그러나 이 귀족들은 자기들이 살기 위해서 어쩔 수 없었습니다. 귀족들은 아합의 아들 칠십 명을 모두 한 방에 모은 후에 모두 칼로 찔러 죽이고 그 머리를 베어서 광주리에 담았습니다.

이스르엘 귀족들은 아합의 아들들의 머리가 든 큰 광주리를 수레에 실어서 예후에게로 가져갔습니다. 예후는 아합의 아들들의 머리가 잘 보이도록 두 무더기로 쌓으라고 했습니다. 이 세상에서 왕의 아들로 태어나서 최고로 좋은 교수들에게서 최고의 학문을 배우던 금수저들은 모두 어느 날 하루 만에 머리가 잘리는 신세가 되고 말았습니다.

2. 무가치한 사람들

예후는 아합의 아들 칠십 명을 다 죽인 후에 이스라엘 백성을 모아놓고 연설을 했습니다. 그 연설은 아이러니로 가득 차 있었습니다. 예후는 백성에게 "너희들은 너희 왕을 잘 섬기니까 의로운 자들"이라고 칭찬했습니다. 그리고 "나는 불의하여 내 주를 배반하고 죽였다"고 했습니다. 이스라엘 백성에게 자기보다 더 의롭다고 하니까 백성이 얼마나 불안했겠습니까? 예후는 아합의 아들들의 머리를 보면서 이여러 사람을 죽인 자가 누구냐고 물었습니다. '악한 내가 아니냐?'는 것입니다. 그러면서 예후의 말은 바뀝니다. 하나님께서 예후에게 하신 말씀 중 하나라도 떨어지지 않고 다 이루리라고 말씀하신 엘리야의 말씀이 이제 이루어진 것이라고 강조했습니다. 즉 아합의 아들들 칠십 명이 죽은 것은 하나님의 말씀이 이루어진 것이라고 했습니다.

아무것도 모르는 이스라엘 사람들의 눈에는 예후가 칠십 명이나 되는 아합의 아들을 죽인 것에 대하여 너무 무자비하다든지 혹은 너무 심한 반역이 아니냐고 말할지 모르지만, 아합 밑에서 살아남아 있다는 것이 이미 악한 것이라고 말하고 있는 것입니다. 그리고 예후는 이스르엘 성에서 아합과 관계되는 사람은 한 사람도 빼놓지 않고 다 죽였습니다. 그리고 귀족이나 제사장이나 한 자리씩 하던 자들은 한 명도 빼놓지 않고 다 죽였습니다. 그들은 모두 의로운 자로 행세했지만 바알 밑에 있는 것이 이미 악한 것이었습니다.

> 10:11, "예후가 아합의 집에 속한 이스르엘에 남아 있는 자를 다 죽이고 또 그의 귀족들과 신뢰 받는 자들과 제사장들을 죽이되 그에게 속한 자를 하나도 생존자를 남기지 아니하였더라"

여기서 우리는 예후가 하는 일이 아무것도 모르는 사람들에게는 불의하게 보일 수도 있다는 것입니다. 그러나 예후는 '너희들의 의롭다, 불의하다고 말하는 것은 중요하지 않고 오직 하나님의 말씀을 이루어드리는 것이 중요하다'고 했습니다. 예후는 이스르엘 안에서 아합과 가까웠던 자들은 한 사람도 빼놓지 않고 다 죽였습니다.

그런데 유다 안에 정말 가치 없는 자들이 있었습니다. 이들은 아하시야의 형제들이었습니다. 아하시야도 요람이 부상입었다고 해서 이스르엘로 문병 왔다가 죽었는데, 아하시야의 동생들도 요람을 위문하기 위하여 가고 있었습니다. 바로 이때 그들은 막 이스르엘에서 아합의 족속들을 다 죽이고 사마리아로 돌아가는 예후와 마주치게 되었습니다. 아하시야의 형제들은 두 가지 피를 가지고 있었습니다. 하나는 다윗의 자손의 피이고, 다른 하나는 이세벨의 피였습니다. 이들이 다윗의 자손으로 나가면 유다의 영적인 부흥을 일으킬 수 있습니다. 그러나 이세벨의 피를 따라가면 우상숭배자의 자손이 되는 것입니다. 그런데 아하시야의 동생들은 우상숭배의 길을 택했습니다.

예후가 길을 가는데 아하시야의 동생 사십 명이 각자 나귀를 타고 요람을 문병하러 가고 있었습니다. 예후는 그들에게 누구냐고 물으니까 이들은 당당하게 모두 아하시야의 형제들인데 이세벨과 형제들을 문병 가는 길이라고 대답했습니다. 예후는 이들에게서 하나님의 냄새가 아니라 바알 숭배의 냄새가 나는 것을 맡을 수 있었습니다. 그래서 예후는 이들을 양털 깎는 자의 웅덩이 옆에서 전부 다 죽여서 웅덩이에 집어넣었습니다. 다윗의 자손은 하는 행동이나 말이 무게가 있어야 합니다. 그러나 아하시야의 동생들은 쓸데없는 일에 문안을 가다가 떼 죽임을 당하고 말았습니다.

그러나 예후는 가치가 있는 사람은 존귀하게 대했습니다. 예후는 길을 가다가 레갑의 아들 여호나답을 만났습니다. 그는 유목민이었습니다. 그 족속은 모세의 장인의 후손인데 광야에서 이스라엘 백성의 안내자 노릇을 했습니다. 그리고 그들은 다시 미디안 광야로 돌아가려고 하는데 이스라엘 백성이 같이 있자고 잡아서 이스라엘에 있게 되었습니다. 그러나 레갑 족속은 철저하게 지키는 것이 있었는데, 포도주를 마시지 않는 것이었습니다. 그 이유는 포도주는 그들을 취하게 만들었기 때문입니다. 그리고 그들은 절대로 집에서 살지 않고 텐트에서 살았습니다. 그들이 집에서 살면 그 사는 곳에 뿌리를 내리게 되고 세상의 나쁜 것을 배우게 되기 때문입니다. 이렇게 레갑 족속은 이스라엘 백성은 아니지만, 하나님이 이스라엘 백성에게 주는 말씀의 부스러기를 먹고 지금까지 이스라엘에 있었던 것입니다. 참으로 놀라운 것은 하나님의 자녀인 이스라엘 백성은 하나님이 주시는 말씀을 먹지 않고 불량식품인 세상 지식을 좋아하는데, 하나님의 자녀도 아닌 레갑 족속은 하나님 말씀의 부스러기도 그렇게 좋아했다는 것입니다(15-16절).

예후는 여호나답이 얼마나 신실한 사람인지 알았습니다. 예후는 여호나답의 손을 잡고 자기 병거로 끌어올려서 같이 병거를 타고 가면서 "여호와를 위한 나의 열심을 보라"고 하면서 여호나답을 데리고 사마리아에 가서 아합에게 속한 자들을 다 죽였습니다. 여호나답은 텐트 생활을 하면서도 바알을 섬기지 않고 여호와를 섬겼습니다. 그는 언제든지 주님이 가라고 하시면 떠날 준비가 되어 있는 사람이었습니다.

3. 예후의 트릭

예후는 일단 요람과 이세벨과 아합의 아들 칠십 명 그리고 이스라엘과 사마리아에서 아합에 속한 자를 모두 다 죽였습니다. 그러나 이제는 드디어 바알의 뿌리를 뽑을 때가 되었습니다. 이스라엘 안에 바알의 제사장들은 수백 명에서 수천 명이 되었고 또 열성적으로 바알을 추종하는 세력들은 수도 없이 많았습니다. 예후가 이들을 모두 찾아서 죽인다는 것은 불가능한 일이었습니다. 그러나 예후의 마음속에는 여호와를 위한 열심이 불타오르고 있었습니다. 예후는 이번 기회에 무슨 일이 있어도 바알 제사장이나 적극적인 추종자들을 다 죽여야 한다고 생각했습니다.

그래서 예후는 이스라엘 전체에 이제 새 정권이 시작되었으니까 바알신에게 감사하는 큰 대회를 열겠다고 공포했습니다. 그래서 바알을 섬기는 제사장이나 선지자나 적극적인 신자는 한 명도 빠짐없이 참석하라고 공고했습니다. 만일 이때 바알을 섬기는 자 중에 한 사람이라도 빠지면 그 사람은 절대로 살려주지 않겠다고 맹세했습니다. 그 대신 여호와를 섬기는 자는 절대로 참가해서는 안 된다고 했습니다.

그리고 예후는 온 이스라엘에 사람을 보내어서 이 큰 대회를 위하여 모두 거룩히 하고 빠짐없이 다 모이라고 통보했습니다. 그러나 이것은 예후의 트릭이었습니다. 그러나 이 사실을 바알의 제사장이나 선지자는 한 사람도 알지 못했습니다. 드디어 그날이 되었을 때 모든 바알 제사장과 선지자는 예복을 입고 바알의 신당에 꾸역꾸역 모여들었습니다. 그날에 바알의 제사장 중에서 빠진 자는 한 사람도 없었고, 얼마나 사람들이 많이 모였던지 신당 이쪽 끝에서 저쪽 끝까지 가득하였습니다. 예후는 예복 맡은 자에게 바알을 섬기는 모든 자에게 이 예복을 주라고 명령했습니다.

예후는 레갑의 아들 여호나답과 함께 바알의 신전에 들어가서 신당을 꽉 채운 바알을 섬기는 자들에게 말하기를, 바알을 섬기는 자만 여기에 있게 하고 여호와를 섬기는 자는 모두 나가게 하라고 했습니다. 이때 바알을 섬기는 자들은 자기들이 대단한 사람이라고 생각했고, 거기에 있지 못하고 쫓겨나는 여호와의 종들은 비참하게 보였습니다. 예후는 바알의 제사장들과 선지자들에게 오늘 마음껏 바알에게 제사드리라고 했습니다. 그들은 바알에게 번제도 드리고 감사제도 드렸습니다.

> 10:25, "번제 드리기를 다하매 예후가 호위병과 지휘관들에게 이르되 들어가서 한 사람도 나가지 못하게 하고 죽이라 하매 호위병과 지휘관들이 칼로 그들을 죽여 밖에 던지고"

그러나 바알을 섬기는 자들의 제사가 끝나갈 때 예후는 병사 팔십 명에게 칼을 들고 바알의 신당에 들어가서 한 명도 빠짐없이 다 죽이라고 명령했습니다. 그래서 예후의 호위병과 지휘관들이 일제히 바알의 신당에 들어가서 한 사람, 한 사람 전부 죽여서 밖으로 던졌습니다. 그리고 바알의 신상이 있는 성에 가서 바알의 목상에 불을 질렀습니다. 예후는 바알의 목상을 불 지르고 신당을 헐어서 변소로 만들었습니다. 이것은 바알을 믿는 것이 이렇게 더럽고 지저분하다는 것을 보여주기 위함이었습니다.

그러나 안타까운 것은 예후가 아합의 집과 바알 신앙을 척결하는 데는 최선을 다했지만, 하나님의 말씀으로는 돌아오지 않았다는 것입니다. 예후는 남은 이스라엘 백성이 두려웠는지 결국 여로보암이 만들었던 금송아지 신앙으로 돌아갔습니다. 예후가 기왕 하나님의 말씀으로 돌아가려면 신앙까지 하나님의 말씀으로 돌아가야 하는데 금송아지는 부수지 못하고 섬겼습니다.

예후는 하나님의 말씀에 순종하는 데 반만 순종했습니다. 그래서 하나님께서는 예후에게 약속하기를 네가 그래도 아합의 집을 청소하고 바알 섬기는 자들을 청소했기 때문에 4대를 이어서 이스라엘 왕이 될 것이라고 했습니다. 그리고 이스라엘은 혼란을 겪다가 앗수르의 공격으로 결국 망하게 됩니다.

예후에 대한 성경의 평가는 이렇습니다.

10:31, "그러나 예후가 전심으로 이스라엘 하나님 여호와의 율법을 지켜 행하지 아니하며 여로보암이 이스라엘에게 범하게 한 그 죄에서 떠나지 아니하였더라"

결국 하나님은 이스라엘의 살을 깎기 시작하셨습니다. 그래서 요단 동쪽에 있던 땅들을 모두 하사엘에게 빼앗기게 됩니다.

10:33, "요단 동쪽 길르앗 온 땅 곧 갓 사람과 르우벤 사람과 므낫세 사람의 땅 아르논 골짜기에 있는 아로엘에서부터 길르앗과 바산까지 하였더라"

기왕 여호와를 위한 열심이 있었더라면 철저하게 믿었으면 좋았을 텐데 예후의 열심은 인간적인 열심이었던 것 같습니다. 그래서 이스라엘은 바알을 없애고 아합의 씨를 다 죽였음에도 불구하고 엄청난 영토를 빼앗기고 말았습니다. 아이러니한 것은 예후 때가 아합 때보다 훨씬 나라가 작아지게 되었다는 사실입니다. 그는 하나님의 말씀에 순종했지만, 반만 순종했기 때문에 나라가 더 작아지게 되었습니다. 우리가 온전히 하나님을 믿는 것은 참 어려운 일입니다. 그러나 온전히 믿어야 복을 받을 수 있습니다. 열정만 가지고는 반밖에 안 되는 것입니다.

19
유다의 불이 꺼지다
왕하 11:1-3

이스라엘 백성이나 유다 백성에게 자유보다 더 중요한 것은 하나
님 말씀의 등불이 꺼지지 않게 하는 것이었습니다. 이스라엘에 등불
이 꺼지지 않는 것은 하나님의 말씀과 기도가 살아 있어서 부흥의 불
씨가 살아 있는 것을 말합니다. 이렇게 되면 등불이 켜져 있으므로 앞
을 볼 수 있고 길을 갈 수 있고 희망을 가질 수 있고 부끄러운 짓은 하
지 않게 됩니다.

이스라엘은 이미 바알과 이세벨 때 하나님 말씀의 등불이 거의 꺼
져가고 있었습니다. 그때 그 등불이 꺼지지 않도록 지킨 사람이 바로
엘리야와 엘리사 선지자였습니다. 더욱이 엘리야는 하늘에서 불이
떨어지는 기도를 통하여 바알의 제사장 450명을 죽이고 이스라엘에
부흥의 불을 일으켰지만, 일시적인 현상에 불과했습니다. 유다는 여
호사밧 왕 때 우상을 제거함으로 부흥의 불길이 아주 뜨겁게 타올랐
습니다. 그러나 누구든지 부흥의 불이 타오르면 방심하게 되어 있습
니다. 그래서 여호사밧은 자기 아들 여호람을 이세벨의 아달랴와 결
혼하게 했는데, 결국 아달랴는 유다 부흥의 불을 완전히 꺼버리게 됩

니다.

여호람은 아달랴의 사주를 받아서 신앙이 좋은 자기 동생들을 다 죽이고 왕이 되었습니다. 여호람이 죽고 그 아들 아하시야가 왕이 되었는데 그때까지도 이세벨의 딸이었던 아달랴는 조용히 있었습니다. 아들 아하시야나 다른 아들들도 자기 말을 잘 들어서 하나님을 별로 믿지 않았기 때문입니다. 그러다가 북쪽 이스라엘의 요람이 길르앗 라못에서 부상입었다는 소식을 듣고 아하시야가 문안을 갔다가 예후의 군대에 의해 죽고, 다른 형제들도 문안을 가다가 예후의 군대를 만나서 사십 명이나 몰살을 당하게 됩니다. 이제 드디어 이세벨의 딸 아달랴는 본색을 드러내게 됩니다.

1. 유다의 등불

한때 유다에 부흥의 불이 맹렬하게 타올랐던 적이 있었습니다. 그때는 북쪽의 여로보암이 금송아지를 만들어놓고 제사드릴 때였습니다. 그때 남쪽 유다에서 이름도 없는 한 무명의 선지자가 이스라엘로 올라와서 금송아지에게 제물을 바치고 있는 여로보암을 향하여 앞으로 요시야라는 유다 왕이 날 텐데 그때 지금 이 금송아지에게 제사하는 모든 제사장의 뼈를 다 태울 것이라고 예언했습니다. 그리고 그 증거로 지금 금송아지 앞에 있는 단이 쪼개어져서 재가 땅에 떨어질 것이라고 했습니다. 그때 여로보암은 너무 화가 나서 자기를 향하여 예언한 선지자를 보고 손으로 가리키면서 신하들에게 저 놈 잡으라고 했습니다. 그런데 그 순간 여로보암의 손이 굳어지고 말았습니다. 이때 여로보암은 잠시 겸손해지면서 그 선지자에게 하나님께 기도해서 손이 풀리게 해 달라고 했습니다. 이 무명의 선지자가 하나님께 기도하니까 여로보암의 손은 풀리게 되었습니다. 유다의 무명의 선지자가 이 정도의 능력을 가지고 있었다면 유다에는 굉장한 신앙의 부흥이 있었던 것입니다.

유다는 르호보암 다음에 아비야가 왕이 되었는데 이때 여로보암과 전쟁하게 됩니다. 이때 유다는 예배가 살아 있었습니다. 유다에는 부흥의 불길이 제사장을 중심으로 타오르고 있었습니다. 이때 유다는 사십만 명이었고 이스라엘은 팔십만 명이었는데 이스라엘의 여로보암은 복병까지 세웠습니다. 유다는 앞뒤로 포위되었는데 하나님께 부르짖으면서 기도하니까 하나님은 승리를 주셔서 이스라엘 병사 오십만 명이 전쟁에서 죽게 됩니다.

그 후에 아사가 왕이 되었는데, 그는 바알 상을 찍고 아세라 주상을 깨트러버렸습니다. 그때 구스 사람 백만 명이 쳐들어왔는데, 아사는 오십만 명으로 그 백만 명을 다 물리쳤습니다. 또 아사는 어머니 마아가가 몰래 바알을 섬기니까 어머니의 태후 지위를 폐하고 아세라 상을 찍고 빻아서 기드론 시내에 버렸습니다. 그러나 아사는 늙어서는 하나님을 별로 믿지 않고, 이스라엘이 쳐들어왔을 때 앗수르에 왕궁의 금과 보물을 다 주어서 이스라엘을 물리쳐 달라고 부탁했습니다. 이때 한 선지자가 아사를 책망하니까 그를 옥에 가두어버리고 신앙이 좋은 사람들을 죽여 버렸습니다. 아사가 젊었을 때는 백만 명의 구스 대군을 기도로 물리쳤지만, 늙어서는 그 신앙이 없어지고 말년을 불행하게 보내게 됩니다.

그리고 여호사밧이 왕이 되었는데 그는 다윗을 닮은 정직한 왕이었습니다. 그래서 바알과 아세라 상을 찍고 수도 헤아릴 수 없는 모압과 암몬 연합군을 찬양대를 앞에 세워 이기게 됩니다. 그러나 여호사밧의 가장 큰 약점은 크고 강한 북쪽의 이스라엘을 동경하고 부러워하는 것이었습니다. 그래서 여호사밧은 아합 왕이나 그 아들 요람과 함께 전쟁할 때마다 죽을 뻔하는 위기를 맞는데도 불구하고 이스라엘을 가까이했습니다.

그러다가 여호사밧이 결정적인 실수를 하게 되는데, 그것은 바로 자기 아들 여호람을 이세벨의 딸과 결혼시켜버린 것입니다. 이세벨은 이스라엘의 등불을 완전히 꺼트려 버린 아합과 결혼한 여자였습니다. 이세벨은 하나님의 선지자와 하나님을 믿는 사람들을 다 죽였습니다. 그러나 다행스럽게도 바알에게 무릎을 꿇지 않은 칠천 명이 남아서 이스라엘의 생명은 지탱하게 됩니다. 이세벨은 3년 반 동안 비가 내리지 않고 기도로 하늘에서 불이 떨어지는 역사가 일어난 것을 보고도 엘리야를 잡아서 죽이려고 했습니다. 그 이세벨의 딸이 바로 여호람과 결혼한 아달랴였습니다. 유다 왕들은 다른 나라의 인기를 끌고 인정받으려고 했지만, 결국 유다 부흥의 불을 끄고 말았습니다.

2. 유다의 등불이 꺼짐

아달랴 안에는 독사의 독이 가득 들어 있었습니다. 아달랴는 남편 여호람을 충동질해서 신앙이 좋은 자기 동생들을 모두 다 죽이게 했습니다. 이때 유다의 등불은 이미 꺼져가고 있었습니다. 아달랴는 유다 왕 여호람이 자기가 시키는 대로 하니까 조용하게 있는 것 같았습니다. 그러나 여호람의 아들 아하시야가 이스라엘 왕 요람을 병문안 갔다가 예후의 손에 죽습니다. 그리고 아하시야의 동생 사십 명도 요람에게 위문갔다가 중간에 예후를 만나는 바람에 모두 죽게 됩니다. 이때까지 아달랴는 표면에 나서지 않고 조용히 있었습니다. 아들인 아하시야나 다른 사십 명의 아들들도 자기 말을 잘 듣는 독사의 자식들이었기 때문입니다.

그런데 아달랴는 자기 아들 아하시야가 죽고 그의 동생들이 다 죽게 되자 당황하게 되었습니다. 아하시야나 그의 동생들은 자기 말을 잘 듣는 허수아비들이지만, 지금 남아 있는 손자들은 아직도 하나님을 철저하게 믿는 제사장이나 신하들의 영향을 받을 수 있기 때문입니다. 그래서 아달랴는 태후임에도 불구하고 어느 날 갑자기 쿠데타를 일으켜서 자기 손자들을 모두 다 죽이고 자기가 왕이 되었습니다. 이때 유다는 그동안 불이 꺼지려고 깜박깜박했는데 이제 완전히 온 천지가 깜깜해지는 밤이 오고 말았습니다.

아달랴는 자기 어머니 이세벨과 똑같은 여자였습니다. 아달랴는 자기 손자들인데도 다윗의 자손들을 다 죽여버렸습니다. 그리고 하나님의 말씀이 없어지게 했습니다. 그리고 더 놀라운 것은 하나님의 성전을 우상의 제기들을 보관하는 창고로 만들어버린 것이었습니다. 즉 하나님께 제사드리지 못하게 하고 하나님의 성전은 창고로 변하고 말았던 것입니다.

11:1, "아하시야의 어머니 아달랴가 그의 아들이 죽은 것을 보고 일어나 왕의 자손을 모두 멸절하였으나"

하나님은 다윗에게 유다의 등불을 꺼트리지 않겠다고 약속하셨는데, 아달랴가 왕이 되므로 결국 다윗의 등불이 꺼지게 됩니다. 이스라엘은 캄캄하고 말씀이 없는 나라가 되었고 미래가 없는 나라가 되고 말았습니다. 모든 사람은 어둠의 그늘에 앉아 있었고 사망의 그림자가 유다를 덮고 있었습니다.

아달랴는 6년 동안 왕 노릇을 하였습니다. 이 6년 동안 유다는 해가 뜨지 않는 밤만 계속되는 나라가 되고 말았습니다. 6년 동안 유다 백성은 하나님의 은혜를 체험하지 못했고, 뜨겁게 기도하는 사람도 없었으며 마치 불기운이 전혀 없는 집에서 사는 것과 같았습니다. 만약 우리가 불기운이 전혀 없는 방에서 잠을 자면 어떨까요?

요즘 우리나라에 부흥이 있는지 없는지 생각해야 합니다. 우리나라는 지난 70년 동안 부흥이 계속되었다고 볼 수 있습니다. 기독교가 엄청나게 번창했는데 교회만 세워놓기만 하면 사람들이 꽉꽉 찼기 때문입니다. 교회마다 뜨거운 기도와 선교와 구제가 있었습니다. 그러나 어느 순간 한국 교회에 무서운 금송아지가 들어오게 되었습니다. 그것은 바로 교회의 대형화였습니다. 그러다 보니까 비성경적인 가르침이 교회에 들어오게 되었습니다. 즉 목회자들이 하나님의 말씀만 가지고는 절대로 사람들이 오지 않으니까 여러 가지 이벤트 위주의 목회를 하게 된 것입니다. 그리고 외형주의에 빠지게 되고 교인들도 그것이 부흥인 줄 알고 좋아하면서 따르게 되었습니다. 교회는 겸손을 잃어버렸고 말씀의 순결을 잃어버렸습니다.

그러다가 코로나라는 전대미문의 전염병이 오면서 큰 교회부터 부흥의 불은 완전히 꺼지게 되었습니다. 정부는 교회에서부터 전염병이 퍼진다는 이유로 2년 가까이 서울의 모든 교회에 스무 명 이상 모이지 못하게 했습니다. 그리고 '비대면 예배'라는 희한한 용어를 만들어 내서 집에서 스마트폰이나 텔레비전으로 온라인 예배를 드리게 했습니다. 정부나 질병관리본부에서 교회에 신경 쓰는 것은 당연합니다. 교회에 많은 사람이 모여서 빡빡하게 앉고 폐쇄된 공간에 한 시간 이상 앉아 있으니까 집단 감염의 우려가 있는 것은 사실입니다. 그러나 그동안 확인된 바에 의하면 음식을 같이 먹지 않고 마스크를 잘 쓰면 교회 안에서는 감염되지 않는 것이 확인되었음에도 불구하고 정부는 코로나를 구실로 교회를 엄청나게 핍박해서 많은 사람이 교회를 싫어하게 만들고 교회 예배를 꺼리게 만들었습니다. 사실 우리는 코로나가 오기 전부터 부흥의 불이 꺼지려고 깜박거리고 있었습니다. 그것은 교회의 모든 행사가 외형 위주였고 목사나 교인들이나 세상 사람들과 다를 바가 별로 없었기 때문입니다. 이미 위기는 오고 있었습니다.

저는 20년 동안 한 번도 빼먹지 않고 우리가 계속해오던 금요기도회까지 멈추어 서는 것을 보고 엄청나게 실망했습니다. '금요기도회는 우리의 핵무기인데 이제는 핵무기까지 멈추어 서는구나.' 생각했습니다. 그러나 그 후에 교인들을 만나면서 확인한 바에 의하면, 교인들이 거의 인터넷 예배를 빠지지 않고 듣고 있다는 사실을 알게 되었습니다. 그리고 실시간 설교를 내보낼 수 없을 때는 시편 설교한 것을 내보내었습니다. 그런데 놀라운 것은 오래 믿는 중직자 중 몇 명이 시시하게 생각하지, 교인들은 시편에서 엄청난 은혜를 받는다는 것입니다. 과연 20년 동안 뿌린 불씨는 없어지지 않았고 여전히 그 불이 살아있는 것을 깨닫게 되었습니다.

3. 오래 계속 되는 밤

하나님의 불은 끄기는 쉽지만 한번 꺼지게 되면 다시 붙이기가 매우 어렵습니다. 그래서 어떤 때는 밤이 백 년간 계속되기도 하고, 어떤 때는 천 년 동안 계속될 때도 있습니다. 하나님은 우리에게 공짜로 말씀을 주시고 성령을 주시지만, 우리가 그 가치를 모를 때에는 거두어 가십니다. 그리고는 좀처럼 우리에게 성령을 주시지 않고 말씀을 주시지 않습니다. 그래서 드디어 사람들은 말씀에 주리게 되고 하나님의 말씀을 듣지 못해서 병들게 됩니다.

오늘 예수 믿는 사람들도 영적으로 침체에 빠지거나 혹은 화병이나 공황 장애에 빠질 때가 많이 있습니다. 대개 그 원인은 스트레스입니다. 마음이 메말라 가니까 별것 아닌 것에도 화를 내게 되고 그 화를 다른 사람들에게 퍼붓게 되는 것입니다. 그러면 상대방은 속이 다 타게 되어서 마음이 아파서 잠을 자지 못하고 고통스러워하게 되는데 육체까지 이상하게 병들게 되면서 고통을 이기지 못해서 자살까지 하게 되는 것입니다.

우리가 한번 부흥의 불을 꺼트려 버리면 다시 불을 붙이는데 얼마나 많은 고통과 많은 시간이 걸려야 하는지 모릅니다. 하나님이 주신 가장 귀한 선물을 쓰레기통에 버렸기 때문입니다. 이때 다시 부흥의 불이 붙으려고 하면 그동안 섬기고 있던 모든 금송아지를 다 버려야 합니다. 그리고 교회 안의 모든 계급이나 전통도 다 버려야 합니다. 우리는 완전히 맨땅에서 굶어 죽을 각오를 하고 하나님의 말씀을 붙들고 새로 시작해야 합니다.

11:3, "요아스가 그와 함께 여호와의 성전에 육 년을 숨어 있는 동안에 아달랴가 나라를 다스렸더라"

하나님은 유다에 6년간 밤을 주셨습니다. 정상적으로는 유다의 불이 영원히 꺼져야 하지만, 하나님은 아무도 알지 못하는 비밀을 감추어 놓으셨습니다. 아직 우리에게 하나님의 불은 살아 있습니다. 사탄은 겉으로는 이긴 것 같지만 사실 우리의 믿음까지는 빼앗지 못했습니다. 우리는 다시 이 불을 피울 수 있습니다. 하나님이 기름을 부으시면 더 큰불이 일어날 수도 있습니다. 우리가 이렇게 시시하게 질 수는 없습니다. 마음을 합해서 더 큰 부흥을 일으키는 성도들이 되시기 바랍니다.

20
꺼진 불을 다시 살리기
왕하 11:2-21

하나님의 백성에게나 이스라엘에는 부흥의 불이 있습니다. 이것은 바로 하나님 말씀의 불이 일으키는 부흥의 불입니다. 그리고 말씀을 듣고 은혜를 받은 성도나 이스라엘 백성은 전부 기름 덩어리가 되게 됩니다. 그래서 누구든지 불씨를 가지고 있는 사람이 불을 던지기만 하면 이스라엘이나 교회는 부흥의 불이 활활 타오르게 되는 것입니다. 그러면 마귀는 덤벼들지 못하고 덤벼들었던 사탄의 졸개들은 마치 하루살이나 불나방같이 다 불에 타서 죽어버리게 됩니다.

그런데 하나님의 백성이 조심해야 할 것이 있는데, 부흥의 불을 끄는 것은 너무나도 쉽다는 것입니다. 이스라엘 백성이 우상을 끌어오거나 혹은 하나님의 말씀을 무가치하게 생각해서 버리면 부흥의 불은 쉽게 꺼져버립니다. 그러나 이 부흥의 불을 다시 붙이는 것은 너무나도 어렵습니다. 십 년, 이십 년 혹은 백 년 동안이나 캄캄하고 추운 데서 벌벌 떨고 있으면서 목숨을 다해서 하나님의 말씀을 붙들어야만 겨우 불씨가 일어나게 되는 것입니다. 하나님은 유다 백성에게 불씨를 일으킬 수 있는 사람으로 다윗의 자손을 정해주셨습니다. 그러나 다윗의 자손이 세상 물에 젖어서 젖은 성냥이 되고, 물에 젖은 나무가 되는 바람에 부흥의 불이 꺼지게 되었습니다.

유다 왕 여호람의 아내 아달랴는 바알 신앙을 이스라엘에 퍼트린 이세벨의 딸이었습니다. 아달랴는 자기 어머니 이세벨과 똑같았습니다. 유다는 여호람이나 아하시야가 왕 노릇을 하면서 부흥의 불이 꺼져버렸는데, 자기 아들 아하시야마저 이스라엘에 갔다가 죽임당하자 아달랴는 자기 손자들을 모두 다 죽이고 자기가 왕이 되어서 유다를 다스렸습니다. 이때 유다의 등불은 완전히 꺼져버렸습니다. 하나님의 말씀은 없어지고 나라는 완전히 어둡게 되어서 캄캄하게 되었습니다. 나라의 모든 권세는 바알 사상을 가진 자들이 자기 멋대로 주물럭거리고 있었고, 멋대로 사람들을 죽였고, 하나님의 말씀은 없었습니다. 그리고 성전의 등불은 꺼지게 되었습니다. 그런데다가 유다는 다윗의 모든 자손을 아달랴가 죽여버렸기 때문에 유다는 영원히 부흥이 일어날 수 없게 되었습니다.

1. 사람이 알지 못하는 하나님의 계획

우리가 도대체 이해되지 않는 것이 있습니다. 왜 아달랴가 남편이 왕일 때 가만히 있었고 아들 아하시야가 왕일 때도 가만히 있다가 남편과 아들이 죽고 난 후에 손자들을 다 죽이고 왕이 되었을까 하는 것입니다. 그것은 우리가 한번 생각해 보면 뻔합니다. 남편 여호람은 아달랴의 손에 놀아나고 있었기 때문에 여호람이 하나님을 섬기는 동생들을 전부 다 죽여버렸습니다. 그리고 아들 아하시야도 완전히 어머니 아달랴 손 아래 있었습니다. 그러다가 아하시야는 전쟁에서 부상 입은 이스라엘 왕을 병문안 갔다가 요람과 함께 죽습니다. 그리고 아달랴를 추종하던 아하시야의 동생들도 길에서 예후를 만나 40명이나 죽게 됩니다.

그러나 아들이 죽은 후 손자 중에서 누군가가 왕이 되려고 한다면 이야기가 달라집니다. 왜냐하면 손자들이 모두 자기 친손자가 아니었고 거기에다가 제사장이라든지 귀족 중에는 하나님의 말씀을 믿는 사람들이 있어서 이 어린 왕이 하나님의 말씀대로 살아가도록 영향을 줄 수 있었기 때문입니다. 그래서 이 잔인한 할머니는 자기 부하를 시켜서 왕족 중에서 청소년에서부터 어린 아기에 이르기까지 다윗의 자손들을 모두 다 죽이게 했습니다. 이것이 바로 여호사밧이 유다에 끌어들였던 며느리의 만행이었던 것입니다. 아달랴는 잘못하면 유다에 다시 하나님의 불꽃이 피어오를 수도 있겠다고 생각해서 손자들을 모두 다 죽이는 만행을 저지르고 자기가 직접 왕이 되었던 것입니다. 이때 유다는 하나님의 등불이 완전히 꺼지게 되었습니다. 그래서 정상적으로 하면 유다는 다시 부흥의 불꽃이 올라올 수 없는 캄캄한 세상이 되었습니다.

그런데 여기서 하나님은 아주 놀라운 비밀 계획을 하나 세워놓으셨습니다. 모든 왕자들이 죽임당하는 현장에 아하시야의 누이 여호세바가 있었는데, 이 사람은 대제사장 여호야다의 부인이었습니다. 그녀는 죽은 왕의 누이동생이 왕의 어머니가 손자들을 다 죽이는 것을 보고 유다가 앞으로 살려고 하면 손자 한 명은 살려야 한다고 생각해서, 한 살 된 아기 요아스를 천으로 싸서 빼내어 유모의 침실에 숨기는 데 성공했습니다.

11:2, "요람 왕의 딸 아하시야의 누이 여호세바가 아하시야의 아들 요아스를 왕자들이 죽임을 당하는 중에서 빼내어 그와 그의 유모를 침실에 숨겨 아달랴를 피하여 죽임을 당하지 아니하게 한지라"

물론 아달랴는 무조건 다 죽이려 했지만 단 한 명의 아기는 죽이지 못했습니다. 죽은 아하시야의 여동생이 요아스를 몰래 빼돌렸기 때문입니다. 그리고 밤이 되었을 때 아기를 성전으로 몰래 데리고 가서 아무도 모르게 아기를 감추었습니다. 그렇게 6년 동안 갓난아기 하나가 성전에서 자라는데 아무도 그 사실을 몰랐던 것입니다. 성전에 아기가 있다는 사실을 아는 사람은 대제사장 여호야다와 아하시야의 여동생 그리고 유모밖에 없었습니다. 그래서 겉으로 보기에는 유다 부흥의 불씨가 완전히 꺼진 것 같았지만 하나의 불씨가 살아 있었던 것입니다. 아달랴는 이것도 모르고 자기가 왕이 되어서 마음껏 바알 숭배를 하고 바알 숭배자들을 높은 자리에 앉혀서 마음껏 나라를 도둑질하게 했고 성전은 거의 바알 숭배의 창고로 만들어버렸습니다.

2. 여호야다가 꺼진 불을 일으키다

아기가 몇 살이 되면 선과 악을 구별하고 자기 의사를 분명하게 표현을 할 수 있을까요? 아마 여섯 살이나 일곱 살 정도 되면 옳고 그른 것을 알고 분명한 의사 표시를 할 수 있는 것 같습니다. 그래서 미국에서는 살인 사건이 났을 때 어린아이가 '저 사람이 엄마를 죽였다'고 증언하면 그것을 증거로 채택한다는 것입니다. 드디어 요아스는 여섯 살이 되었습니다. 그때까지 아달랴는 혹시라도 하나님을 믿는 사람들이 자기를 밀어내고 다른 사람을 왕으로 세울까 봐 엄청난 독재정치를 하고 있었습니다. 그러나 그런 중에도 유다에는 하나님을 믿는 사람들이 있었습니다.

요아스가 여섯 살이 되었을 때, 드디어 대제사장 여호야다는 엉터리 왕과 그의 추종자들을 유다에서 몰아내고 유다를 바른 하나님의 나라로 세워야 한다고 결심한 것 같습니다. 그래서 여호야다는 가리 사람 백부장과 성전을 호위하는 백부장을 몰래 불러 모았습니다. 여기서 가리 사람은 블레셋 사람을 말하는데, 원래는 그렛 사람이라고 했습니다. 이 사람들은 이방인 출신이었지만 하나님의 말씀에 은혜받은 자들이었고 다윗 때부터 왕을 지키는데 아주 충성된 자들이었습니다. 그리고 성전을 수비하는 백부장은 정말 별 볼 일 없는 자리였지만 이들은 모두 하나님께 신실한 사람들이었습니다.

여호야다는 이 백부장들을 불러 놓고 먼저 하나님께 맹세를 시켰습니다. 즉 지금부터 보고 듣는 것은 절대로 어느 누구에게도 발설하지 않겠다고 서약한 후에 그들에게 성전에서 다시 맹세하게 하였습니다. 그리고 이 백부장들 앞에 아직 살아 있는 여섯 살짜리 아이, 다윗의 자손을 보여주었습니다. 여호야다는 "세상 모든 사람은 다윗의 자손이 다 죽었기 때문에 유다의 부흥의 불은 완전히 꺼졌다고 말하는데 지금 여기에 다윗의 자손이 이렇게 살아있다"고 선포했던 것입니다. 그때 아마 모든 백부장은 이 어린 다윗의 자손 앞에 무릎 꿇고 충성을 맹세하면서 기쁨의 눈물을 흘리면서 하나님께 감사했을 것입니다. 하나님께서는 부흥의 불씨를 모든 다윗의 자손들이 다 죽는 가운데 한 명을 감추어두셨던 것입니다. 그 불씨는 한 살짜리였고, 여호야다와 그의 부인은 아기가 자랄 때까지 아달랴와 그의 추종자들이 저지르는 모든 만행을 인내하며 지켜보았던 것입니다.

그런데 요아스가 왕이 되려면 아달랴를 먼저 죽여야 했습니다. 그리고 성전에서 먼저 요아스의 왕위 즉위식을 가지고 모든 백성이 요아스를 유다의 왕으로 받아들이며 요아스가 행진해서 왕궁으로 가서 왕의 보좌에 앉아야만 했습니다. 그러나 여호야다를 따르는 사람들의 수는 너무 적었습니다. 거기에다가 성전 호위병조차 3교대로 나누어서 교대했기 때문에 그나마 병사들이 삼 분의 일밖에 모일 수 없었습니다. 그러나 여호야다는 결단을 내렸습니다. 그것은 안식일에 이 일을 수행한다는 것입니다. 안식일에는 임무를 마친 수비대와 임무를 하러 오는 수비대가 만나기 때문에 수비대의 수가 삼 분의 이가 되었습니다. 그리고 그날은 자동적으로 하나님께 예배드리러 오는 사람들이 있었습니다.

여호야다는 백부장을 세 팀으로 나누어서 한 팀은 왕궁을 지키게 하고, 한 팀은 수르 문을 지키고, 삼 분의 일은 호위대 뒤에 있는 문을 지키면서 왕궁을 수비하라고 했습니다. 그리고 모든 성전 수비대는 무장하고 누구든지 수비대열 속으로 들어오려는 자가 있으면 칼로 쳐죽이라고 명령을 내렸습니다. 백부장들은 왕자가 살아 있다는 사실을 왕이 즉위하는 날까지 비밀로 지켰습니다. 그중에 단 한 명도 배반하는 사람이 없었습니다. 이것이 유다가 살 수 있는 유일한 길이었기 때문입니다.

3. 아달랴의 최후

드디어 결전의 날이 되었습니다. 그때 백부장들은 모두 여호야다가 명령한대로 임무를 마친 자도 집에 가지 않고 성전에 남아 있었고, 새로 성전을 지켜야 하는 자들은 성전에 들어오고 있습니다. 그때 제사장은 다윗의 궁에 있는 모든 칼과 창과 방패를 수비대에 나누어주어 모든 수비대는 칼을 차고 창을 들고 방패로 무장하게 되었습니다. 병력은 평소 성전 수비대의 배가 되었습니다. 이때 여호야다는 왕자 요아스를 숨어 있던 곳에서 나오게 해서 그 머리에 기름을 붓고 왕관을 씌우고 그 손에 율법책을 들게 했습니다. 그때 모든 백성은 놀랐습니다. 유다 왕의 혈통이 살아 있었기 때문입니다. 그래서 제사장은 나팔을 불고 백성은 환호성을 지르고 박수를 치고 '왕 만세!' 라고 소리를 지르니까 백성이 성전에서 무슨 일이 일어났는가 해서 성전으로 몰려오고 있었습니다.

이때 여호야다가 워낙 기습적으로 왕을 세웠지만 아달랴는 다윗의 자손들이 다 죽었으므로 감히 반역이 일어날 줄을 몰랐던 것입니다. 평소에는 아달랴를 추종하던 귀족들도 갑자기 나팔 소리와 환호 소리가 나니까 당황해서 이리 뛰고 저리 뛰고 하면서 조직적인 반발을 하지 못했습니다. 오직 아달랴만 백성이 소리 지르고 제사장이 나팔을 부니까 도대체 성전에서 무슨 일어났는가 해서 성전에 들어가려고 했습니다. 아달랴가 성전 문에서 보니까 모든 수비대가 칼과 창과 방패로 무장했고, 단 위에는 틀림없는 왕자가 왕관을 쓰고 손에 율법 책을 들고 당당하게 서 있었습니다. 아달랴는 이 모습을 보고 '반역이다. 반역이다'라고 소리 지르면서 어린 왕을 해치려고 향하여 달려가려고 했습니다. 그러나 무장한 수비대는 아달랴가 어린 왕에게 달려가지 못하도록 막고 붙잡았습니다.

제사장은 이미 두 가지 명령을 내렸습니다. 누구든지 아달랴를 추종해서 뒤따르는 자가 있으면 그 자리에서 죽이라는 것이었습니다. 그러나 아무도 아달랴를 뒤따라가는 자가 없었습니다. 그리고 제사장은 아달랴의 피를 성전에서 흘리지 말라고 명령했습니다. 그 피는 더러운 피였기 때문입니다. 바알을 섬기는 여자의 더러운 피는 성전에서 흘릴 수 없었습니다. 수비대의 손에 붙잡혀 있던 아달랴는 자기 편을 찾아서 성전 밖으로 뛰쳐나갔습니다. 그러나 그것은 바로 아달랴가 죽는 길이었습니다. 성전 밖 왕궁의 말이 다니는 길까지 수비대가 따라오다가 거기서 아달랴를 죽였습니다. 이때 아달랴를 위하여 슬피 우는 자는 없었고 지켜주는 사람도 없었습니다. 아달랴는 지금까지 자기만 대단한 줄 알고 원맨쇼를 했던 것입니다.

11:18, "온 백성이 바알의 신당으로 가서 그 신당을 허물고 그 제단들과 우상들을 철저히 깨뜨리고 그 제단 앞에서 바알의 제사장 맛단을 죽이니라 제사장이 관리들을 세워 여호와의 성전을 수직하게 하고"

제사장은 즉시 군대를 바알의 신당으로 보내서 바알 신당과 우상들을 다 깨트리고 바알의 제사장 맛단을 거기서 죽였습니다. 바알과 바알의 제사장들은 자기 시대를 만난 것처럼 돈을 모으고 권력을 휘둘렀지만 여섯 살짜리 왕이 세워지니까 모두 다 죽임을 당했습니다. 그리고 백부장과 기리 사람들과 백성은 어린 왕을 호위해서 왕궁으로 행진해서 가고, 어린 왕은 드디어 왕좌에 앉았습니다. 그러니까 모든 백성이 좋아서 기뻐하고 성은 결코 무질서하지 않았습니다. 나라의 모든 불의가 없어지고 백성은 아달랴가 죽었다는 말에 안심했습니다. 아달랴는 독사였고 맹수였기 때문입니다. 맹수는 죽고 정식 다윗의 자손이 다시 부흥의 불을 일으키고 있었고, 왕 주위에는 부흥을 갈망하는 많은 제사장이나 백부장들이 있어서 왕을 지켰습니다.

처음 여호야다가 왕을 백부장들에게 보여준 때는 여섯 살 때였는데 드디어 왕의 보좌에 앉은 것은 그의 나이 일곱 살이 되었을 때였습니다. 즉 1년 동안 여호야다와 백부장들과 기리 사람들은 비밀을 지키면서 하나님께서 역사하실 때를 기다렸던 것입니다. 아무리 나이가 어리고 세상적으로는 아무도 알아주지 않는다고 하더라도 진정으로 하나님의 말씀을 붙드는 자가 나타나면 부흥의 불은 다시 일어나게 되어 있습니다.

이런 부흥을 막기 위해서 중세에는 성경을 라틴어로만 사용했는데, 일반 사람들은 라틴어를 알아듣지 못했습니다. 그래서 성경을 영어로 번역하는 위클리프와 후스 같은 사람은 불에 태워죽이고, 살아 있는 사람은 몸에 있는 껍질을 벗겨서 거꾸로 공중에 매달아 죽이기도 했습니다. 그만큼 사탄에게는 하나님의 말씀이 무서웠던 것입니다.

마틴 루터는 백성이 직접 성경을 읽어야 한다고 생각했습니다. 그는 비텐베르그 대학에서 시편과 로마서와 갈라디아서를 가르치다 보니까 구원은 하나님의 은혜로 얻는 것이지, 인간의 공로로 얻는 것이 아니라는 진리를 깨달았습니다. 그래서 그는 95개 조항을 비텐베르크 성당 문에 못질해서 달아놓았고 그 불길은 독일 전체에 퍼져나가게 됩니다. 루터의 가장 큰 공헌은 신약 성경을 헬라어에서 독일어로 번역한 것입니다. 왜냐하면 라틴어 성경은 오류가 많았기 때문입니다. 루터는 성경을 아주 평민들이 쓰는 독일어로 번역했습니다. 교황은 아직도 남아 있지만 그 세력은 돈과 권력을 빼면 거의 없을 정도입니다.

우리는 아달랴나 바알 제사장같이 눈에 보이는 권력을 쥐고 하나님의 나라를 망치겠습니까? 아니면 나이는 일곱 살이지만 하나님의 말씀에 따라서 영적 부흥의 불씨를 회복하기를 원합니까? 예수님은 내가 세상에 불을 던지러 왔는데 그 불이 붙었으면 얼마나 내 마음이 시원하겠느냐고 말씀하셨습니다(눅 12:49). 우리가 기왕 믿는 것 하나님의 불을 일으키는 것이 좋지 않겠습니까? 부흥의 불을 꺼트리는 사람은 용서받지 못할 것입니다. 하나님의 부흥의 불을 일으키시는 성도들이 다 되시기 바랍니다.

21
영적인 아버지
왕하 12:1-21

사람이 어떤 사람을 자신의 정신적인 아버지로 삼느냐 하는 데 따라서 인생이 크게 달라질 수 있습니다. 예를 들어서 어떤 피아니스트가 세계적인 대가를 정신적인 스승으로 모시게 되었다면 그 피아니스트는 자신의 스승이 연습한 것처럼 하루에 열 시간 이상 피아노 연습을 하고 스승이 좋아했던 음악가를 자기도 좋아하게 되고 나중에는 스승과 같은 피아니스트가 되려고 할 것입니다. 저는 어렸을 때 반 클라이번의 베토벤 협주곡 5번 〈황제〉를 듣고는 음색까지 외우게 되었습니다. 그래서 다른 사람이 그 곡을 치면 차이를 느끼게 됩니다. 그리고 라흐마니노프 협주곡 2번을 많이 들었기 때문에 다른 사람이 치면 그 차이를 느끼게 됩니다. 그래서 어렸을 때 받은 영향이 아주 큰 것 같습니다.

로댕은 유명해지기 전에 파리에 있는 루브르 박물관을 자주 찾아가 데생을 했다고 합니다. 루브르 박물관에는 옛날 그리스의 조각들이 많이 전시되어 있었기 때문입니다. 그리스의 작품들이 로댕의 스승이 되었던 것입니다. 우리에게 잘 알려진 반 고흐는 처음에 밀레의 그림을 많이 따라 했다고 합니다. 그가 보기에는 당시 밀레의 그림보다 더 훌륭한 그림이 없었기 때문입니다. 그러나 그는 나중에 자기만의 그림 세계를 추구하게 됩니다.

요아스는 죽음의 피바다 가운데서 기적으로 살아난 다윗의 후손입니다. 요아스는 할머니 아달랴가 쿠데타를 일으켜서 손자들을 다 죽일 때 왕의 누이가 기적적으로 아기를 포대기에 싸서 성전에 감추어서 자라게 했던 아이입니다. 대제사장 여호야다는 요아스의 정신적인 아버지였습니다. 여호야다는 아달랴를 죽이고 일곱 살 된 요아스를 왕으로 세웠습니다. 여호야다가 요아스 왕의 정신적인 아버지로 있는 동안 요아스는 하나님의 뜻에 맞게 정치를 했습니다. 그러나 정신적인 아버지 여호야다가 죽은 후에 정신적으로 방황하다가 하나님의 말씀에서 탈선하게 됩니다.

1. 성전을 사랑한 요아스

요아스는 성전 때문에 목숨을 건진 사람입니다. 할머니 아달랴는 모든 왕자를 다 죽였는데, 왕의 누이이자 대제사장의 아내인 여호세바가 요아스를 포대기에 싸서 유모의 방에 숨기는 바람에 요아스는 한 살 된 아기로서 기적적으로 살게 되었습니다. 아마도 아달랴나 아달랴의 신하들은 어느 정도 큰 아이에게 신경 썼지, 한 살짜리 아기에게는 신경 쓸 여유가 없었던 것 같습니다. 그러나 아달랴나 모든 바알의 제사장은 바로 이 한 살짜리 아기가 사는 바람에 다 죽게 됩니다. 이 아기 옆에는 여호야다라는 아주 충성된 대제사장이 있었기 때문입니다. 여호야다는 기리 백부장과 호위대 백부장을 모아서 아이를 보여주고 안식일에 요아스의 왕위 즉위식을 하고, 아달랴와 바알의 제사장 맛단을 죽입니다.

그동안 유다는 하나님 말씀이 없어서 백성이 목말라 죽어가고 있었습니다. 그러다가 여호람과 아하시야가 바알을 흉내내어 통치하고, 아달랴가 손자들을 다 죽이고 왕이 되어서 유다를 다스림으로 유다에서 등불은 완전히 꺼지게 되었습니다. 유다에서 다시는 말씀의 부흥이 일어날 수 없게 되었습니다. 그러나 그런 가운데도 하나님은 아무도 모르게 불씨를 남겨놓으셨는데 그가 바로 한 살 된 요아스였습니다.

우리나라에도 일제 강점기나 6.25 전쟁 이후에 진정한 교회 부흥이 있었습니다. 그래서 엄청나게 교회와 믿는 자들이 많아지고 하나님으로부터 물질적인 축복도 많이 받았습니다. 그러나 그때 교회 지도자들이 잘못한 것이 있었습니다. 그것은 바로 교회 부흥을 너무 쉽게 생각했다는 것인데, 교회가 양적으로 커지고 건물만 화려하면 부흥되는 것으로 착각했던 것입니다. 그 후에 갑자기 코로나-19가 돌면서 정부가 방역 지침이라고 하면서 교회에 모이지 못하게 하니까 급속하게 교회의 불이 꺼지게 되었습니다. 이제는 모든 교회가 싸늘하게 되었고 뜨거운 열기가 없어지게 되었습니다. 교회 부흥의 불을 끄기는 굉장히 쉽지만, 다시 불을 일으키는 것은 굉장히 어렵습니다. 지금 우리는 아주 어렵게 부흥을 일으켜야 하는 시점에 와 있습니다.

요아스는 일곱 살에 왕이 되어서 사십 년간 유다를 통치했습니다. 요아스는 그의 영적인 스승이 살아 있는 동안 하나님 말씀에 맞게 나라를 잘 다스렸습니다.

12:2, "요아스는 제사장 여호야다가 그를 교훈하는 모든 날 동안에는 여호와 보시기에 정직히 행하였으되"

요아스가 아무리 하나님을 잘 믿는다고 하더라도 일곱 살 아이가 무엇을 알겠습니까? 그래서 나라의 모든 일은 요아스의 이름으로 했지만, 그 모든 일의 방향은 여호야다가 결정하다시피 했던 것입니다. 그러나 여호야다만으로는 나라의 정치를 다 할 수 없습니다. 이때 유다에는 아직도 하나님께 충성된 신앙을 가진 자들이 많이 남아 있었기 때문에 분열이나 다툼 없이 나라의 일이 순조롭게 진행될 수 있었습니다. 요아스는 성전을 너무나 사랑했지만 산당들을 제거하지는 않았다고 했습니다.

12:3, "다만 산당들을 제거하지 아니하였으므로 백성이 여전히 산당에서 제사하며 분향하였더라"

산당의 제사나 분향은 제사장이 하지 않기 때문에 백성에게 좀 자유로운 편이었습니다. 어떻게 보면 비공식 예배라고 볼 수 있습니다. 그래서 개인적으로는 자유롭게 하나님께 기도하고 제사도 드릴 수 있었지만, 잘못하면 이단이나 우상숭배가 들어올 위험도 많이 있었습니다. 그래서 성전 중심의 예배는 통합(integrated) 예배라고 말할 수 있고, 산당 제사는 비통합(disintegrated) 예배라고 말할 수 있습니다. 그런데 사람들은 비통합된 권위적이지 않은 예배를 좋아하지만, 계속 부흥의 불을 유지하려면 통합예배가 되어야 합니다.

요아스는 어렸을 때 숨어 지냈던 성전을 자주 찾아가서 옛날에 자기가 돌아다녔던 성전 구석구석을 살펴보았습니다. 그런데 요아스의 가슴이 아팠던 것은 성전 구석구석이 깨어지고 부서지고 낡아졌는데 아무도 그것을 모르고 고칠 생각을 하지 않는다는 것이었습니다. 그것은 성전에 바쳐지는 은이나 금 같은 예물을 제사장이 관리하기 때문이었습니다. 아무래도 제사장은 제사 드리는 것을 주로 하기 때문에 성전에 들어온 헌금을 제사드리는 데 다 써버렸던 것입니다. 요아스는 이것이 옳지 않다고 생각했습니다. 백성이 가지고 온 헌금은 성전을 고치고 유지하는 데 쓰고, 또 성전세 제도가 있으므로 그것을 가지고 제사에 필요한 물건을 사는 것이 더 옳다고 생각했습니다.

12:6, "요아스 왕 제이십삼년에 이르도록 제사장들이 성전의 파손한 데를
수리하지 아니하였는지라"

요아스 왕은 제사장들에게 제사도 중요하지만, 성전의 부서지고
낡은 데를 수리하라고 지시했는데 요아스가 왕이 된 지 이십삼 년이
지나도록 성전의 낡은 데는 수리되지 않고 있었습니다.

2. 요아스의 책망

어느 누구든지 십대가 되거나 청소년 시기가 되면 반항기를 거치
게 되어 있습니다. 사실 그것은 꼭 나쁘다기보다는 자기 자신을 찾는
시기라고 볼 수 있습니다. 청소년 시기가 되면 신앙에도 회의를 느
끼기도 합니다. 그런데 요아스는 왕이 된 지 이십삼 년, 즉 일곱 살에
왕이 되었으므로 나이가 서른이 되도록 정신적 아버지 여호야다에게
반항하지 않고 성전을 사랑하는 마음을 그대로 간직하고 있었던 것
입니다.
사실 성전의 구석구석은 제사장들보다 요아스가 더 잘 알고 있었
습니다. 성전은 요아스가 어렸을 때 뛰놀았던 놀이터였기 때문입니
다. 그런데 왕은 분명히 성전의 부서진 데나 낡은 데를 고치라고 명령
했는데도 그 지시가 몇 년이 지나도록 시행되지 않고 있었습니다. 그
래서 드디어 요아스는 대제사장 여호야다와 제사장들을 불러서 책망
했습니다.

12:7, "요아스 왕이 대제사장 여호야다와 제사장들을 불러 이르되 너희가

어찌하여 성전의 파손한 데를 수리하지 아니하였느냐 이제부터는 너희가
아는 사람에게서 은을 받지 말고 그들이 성전의 파손한 데를 위하여 드리
게 하라"

요아스가 자신의 영적 아버지인 여호야다와 제사장들을 불러서
잘못하고 있는 것을 책망했다는 것은 이미 요아스의 수준이 여호야다
가 원하는 수준을 넘어서고 있는 것을 알 수 있습니다. 요아스에게 성
전을 사랑하는 마음은 한평생이 지나도록 변하지 않았습니다.

그때 요아스는 여호야다와 제사장들에게 "너희가 율법을 잘 몰라
서 그런데 제사장은 백성들로부터 십일조나 헌금이나 속죄 제물을 받
아서 생활도 하고 제사도 바치는 것이 옳지만 그렇게 하니까 성전을
수리할 돈이 없는 것이다. 성전세라는 제도가 있는데 왜 그것을 사용
하지 않느냐?"고 책망한 것입니다. 즉 모든 이스라엘 백성은 성전세
로 반 세겔을 내게 되어 있는데, 그것을 가지고 성전을 수리하면 된다
는 것입니다. 그래서 제사장들은 성전 입구에 헌금함을 만들어서 누
구든지 성전에 들어오는 자는 자유롭게 성전세를 내게 하고, 그 돈은
제사장이 다루지 않고 성전 수리하는 사람들에게 주어서 목수나 미장
이나 석수로 하여금 그 돈으로 성전을 수리하게 했습니다.

그런데 놀라운 일이 일어났습니다. 즉 제사장은 성전 수리하는 일
이나 보수하는 일에 신경 쓰지 않고 제사드리고 기도하는 일에만 전
념하니까 더 많이 기도하게 되었고, 목수나 미장이나 기술자들이 성
전세를 받아서 성전 수리를 하게 되었는데 공사도 잘할 뿐 아니라 얼
마나 성실하게 일을 하는지 준 돈을 회계하거나 영수증을 처리할 필
요가 없을 정도였습니다.

12:15, "또 그 은을 받아 일꾼에게 주는 사람들과 회계하지 아니하였으니
이는 그들이 성실히 일을 하였음이라"

요아스는 제사장이 할 일과 일하는 사람들이 할 일을 구분해서 지시했습니다. 그래서 성전세로 받은 은은 제사에 쓰이는 그릇이나 나팔을 만드는 데 쓰지 못하고 오직 성전 수리하는 데만 쓰고, 제사장들은 헌금이나 십일조를 가지고 제사드리고 생활을 하니까 모든 것이 유익했습니다.

12:16, "속건제의 은과 속죄제의 은은 여호와의 성전에 드리지 아니하고 제사장에게 돌렸더라"

서로 자기에게 맞는 일을 열심히 하니까 기도도 더 많이 하고 제사도 더 믿음으로 드리고 또 성전을 수리하는 일도 잘 되었던 것입니다. 성경에는 많은 약속이 감추어져 있습니다. 우리는 이것을 믿고 실천하면 됩니다.

"구하라 그리하면 너희에게 주실 것이요 찾으라 그리하면 찾아낼 것이요 문을 두드리라 그리하면 너희에게 열릴 것이니"(마 7:7). "두세 사람이 내 이름으로 모인 곳에는 나도 그들 중에 있느니라"(마 18:20). "나는 포도나무요 너희는 가지라 그가 내 안에, 내가 그 안에 거하면 사람이 열매를 많이 맺나니"(요 15:5).

3. 요아스의 탈선

요아스에게 참 안타까운 것은 요아스의 정신적인 아버지인 여호야다가 죽은 것입니다. 여호야다는 백삼십 세에 죽었습니다. 이것을 보면 여호야다가 요아스를 바로 보필하기 위하여 얼마나 죽음과 싸웠는지 알 수 있습니다. 여호야다는 어떻게 해서든지 조금 더 살아서 요아스를 지키려고 했습니다. 그러나 여호야다도 사람이기에 죽을 수밖에 없었습니다. 여호야다가 죽은 후부터 요아스는 정신적으로 엄청난 충격을 받고 방황하기 시작한 것 같습니다. 실제로 이런 정신적인 아버지가 돌아가시면 홀로서기를 해야 하고 더 하나님을 가까이해야 하는데 요아스는 그렇지 못했습니다.

그때 사탄은 아람 나라의 하사엘을 충동질해서 먼저 가드를 정복하고 예루살렘을 치려고 했습니다. 이때 요아스는 완전히 겁을 집어먹게 되었습니다. 요아스는 갑자기 자신감을 잃으면서 전쟁할 자신이 없어지게 되었습니다. 그래서 요아스는 하사엘과 돈으로 타협했습니다. 요아스가 조상들이 성전에 헌금한 모든 금과 자기가 성전에 헌금한 모든 금과 원래 성전에 있던 모든 금을 다 모아서 하사엘에게 주니까 하사엘은 전쟁을 하지 않고 엄청난 금을 챙겨서 아람 나라로 돌아갔습니다(17-18절).

여호야다가 죽은 후에 유다의 방백들이 요아스를 찾아와서 우리가 왕을 지켜드릴 테니까 답답하게 여호와만 섬기지 말고 바알이나 다른 우상도 섬기게 해 달라고 요청했습니다. 이때 요아스는 숫자가 많은 방백들의 요청을 거절하지 못하고 승인했습니다. 그래서 유다와 예루살렘에는 다시 바알이나 아세라 같은 우상이 판을 치게 되었습니다.

그때 하나님은 여러 선지자를 보내서 하나님께 돌아오라고 경고하셨지만, 왕이나 지도자들은 그 말을 듣지 않았습니다. 그때 여호야다의 아들 스가랴가 왕 앞에서 "너희가 여호와를 거역했기 때문에 형통하지 못할 것이고 너희가 여호와를 버렸기 때문에 하나님도 너희를 버릴 것이라"고 소리쳤습니다. 이때 악한 무리들이 왕의 지시에 따라서 성전 뜰에서 스가랴를 돌로 쳐 죽였습니다. 요아스는 영적인 아버지 여호야다에 대하여 감사한 마음을 버리고 그 아들 스가랴가 기분 상하는 말을 한다고 해서 돌로 쳐 죽였습니다. 이때 스가랴는 죽으면서 "여호와여, 감찰하소서"라고 외치면서 죽었습니다(대하 24:20-22).

요아스의 끝은 아름답지 못했습니다. 요아스의 신복들이 요아스를 지켜주지 않고 반대로 반역을 일으켰습니다. 반역한 신복들이 밀로 궁에서 요아스를 죽였습니다. 사람들이 나이가 들면 옛날의 순수했던 마음을 버리고 변하게 됩니다. 하나님을 옛날같이 사랑하지 않고 인간적인 방법으로 자신의 부나 지위를 유지하려고 합니다. 그러나 그때 인간의 약속은 하나님의 말씀을 버리기 위한 거짓말이고, 결국 그 믿었던 자들에 의하여 죽임당하게 되는 것입니다. 끝까지 변질하지 않는 신앙이 보석 같은 신앙인데 참 지키기 어렵습니다. 하나님이 우리에게 변하지 않는 믿음을 달라고 기도해야 하겠습니다.

22
활로 땅을 치다
왕하 13:1-25

미국의 라스베이거스나 우리나라 강원랜드에 가면 파친코가 있습니다. 거기에 약간의 돈을 넣고 기계를 돌리는데 운이 좋아서 숫자가 맞으면 몇 배의 코인이 쏟아지게 됩니다. 결국 그 맛에 빠져서 가진 돈을 다 탕진하고 거지가 되는 사람들이 많습니다. 제가 처음에 우리 교회에 와서 왜 사람들이 노력하지 않고 복권이나 사서 요행을 바라느냐고 책망하는 설교를 했습니다. 그랬더니 어떤 분이 화가 머리 끝까지 나서 저희 집에 대고 욕을 퍼부었습니다. 알고 보니까 그분은 다른 교회에 다니면서 우리 교회에 와서 설교만 듣는 할아버지이신데 복권을 파는 분이었습니다.

어떤 영국 사람이 중고 귀금속 가게에 가서 인조 다이아몬드 반지를 샀습니다. 그런데 나중에 감정을 받아보니까 그 반지는 가짜가 아니라 옛날 어느 공주가 끼던 진짜 다이아몬드 반지였습니다. 이 사람은 한순간에 큰돈을 벌었습니다. 또 미국의 어느 빈집 벽에 그림이 하나 붙어 있었는데 아무도 그 그림을 눈여겨보지 않았습니다. 그런데 나중에 어떤 사람이 그 빈집을 사서 그 그림이 얼마나 하는가 감정을 받아보니까 유명한 화가가 그린 진품 그림이었는데, 시가가 수억 원이 넘는 것이었습니다. 사람들은 그 벽에 그런 엄청난 보물이 걸려 있는 것을 모르고 수년 동안 버려두고 있었던 것입니다.

이스라엘을 그동안 하나님의 능력으로 지켜왔던 엘리사 선지도 결국은 늙고 병들어 죽게 되었습니다. 그때 이스라엘 왕 요아스는 엘리사를 찾아와서 울면서 "내 아버지여, 내 아버지여, 이스라엘의 말과 마병이여!"라고 하면서 눈물을 흘렸습니다. 이때 엘리사는 요아스에게 활을 쏘라고 하고, 또 화살로 땅을 치라고 했습니다. 이것이 하나님께서 이스라엘 왕에게 주는 엄청난 보물이었습니다.

1. 이름 없는 구원자

유다 왕 요아스는 참 아까운 사람이었습니다. 그는 할머니 아달랴가 반역을 일으켜서 손자들을 다 죽일 때 기적적으로 살아난 왕자였습니다. 요아스가 일곱 살이 되었을 때 대제사장 여호야다는 요아스의 머리에 기름을 붓고 왕관을 씌우고, 할머니 아달랴를 죽이고 바알의 대제사장 맛단을 죽이고 하나님의 신앙을 되찾았습니다. 이와 같이 신앙의 불이 꺼지기는 쉽지만, 다시 불을 붙이려고 하면 죽을 각오를 하고 하나님의 말씀을 붙들어야 합니다.

요아스는 성전도 수리하고 하나님의 말씀대로 나라를 잘 다스렸지만, 자신의 정신적인 아버지 여호야다가 죽고 난 후에는 외로웠고 정신적으로 방황했습니다. 그때 유다의 귀족들이 찾아와서 왕 자리를 지켜주겠으니까 바알과 아세라를 섬기게 해 달라고 요청하니 승낙했습니다. 그리고 아람 나라가 쳐들어오니까 성전에 있는 모든 보물을 다 주어서 타협했습니다.

요아스는 더 이상 하나님을 의지하지 않았습니다. 그래서 요아스를 책망하는 설교를 하는 여호야다의 아들을 성전에서 돌로 쳐 죽게 했습니다. 여호야다는 자기 생명의 은인인데, 선을 선으로 갚지 않고 악으로 갚았습니다. 그런데 요아스를 지켜주겠다고 약속했던 귀족들이 반란을 일으켜서 요아스를 죽였습니다. 아마 요아스는 너무 어려서 왕이 되었기 때문에 마음이 여리고 약했던 것 같습니다. 그리고 너무 일찍 왕이 되는 바람에 친구도 없고 늘 외로웠던 것 같습니다. 그래서 요아스는 나이가 들어서는 인간적인 방법에 의존하고 말았던 것입니다.

그런데 북쪽 이스라엘에는 늘 언제나 신앙의 암 덩어리가 하나 있었는데, 그것은 바로 첫 왕 여로보암이 만들었던 금송아지였습니다. 결국 이 금송아지가 이스라엘에 임하는 하나님의 축복을 막아서 늘 전쟁에 지게 만들고 나라가 쇠퇴하게 했습니다.

아합과 이세벨이 다스릴 때 이스라엘 나라는 완전히 쓰레기통과 같았습니다. 그런데 그것을 단번에 청소한 사람이 바로 예후라는 사람이었습니다. 예후는 아합의 아들 요람을 죽이고 유다 왕 아하시야까지 죽였습니다. 또 예후는 아합의 아들 칠십 명과 아합과 친했던 그의 종이나 친구들을 모두 다 죽였습니다. 그리고 유다의 아하시야의 동생들 사십 명도 다 죽입니다. 그리고 사마리아 성 왕궁에 쳐들어가서 이세벨을 죽입니다. 그리고 이스라엘에서 바알 제사장들은 한 명도 빼놓지 않고 다 죽여서 바알 신전 밖으로 내던졌습니다. 이스라엘 역사에서 이 정도로 우상의 쓰레기를 철저하게 청소한 사람은 예후밖에 없었습니다. 하나님은 예후를 칭찬하시면서 앞으로 네 대가 왕 노릇할 것이라고 하셨습니다.

그러나 하나님의 손에 붙들려서 사용되었던 예후도 금송아지 우상은 버리지 못했습니다. 그래서 이스라엘은 예후 다음에 여호아하스가 왕이 되었지만 아람의 하사엘과 그 아들 벤하닷에 의해서 엄청난 고통을 당해야 했습니다. 이때 하사엘은 이스라엘의 젊은이들을 다 죽이고 임신한 여자들의 배를 갈라서 죽이고 어린아이들은 돌에 다리를 들고 머리를 부딪치게 해서 죽였던 것 같습니다.

그때 이스라엘 사정이 너무 어렵고 비참하니까 그동안 생전 기도하지 않던 이스라엘 왕 여호아하스가 하나님께 기도로 매달렸습니다. 이스라엘 사람들이 전부 아람 사람들에 의해 집이나 성에서 쫓겨나서 들판이나 산에서 살아야 했기 때문입니다. 그런데 여호아하스가 하나님께 기도하니까 놀라운 일이 일어났습니다. 그것은 정체를 알 수 없는 한 구원자가 나타나서 아람을 공격해서 아람 군대를 내쫓기 시작한 것이었습니다. 이 구원자는 누구인지 알 수는 없었습니다. 그러나 그에게는 능력이 있었습니다. 그가 칼을 가지고 휘두르니까 이스라엘을 차지하고 있던 아람 족속들은 모두 자기 나라로 밀려나고 말았습니다. 이것을 보면 지금까지 아무리 기도하지 않고 있던 사람이라 하더라도 어려움 가운데서 기도하면 하나님이 들어주시는 것을 알 수 있습니다. 이것이 여호아하스의 기도의 응답이었습니다.

13:5, "여호와께서 이에 구원자를 이스라엘에게 주시매 이스라엘 자손이 아람 사람의 손에서 벗어나 전과 같이 자기 장막에 거하였으나"

그러나 여호아하스나 이스라엘 백성이 얼마나 미련한가 하면 기도의 응답이 나타나고 있음에도 불구하고 그들은 금송아지 우상만은 버리지 못했다는 것입니다. 우상은 쓰레기이고 아무것도 아닌데 이스라엘 백성은 금송아지를 포기하지 못했습니다. 만일 이스라엘 백성이 금송아지를 포기했더라면 하나님은 어마어마한 복을 내려주셨을 것입니다. 아람 왕은 무명의 구원자에게 쫓겨 가면서도 이스라엘 왕에게 마병은 오십 명, 병거는 열 개, 군대는 만 명 외에는 가지지 못하도록 서약을 하고 물러갔습니다. 그래서 이스라엘은 자기 스스로 타작마당의 티끌 같은 존재가 되었습니다(7절).

그리고 여호아하스의 아들 이름이 요아스인데, 유다의 요아스와는 다른 사람입니다. 그도 이스라엘에 쓰레기를 잔뜩 쌓았고 유다와 싸워서 많은 사람을 죽이고 노예로 잡아 왔습니다. 하나님께서 능력을 주셨으면 그것을 바르게 써야 하는데 그들은 그 능력을 가지고 하나님의 백성을 죽이고 노예로 만드는 데 사용했던 것입니다.

2. 위대한 선지자의 죽음

이제는 엘리사도 나이가 들어 죽을병에 걸리게 되었습니다. 엘리사는 이스라엘에서 많은 기적으로 사람들을 살렸고, 심지어 죽은 사람도 하나님의 능력으로 살린 선지자였습니다. 엘리사가 활동을 할 때는 아람 나라가 어떤 식으로 공격해도 엘리사가 다 알아서 왕에게 막아내게 했습니다. 아람 왕이 엘리사를 사로잡아 죽이려고 밤에 군대를 보내어 엘리사가 있던 도단 성을 포위하였을 때 엘리사는 하나님께 기도해서 그의 사환으로 하여금 성을 에워싸고 있는 수많은 불 말과 불 병거를 보게 하였습니다. 또 많은 사람의 병을 치료하고 열매가 맺히지 않는 땅도 치료했던 엘리사가 이제는 나을 수 없는 병에 걸려서 죽게 되었습니다. 이것은 모든 사람에게 피할 수 없는 과정입니다. 사람은 누구든지 늙어가게 되어 있고 결국에는 죽음으로 세상을 마치게 되어 있습니다. 이때 중요한 것은 그가 맨손으로 살았느냐 아니면 하나님의 손에 붙들려서 믿음으로 살았느냐 하는 것이 영생을 결정하게 됩니다.

엘리사는 죽으면서 이스라엘에 무엇인가 큰 선물을 남기기를 원했습니다. 그것이 바로 하나님의 보물입니다. 엘리사가 병들어 죽어간다는 말을 듣고 이스라엘 왕 요아스는 엘리사를 찾아갔습니다. 이것이 요아스에게는 엄청난 축복이었습니다. 선지자가 죽으면서 그에게 어마어마한 선물을 남겼기 때문입니다. 평소에는 엘리사의 말을 듣지 않고 애를 먹이던 요아스도 엘리사가 죽으려고 하니까 그를 찾아가서 "내 아버지여, 내 아버지여, 이스라엘의 병거와 마병이여"라고 부르면서 눈물을 흘렸습니다. 그가 나라 통치는 제 마음대로 했지만, 마음속으로는 엘리사를 존경하는 마음이 있었던 것입니다.

그때 엘리사는 요아스 왕에게 활과 화살을 가져오라고 했습니다. 그리고 왕의 손으로 활을 잡으라고 했습니다. 왕이 활을 잡고 있는데 그 위에 엘리사가 자기 손을 얹었습니다. 그리고 동쪽 창문을 열고 활을 쏘라고 했습니다. 자기 혼자 활을 당기는 것과 누군가 힘 있는 사람이 같이 당겨주는 것은 엄청난 차이가 있습니다. 요아스가 활을 당기고 있는 손을 엘리사가 잡아주었습니다. 그러나 그것은 실제로 하나님이 잡아주고 계신 것이었습니다.

엘리사는 "이 화살은 하나님의 구원의 화살이고 아람 사람들에 대한 구원의 화살이라"고 하면서 쏘라고 했습니다. 왕이 화살을 쏘니까 엘리사는 "왕이 아람 군대를 이기고 아벡까지 승리할 것이라"고 했습니다. 아벡은 전쟁 영웅 아합이 이겼던 장소였습니다. 그리고 엘리사는 또다시 요아스에게 이번에는 활을 잡으라고 했습니다. 왕은 엘리사가 왜 활을 잡으라고 하는지 이해되지 않았습니다. 한번 전쟁에서 이기면 되는 것이지, 왜 또 활을 잡으라고 하는지 의심했던 것입니다. 그때 엘리사는 요아스 왕에게 활로 땅을 치라고 했습니다. 활로 땅을 친다는 행위는 전쟁하기 전에 군사들이 용기를 북돋우기 위해 방패나 활로 땅을 치면서 함성을 지를 때 사용하는 방법입니다.

그러나 이때 이스라엘 왕은 엘리사의 말을 진지하게 생각하지 않았던 것 같습니다. 만일 왕이 엘리사의 말을 진지하게 생각했더라면 엘리사가 그만두라고 할 때까지 열심히 활로 땅을 쳤을 것입니다. 그러나 요아스 왕은 장난 비슷하게 활로 땅을 세 번만 치고 그만두었습니다. 지금 요아스는 엘리사의 병문안을 왔고 왕이 선지자가 하라고 하는 대로 순종하는 것은 위신이 좀 깎인다고 생각했기 때문입니다. 그러니까 엘리사가 요아스에게 화를 내었습니다. 활로 땅을 치라고 했으면 다섯 번이나 여섯 번이나 아니면 열 번, 스무 번을 쳤어야 하는데, 왜 세 번만 치고 말았느냐는 책망이었습니다. 엘리사가 왕에게 활로 땅을 치라고 한 것은 그 숫자만큼 이스라엘이 아람에 이기는 것을 의미했기 때문입니다. 정말 요아스가 엘리사를 존경했다면 그만치라고 할 때까지 백번 정도 쳤을 것입니다. 그러나 왕은 세 번밖에 땅을 치지 않았습니다. 그래서 이스라엘은 아람을 세 번만 이길 수 있게 되었습니다.

13:19, "하나님의 사람이 노하여 이르되 왕이 대여섯 번을 칠 것이니이다 그리하였더면 왕이 아람을 진멸하기까지 쳤으리이다 그런즉 이제는 왕이 아람을 세 번만 치리이다 하니라"

하나님의 사람이 말하는 것은 결코 농담이 아닙니다. 우리 생각으로는 아무 소용이 없고 아무 의미가 없는 말이라 하더라도 그 안에 하나님의 축복이 들어있는 것입니다. 하나님이 우리의 손을 잡아주시고 우리로 하여금 땅을 치라고 할 때는 그만두라고 할 때까지 해야지, 중간에 다른 사람이 뭐라고 한다고 해서 흉내만 내고 그만두면 엄청난 하나님의 축복을 날리게 되는 것입니다. 그러나 아직도 믿는 자들 중에 하나님의 말씀보다 자기 생각이 더 낫다고 생각하는 사람들이 있습니다. 이들은 자기에게 온 하나님의 어마어마한 축복을 잃어버리는 사람입니다. 아무리 똑같은 일이고 재미없다고 해도 하나님의 선지자가 하라고 하면 그만두라고 할 때까지 계속해야 합니다.

3. 엘리사의 죽음

엘리사는 이스라엘을 지키는 등불이었습니다. 그러나 하나님의 손에 붙들렸던 엘리사도 인간이었기 때문에 병들어 죽게 되었습니다. 그러나 놀라운 것은 엘리사가 죽은 후에도 사람을 살리는 능력이 있었다는 것입니다. 엘리사가 죽으니까 그의 시체를 바위로 된 무덤에 장사 지냈습니다. 그런데 그다음 해가 되었으니까 엘리사의 시체가 어느 정도 다 썩었을 때였습니다. 그때 어떤 사람이 죽어서 사람들이 그 죽은 사람을 장사지내고 있었습니다. 그런데 그때 마침 모압에서 도둑 떼들이 몰려와서 장사하는 사람들을 공격했습니다. 장사하던 사람들은 놀라서 시체를 그냥 엘리사의 무덤 안에 던져버리고 도망쳐버렸습니다. 그런데 놀라운 것은 그 죽은 사람의 시체가 엘리사의 뼈에 닿자마자 그 사람이 다시 살아나게 되었습니다. 엘리사는 죽은 후에도 죽은 사람을 살리는 능력이 있었습니다. 이것은 하나님께서 이스라엘 백성에게 위대한 하나님의 종이 너희 가운데 있었고 그가 남긴 말씀을 잊지 말라는 뜻이었습니다(20-21절).

여호아하스 시대에 이스라엘은 아람 왕 하사엘에 의하여 엄청난 피해를 입게 됩니다. 즉 엘리사의 제자 선지자가 말한 대로 청년들을 죽이고 임신한 여인의 배를 가르고 어린이들을 머리를 돌에 부딪쳐서 죽게 하고 이스라엘의 모든 금과 은을 다 빼앗아갔습니다. 그 모든 원인은 금송아지에 있었지만, 이스라엘 왕이나 백성은 금송아지를 버리지 못했습니다. 하나님은 끝까지 고집을 버리지 않는 이스라엘을 멸망시켜야 마땅하지만, 그들도 아브라함과 이삭과 야곱의 자손이었기 때문에 멸망시키지 않으셨습니다.

드디어 하사엘이 죽고 그 아들 벤하닷이 아람 왕이 되었습니다. 이때 엘리사를 내 아버지라고 불렀던 요아스가 아람과 싸웠는데, 딱 세 번만 이기게 됩니다.

13:25, "여호아하스의 아들 요아스가 하사엘의 아들 벤하닷의 손에서 성읍을 다시 빼앗으니 이 성읍들은 자기 부친 여호아하스가 전쟁 중에 빼앗겼던 것이라 요아스가 벤하닷을 세 번 쳐서 무찌르고 이스라엘 성읍들을 회복하였더라"

요아스가 활로 땅을 백번을 쳤더라면 백번을 이겼을 텐데, 그는 엘리사의 말이 이해가 잘되지 않는다고 해서 세 번만 쳤다가 세 번만 이기게 됩니다. 하나님의 말씀은 이해되지 않아도 약속이 있고 능력이 있고 축복이 있습니다. 하나님이 말씀하셨으면 그만두라고 할 때까지 계속하시는 성도들이 되시기 바랍니다.

23
아마샤의 착오
왕하 14:1-22

성경에 나오는 이스라엘의 역사를 보면 크게 두 흐름이 있는 것을 볼 수 있습니다. 하나는 열왕기이고, 다른 하나는 역대기입니다. 그런데 열왕기는 남쪽 유다 왕국 역사와 북쪽 이스라엘 역사를 똑같은 비중을 두고 번갈아 가면서 기록하고 있습니다. 그래서 우리가 북쪽 이스라엘에 대한 하나님의 놀라운 능력과 사랑을 볼 수 있습니다. 왜냐하면 역대기는 북쪽 이스라엘의 역사는 정통 왕국이 아니라고 해서 기록하지 않고 있기 때문입니다. 만일 열왕기서가 없었더라면 하나님께서 엘리야나 엘리사를 통하여 하신 놀라운 일들과 하나님께서 우상숭배를 심하게 한 아합을 도와주셔서 패망할 전쟁에서 두 번이나 이기게 하신 일이나, 예후라는 사람을 왕으로 세워서 그 아합 왕가를 멸절시키신 역사를 몰랐을 뻔했습니다. 그러나 역대기는 유다 백성이 바벨론 포로에서 돌아온 후 그들의 뿌리를 되찾는 과정에서 기록된 것인데, 열왕기에서 빠진 유다 왕에 대한 부족한 자료들을 많이 보충하고 있는 것을 볼 수 있습니다.

오늘 본문에서 요아스의 아들 아마샤를 만나게 됩니다. 아마샤는 마음속으로 하나님을 그렇게 사랑하지는 않았습니다. 그는 언제나 세상과 하나님 사이에 양다리를 걸치고 있었습니다. 그러나 하나님은 그런 아마샤를 사랑하셨습니다. 우리는 세상에 이런 경우를 많이 보게 됩니다. 하나님은 비참하게 죽은 요아스의 아들 아마샤를 사랑하셨지만, 아마샤는 하나님을 사랑하지 않았습니다. 그 결과 아마샤는 에돔과의 전쟁에서 승리했지만 나중에 이스라엘과의 전쟁에서 패배해서 비참하게 됩니다.

1. 아마샤의 신앙

요아스는 사십 년간 유다 왕으로 있었는데, 자신의 정신적인 스승 여호야다가 살아 있을 때는 하나님 중심으로 살았지만 여호야다가 죽고 난 후에는 그 마음이 하나님을 떠나게 됩니다. 그래서 유다 귀족들과 같이 바알이나 아세라 신을 섬기기도 하고, 바른 말씀을 전하는 자신의 정신적 스승의 아들 스가랴를 성전 뜰에서 죽입니다. 그리고 결국 요아스는 부하들의 배반으로 비참한 죽임을 당하게 됩니다.

그 후에 왕이 된 사람이 아마샤였습니다. 아마샤는 처음에는 하나님을 믿고 하나님의 말씀에 순종했지만, 한번 성공하고 난 후에는 교만해져서 하나님의 말씀을 버리고 자기 생각대로 살다가 비참하게 망한 케이스입니다. 어떻게 보면 아마샤는 자기 아버지 요아스와 비슷한 생애를 살았다고 할 수 있습니다.

아마샤는 왕이 되었을 때 자기 혼자의 힘으로는 유다 귀족들을 이길 수 없다고 판단했습니다. 그래서 마땅히 아버지 요아스를 죽인 신하들을 다 잡아서 처형해야 했지만, 자기 힘이 부족하기 때문에 그들을 보면서도 처리하지 않았습니다. 그동안 유다 백성은 산당 제사도 드리고 성전 예배도 드리고 바알이나 아세라 같은 우상도 섬겼습니다. 그러나 아마샤는 자기 힘이 충분히 갖추기까지는 옳지 않은 것들이 보여도 상관하지 않고 그대로 두었습니다. 그런데 아마샤는 자기 힘을 충분히 갖추고 난 후에 아버지를 죽인 신복들을 처형했습니다. 그 사람들의 이름은 12장 21절에 나오는데, 시므앗의 아들 요사갈과 소멜의 아들 여호사바드였습니다. 물론 이 두 사람만 반역을 일으킨 것은 아니었습니다. 그러나 아마샤는 그 이상의 보복을 하지 않았습니다. 심지어는 이 반역자들의 아들들도 죽이지 않았습니다. 율법에 아버지의 죄 때문에 아들을 죽이지 말고 또 아들의 죄 때문에 부모를 죽이지도 말라고 말씀하셨기 때문입니다. 오직 사람은 자기 죄 때문에 죽어야 한다고 하나님은 말씀하셨습니다.

> 14:5-6, "나라가 그의 손에 굳게 서매 그의 부왕을 죽인 신복들을 죽였으나 왕을 죽인 자의 자녀들은 죽이지 아니하였으니 이는 모세의 율법책에 기록된 대로 함이라 곧 여호와께서 명령하여 이르시기를 자녀로 말미암아 아버지를 죽이지 말 것이요 아버지로 말미암아 자녀를 죽이지 말 것이라 오직 사람마다 자기의 죄로 말미암아 죽을 것이니라 하셨더라"

여기서 아마샤가 잘한 것은 왕이라고 해서 무조건 아버지 죽인 자를 처형한 것이 아니라 충분히 자기 힘이 자랄 때까지 기다린 것이었습니다. 젊은 사람들은 조용히 기다리기만 하면 얼마든지 나이 드신 분들을 이길 수 있습니다. 시간이 흐르면 흐를수록 노인들은 더 쇠약해져 가기 때문입니다.

아마샤는 아버지의 원수를 죽이는데 절대로 감정에 치우치지 않았습니다. 거의 많은 경우 사람들이 권력을 잡고 보복할 때에 자기와 반대편에 섰던 자들은 먼지 털듯이 전부 찾아내어서 죽이거나 감옥에 집어넣는 것을 볼 수 있습니다. 그러나 그다음에 또 반대편에서 권력을 잡으면 또 그런 식으로 보복하는 것입니다. 그래서 우리나라는 미래를 보고 나아갈 수 없습니다. 우리나라 정치인들은 모두 과거의 감정에 사로잡혀서 정적을 감옥에 집어넣고 역사를 바꾸는데 그 아까운 시간을 다 허비해버리는 것입니다. 이것은 정말 미련한 짓입니다.

옛날 우리나라 왕정 때는 누군가 반역했다고 하면 부모나 형제나 자녀까지 다 죽여버렸습니다. 그러나 하나님은 그렇게 하지 못하게 하셨습니다. 그것은 너무 지나치게 감정적인 것이고 비겁한 짓이기 때문입니다. 사람이 원수를 대하는데도 너무 감정적으로 대하지 말고 있었던 일만 가지고 판단해야 합니다.

2. 하나님의 축복

하나님은 아마샤가 자기 아버지의 원수를 갚는데 감정적으로 하지 않고 하나님 율법의 말씀대로 순종한 것을 보시고 아마샤를 축복하셨습니다. 그것은 유다의 가시를 없애주신 것입니다. 유다의 가시 중의 하나는 에돔이었습니다. 에돔은 유다에게는 암 덩어리였고 베어낼 수 없는 큰 혹이었습니다. 에돔은 유다가 조금 약해지기만 하면 쳐들어와서 큰 피해를 주었습니다. 그리고 에돔은 이스라엘 자손이라고 하면 무조건 미워하고 시기했습니다.

그런데도 이스라엘 백성이 에돔을 쉽게 정복할 수 없었던 것은 에돔의 영토가 바위로 된 나라였기 때문입니다. 에돔은 백성이 성안에 있어서 나오지 않는 이상 외부에서 쳐들어가서 잡아낼 수 없는 난공불락의 성이었습니다. 지금도 '페트라'라는 지역은 큰 바위 사이를 교묘하게 꾸불꾸불 들어가서 있는 도시로 입구조차 쉽게 찾을 수 없습니다. 그러나 그 안에 들어가면 〈인디아나 존스〉에 나오는 커다란 신전이 있고 또 도시가 있습니다. 그래서 그 나라는 외부의 침략을 거의 받지 않았습니다.

그런데 하나님께서는 아마샤가 원수를 처벌할 때 감정에 치우지지 않고 하나님의 말씀대로 했다고 해서 오래된 가시 즉 암 덩이인 에돔을 제거해주셨습니다. 유다가 소금 골짜기에서 에돔 족속과 전쟁했는데, 거기서 에돔 족속 만 명이나 죽인 것입니다. 이 만 명은 정말 엄청난 숫자였습니다. 에돔 족속은 자기들이 있는 곳에 가만히 있으면 유다가 감히 공격하지도 못할 텐데, 또 가시 노릇을 하려고 나왔다가 소금 골짜기에서 만 명이나 죽게 되어 맥을 쓰지 못하고 몰락하게 되었습니다.

그런데 이에 대해 역대하 25장을 보면 열왕기에서는 볼 수 없는 엄청난 사건이 기록되어 있습니다. 처음에 아마샤는 자기들의 힘으로는 에돔을 이길 자신이 없었던 것 같습니다. 그래서 아마샤는 북쪽 이스라엘에 은 백 달란트를 주고 군인 십만 명을 빌렸습니다. 그때 하나님의 사람이 나와서 아마샤 왕에게 이스라엘 백성과 같이 전쟁하러 가지 말라고 경고했습니다. 하나님은 지금 이스라엘과 같이 하시지 않기 때문에 십만 명을 포기하고 그냥 자신의 힘으로 에돔과 싸우라고 했던 것입니다. 사실 은 백 달란트는 적은 돈이 아니었습니다. 이런 엄청난 돈을 주고 빌린 군대를 포기하는 것은 얼마나 아까운 일입니까? 그러나 이때 아마샤는 하나님의 선지자의 말에 순종합니다. 그래서 은 백 달란트를 포기하고 이스라엘 군대 십만 명에게 돌아가라고 했습니다. 이 바람에 아마샤는 엄청난 손해를 입게 됩니다. 이스라엘 군사 십만 명이 돌아가면서 유다 성읍들을 약탈해서 가축이나 패물이나 사람들을 빼앗아가고 유다 사람들 삼천 명을 죽였기 때문입니다.

그럼에도 불구하고 아마샤는 에돔과 소금 골짜기에서 싸워서 대승을 거두었습니다. 우리 성도들은 때때로 집을 사거나 팔 때 본의 아니게 손해를 볼 때가 있습니다. 그때 하나님을 의지하면 하나님은 승리를 주실 것입니다. 그러나 유감스럽게도 아마샤가 하나님의 말씀에 순종한 것은 거기까지뿐이었습니다.

사람에게는 몸에 가시가 있을 때 오히려 겸손할 수 있습니다. 즉 자기가 하지 못할 일이 많다는 것을 알기 때문입니다. 그런데 자기 몸에서 가시가 없어졌을 때 모든 것을 다 할 수 있다는 착각을 하게 되면서 옛날에 하지 못했던 일을 해버리려고 계획을 세우기도 합니다. 하나님이 우리에게 가시를 주시는 것은 무리하지 말라는 뜻입니다.

아마샤가 에돔을 이기고 돌아오는 길에 에돔 신상이 너무 멋있게 만들어진 것을 보았습니다. 그래서 아마샤는 그 에돔의 신상을 가지고 와서 열심히 섬기기 시작했습니다. 그때 하나님께서 한 선지자를 보내어서 아마샤를 꾸짖으셨습니다. 그는 아마샤에게 "에돔의 신은 자기 나라 백성들도 지켜주지 못했는데 왜 하필이면 망한 나라의 신을 섬겨서 하나님의 말씀을 거역하느냐?"고 책망했습니다(대하 25:14-16).

아마샤는 유다가 에돔을 이긴 소돔 골짜기를 '욕드엘' 이라고 불렀는데 이것은 '하나님이 정복하셨다' 는 뜻입니다. 그러나 아마샤가 하나님의 이름을 부르는 것은 이것이 마지막이었습니다. 아마샤가 전쟁에서 이긴 후에는 하나님을 믿는 것을 시시한 일로 생각하게 되었습니다. 그래서 아마샤는 더 이상 하나님이나 선지자의 말을 의지하지 않고 에돔에서 새로 발견한 신을 믿기로 했습니다.

아마샤가 하나님을 버리고 에돔의 신을 분향하고 섬기면서 점점 자신감을 가지게 된 것 같습니다. 처음에는 아버지를 죽인 원수도 마음대로 처리하지 못했는데 에돔을 이기고 에돔 신까지 가지고 돌아오니까 자기가 대단한 사람인 것처럼 착각하게 된 것입니다. 그러나 이것은 그야말로 계산 착오였습니다. 현실은 아마샤가 생각한 것과 정반대였습니다. 하나님은 아마샤를 버리셨고 유다의 힘으로는 이스라엘을 이길 수 없었습니다.

3. 아마샤의 판단 착오

아마샤는 아버지의 원수들을 제거하고 유다의 가시인 에돔까지 쳐부수었을 때 자기 힘으로 하지 못할 일이 없을 것 같았습니다. 그래서 아마샤는 불가능한 꿈까지 가지게 되었는데 그것은 이때 이스라엘까지 통일해버리자는 생각이었습니다. 사실 유다나 이스라엘에게 통일은 백성 모두 너무나도 간절히 원하는 것이었습니다. 그래서 아마샤가 이스라엘까지 쳐서 나라를 통일한다면 자기는 솔로몬이나 다윗과 버금갈 정도의 유능한 왕이 될 수 있고 백성의 지지와 인기를 누릴 수 있다고 생각했습니다. 그래서 아마샤는 이스라엘 왕 요아스에게 사신을 보내었습니다.

아마샤는 사신을 이스라엘에 보내서 우리 한번 대면해보자고 했습니다. 이것은 아마샤가 이스라엘 왕 요아스에게 한번 붙어보자는 뜻이었습니다. 그러나 이스라엘은 여전히 군사력이나 국력에서 남쪽 유다보다 다섯 배에서 열 배 정도 큰 나라였습니다. 그러나 아마샤는 에돔과 싸워서 이겼기 때문에 백성의 인기를 등에 업고 이스라엘과 싸우려고 했습니다.

이때 이스라엘 왕 요아스는 유다 왕 아마샤에게 싸움하려고 하지 말라고 점잖게 꾸짖었습니다. 요아스는 말하기를 "레바논에는 백향목도 있고 가시나무도 있는데 가시나무가 좀 커졌다고 해서 백향목에게 전갈을 보내어서 네 딸을 내 아들에게 주어서 부인이 되게 하라고 하는데 얼마나 웃기는 이야기인지 모른다"고 했습니다. 또 그 말을 듣고는 들짐승도 가소로워서 가시나무를 짓밟아버렸다고 말을 했습니다. 이스라엘 왕 요아스는 아마샤에게 "네가 어떻게 해서 에돔을 이기고 마음이 교만해져서 나와 싸우자고 하는데 왜 스스로 망하려고 하느냐?"고 하면서 덤벼들지 말라고 경고했습니다. 이 말을 듣고 전쟁을 포기하면 되는데 아마샤는 너무나도 심한 착각에 빠져 있어서 요아스의 말을 듣지 않고 기어이 벧세메스에서 이스라엘 군대와 싸움을 붙였습니다. 그 결과는 유다의 대패였습니다. 우리도 하나님의 도움 없이는 살 수 없는 사람들입니다. 우리는 이것을 믿고 살아야 망하지 않습니다.

14:12, "유다가 이스라엘 앞에서 패하여 각기 장막으로 도망한지라"

결국 유다는 이스라엘에 져서 백성은 다 도망치고 아마샤는 전쟁터에서 포로가 되어 손과 발이 쇠사슬에 묶인 채로 예루살렘으로 끌려가게 되었습니다. 왕이 포로로 붙들려 있으니까 예루살렘은 무조건 항복이었습니다. 이스라엘 왕은 유다의 모든 보물을 다 빼앗고 예루살렘 성까지 일부 허물어버리고 백성을 인질로 잡아서 이스라엘로 돌아갔습니다. 이 얼마나 창피한 노릇입니까?

그런데 아마샤는 이스라엘 왕 요아스가 죽은 후에도 십오 년이나 더 살았습니다. 아마샤의 마음이 교만해진 후에 그의 인생은 너무나도 수치스러운 삶의 연속이었습니다. 나중에 아마샤는 예루살렘으로 다시 돌아왔습니다. 그러나 백성이나 신하들은 그를 왕으로 인정하지 않았습니다. 그래서 귀족들과 백성이 아마샤를 반대해서 싸우니까 그는 라기스 성으로 도망쳤는데 반역자들은 라기스까지 군대를 보내어서 거기서 아마샤를 죽였습니다.

여기서 우리가 생각해 볼 수 있는 것은 왜 그렇게 하나님을 믿는 것이 어려우냐 하는 것입니다. 그 이유는 하나님이 눈에 보이지 않기 때문입니다. 그리고 하나님의 백성이 세상 성공을 너무 부러워하기 때문입니다. 즉 마음에 욕심이 있어서 하루라도 빨리 성공하고 싶어 하는 것입니다. 그러나 하나님을 떠나는 순간 우리는 아무것도 아닙니다. 우리는 차라리 하나님을 의지하고 좀 모자라는 것이 낫지, 더 강하고 멋있고 인기 있기 위해서 하나님을 버리는 순간 아마샤처럼 수치를 뒤집어쓰게 되는 것입니다.

　사람이 자기 생각을 믿지 않고 하나님을 믿는 것은 너무나도 어렵습니다. 또 이것은 다른 어떤 사람이 강요할 수 있는 성질의 것이 아닙니다. 하나님이 선지자를 통해 말씀하시고 적을 통해 말씀하실 때 정신을 차려서 창피하더라도 하나님을 의지하는 신앙으로 돌아오는 것이 우리가 살길입니다.

24
성공의 교만
왕하 14:23-15:7

신약 성경에 보면, 예수님이 열 명의 한센 환자들의 병을 고쳐주는 내용이 나옵니다(눅 17:11-19). 이 열 명의 한센 환자들은 예수님을 보고는 "예수 선생님이여, 우리를 불쌍히 여기소서"라고 소리를 지릅니다. 예수님은 직접 그 자리에서 고쳐주시지 않고 그들에게 "가서 너희 몸을 제사장에게 보이라"고 하셨습니다. 열 명은 예수님의 말씀을 믿고 가다가 길에서 모두 한센병이 치료되었습니다. 그런데 열 명 중 아홉은 모두 자기 가족이나 일로 찾아가고 오직 사마리아 사람 한 명만 예수님께 찾아와서 감사했습니다. 예수님은 "아홉 명은 어디 있느냐?"고 물으시면서 사마리아 사람에게 네 믿음이 너를 구원하였느니라고 말씀하셨습니다.

그렇다면 아홉 명의 한센병 치료받은 믿음은 무엇이고, 또 이 사마리아 사람의 '구원받은 믿음'은 어떤 믿음일까요? 예수님이 먼저 병을 치료해주신 믿음은 예수님께 나아오라는 초청이었던 것입니다. 그러나 아홉 명의 한센 환자들은 병낫는 것만 중요하게 생각했기 때문에 병이 낫자마자 자기 길로 가고 말았습니다. 그러나 사마리아 사람은 자기까지 한센병이 나은 것이 너무 신기하고 고마워서 예수님께 돌아와서 감사하다고 인사했습니다. 예수님은 바로 그 사마리아 사람에게 "네 믿음이 너를 구원하였느니라"고 칭찬하셨습니다. 이 사마리아 사람은 병만 나은 것이 아니라 진정한 구원까지 받게 되었던 것입니다. 하나님께서는 우리가 너무 가난하고 병들고 어려워서 불쌍할 때 우리의 기도를 들어주셔서 병도 치료해주시고 물질적인 복도 주십니다. 그러나 이 모든 복은 하나님께 오라는 초청장이지 그 자체가 목적이 아닙니다.

오늘 본문을 보면 하나님께서 너무 불쌍해서 크게 축복하신 두 왕이 나옵니다. 한 사람은 이스라엘 왕이고, 다른 한 사람은 유다 왕이었습니다. 이 두 사람 모두 가난하고 어려운 형편에서 하나님의 축복을 받았습니다. 그러나 그들은 그 축복이 하나님께 더 가까이 오라는 초청장인 줄 몰랐습니다. 그들은 자기가 유능하고 똑똑해서 나라가 부강하게 된 줄로 생각했던 것입니다. 그래서 그 두 왕 모두 결과가 좋지 못했습니다.

1. 이스라엘 왕 여로보암 2세

이스라엘에는 두 사람의 여로보암 왕이 나옵니다. 한 사람은 처음 이스라엘을 시작하고 금송아지 우상을 만들었던 여로보암이고, 다른 한 사람은 이스라엘 말기에 왕이 되었던 여로보암입니다. 그래서 본문에 나오는 여로보암을 여로보암 2세라고 부릅니다. 이 여로보암 2세는 모든 것에서 여로보암 1세와 똑같았습니다. 그는 금송아지 우상을 버리지 않았고 하나님 보시기에 많은 악을 행하였습니다.

14:23-24, "유다의 왕 요아스의 아들 아마샤 제십오년에 이스라엘의 왕

요아스의 아들 여로보암이 사마리아에서 왕이 되어 사십일 년간 다스렸
으며 여호와 보시기에 악을 행하여 이스라엘에게 범죄하게 한 느밧의 아
들 여로보암의 모든 죄에서 떠나지 아니하였더라"

그때 유다 왕이 된 아마샤는 바보 같은 사람이었습니다. 그는 초
반에는 하나님의 말씀에 순종해서 은 백 달란트를 손해 보면서까지
이스라엘에서 빌린 십만 명의 병사들을 돌려보내고 에돔과 전쟁해서
승리했습니다. 그러나 그가 승리한 후에는 에돔의 우상을 가져와서
섬기고 자기도취에 빠져서 이스라엘 왕 요아스와 싸우고자 했다가 포
로가 되어서 고생만 하다가 백성의 인정도 받지 못하고 부하의 손에
죽고 말았습니다.

그런데 유다를 물리치고 이겼던 이스라엘 왕 요아스의 아들 여로
보암이 이스라엘 왕이 되었습니다. 그는 무려 사십일 년 동안이나 왕
위에 있었습니다. 하나님께서 이렇게 긴 시간 여로보암을 왕위에 있
게 하신 목적은 그가 진정한 하나님을 믿는 신앙으로 돌아오라는 초
청이었습니다. 그러나 여로보암 2세는 절대로 순전한 신앙으로 돌아
오지 않았습니다. 금송아지 신앙이 편하고 좋았기 때문입니다. 금송
아지 신앙은 하나님을 믿기는 믿는데 세상은 세상대로 다 받아들이고
하나님에게는 축복만 받겠다는 심산의 신앙이었습니다. 그러니까 무
늬만 하나님을 믿는 신앙이지, 실제로는 세상을 믿는 신앙이었던 것
입니다.

옛날 여로보암 1세 때는 금송아지 신앙을 만들어서 대히트를 쳤습
니다. 왜냐하면 이스라엘 백성의 지지율이 높았을 뿐 아니라 그들이
세상적으로도 복을 받고 잘 되었기 때문입니다. 그런데 여로보암 2세
때에는 이것이 잘 통하지 않았습니다. 그래서 이스라엘 백성은 전부
가난했습니다.

14:26, "이는 여호와께서 이스라엘의 고난이 심하여 매인 자도 없고 놓인 자도 없고 이스라엘을 도울 자도 없음을 보셨고"

이스라엘에는 매인 자도 없었고 놓인 자도 없었습니다. 즉 이스라엘이 잘살 때는 종도 많았고 부자들도 많았으나 이스라엘이 워낙 가난하다 보니까 종도 없었고 부자도 없었고 모두 가난한 사람들뿐이었습니다. 이스라엘 백성이 가난하니까 종들을 다 팔아버리고 이제는 주인이 종들이 하던 일을 하고 있었던 것입니다.

하나님께서는 이스라엘 백성을 꾸짖으셔도 말을 듣지 않고 가난의 채찍으로 치셔도 말을 듣지 않으니까 하나님은 마지막 비장의 무기로 이스라엘을 축복하시기로 작정하셨습니다. 즉 전에는 가난해서 하나님을 믿지 못하겠다고 하니까 이제 부자로 만들어주면 그들이 혹시 하나님께로 돌아오지 않겠느냐는 것이었습니다.

2. 요나 선지의 활약

하나님은 이스라엘이 아주 가난하고 어려울 때 위대한 선지자를 한 명 보내어 주셨습니다. 그 선지자는 바로 요나 선지였습니다. 바로 요나서의 주인공인 요나 선지자입니다. 우리가 생각할 때 요나 선지자라고 하면 하나님이 니느웨로 가라고 해도 말을 듣지 않고 다시스로 가다가 결국 큰 물고기 뱃속에서 회개하고 니느웨 성에 가서도 박넝쿨 때문에 짜증을 부리는 쩨쩨한 선지자로 생각하기 쉽습니다. 그러나 본문을 보면 요나 선지는 이스라엘에 아주 큰 영향을 미친 선지자인 것을 알 수 있습니다.

우선 첫째로 요나 선지는 여로보암 2세 왕에게 하나님께서 이스라엘의 영토를 회복시켜 주시겠다고 예언했습니다.

14:25, "이스라엘의 하나님 여호와께서 그의 종 가드헤벨 아밋대의 아들 선지자 요나를 통하여 하신 말씀과 같이 여로보암이 이스라엘 영토를 회복하되 하맛 어귀에서부터 아라바 바다까지 하였으니"

요나 선지의 말대로 여로보암 왕은 빼앗겼던 이스라엘 땅을 전부 다 도로 찾게 되었습니다. '하맛 어귀'는 북쪽 경계선입니다. 그리고 '아라바'는 사해 바다를 말합니다. 그래서 이스라엘은 일단 영토가 북쪽만 보면 옛날 솔로몬 때의 땅을 도로 다 찾게 되었습니다. 그리고 농사도 잘되고 무역도 잘 되니까 이스라엘은 점점 잘살게 되었습니다. 결국 여로보암 2세 때 이스라엘은 후반기 이스라엘 역사에서 가장 잘 사는 나라가 되었습니다.

그리고 요나 선지는 이스라엘에 대하여 아주 중요한 예언을 했습니다. 그것은 아직 하나님은 이스라엘이 망하도록 정하지 아니하셨다는 것입니다.

14:27, "여호와께서 또 이스라엘의 이름을 천하에서 없이 하겠다고도 아니하셨으므로 요아스의 아들 여로보암의 손으로 구원하심이었더라"

이것은 정말 엄청난 말씀이었습니다. 하나님은 아직까지는 이스라엘이 망할 것이라고 말씀하지 아니하셨다는 것입니다. 이것은 이스라엘 백성에게 엄청나게 위로가 되는 말씀입니다.

여로보암은 요나 선지의 예언대로 다메섹을 차지합니다. '다메섹'은 아람 나라의 수도였습니다. 그리고 옛날에 유다 땅이었던 하맛을 이스라엘이 차지했습니다. 그래서 이스라엘은 이스라엘이 분열하기 전의 영토를 되찾게 됩니다. 그러나 이것은 이스라엘이 잘해서 그렇게 된 것이 아니었습니다. 이스라엘 백성은 너무 가난하니까 하나님을 못 믿겠다고 징징거렸습니다. 그래서 하나님께서 마지막 수단으로 이스라엘을 축복하셔서 하나님께 완전히 돌아오라고 하신 것이었습니다. 그러나 여로보암 2세나 이스라엘 백성은 하나님의 그런 뜻을 이해하지 못하고 자기들이 부자가 되고 강대국이 된 것만 생각하고 흥청망청 살았던 것입니다. 지금 우리나라 역시 이렇게 부강하게 만드신 것도 하나님께로 더 가까이 오라는 하나님의 축복으로 생각하시기 바랍니다.

그러나 이스라엘이 이를 깨닫지 못하니까 하나님은 요나 선지를 니느웨로 보내어 회개하게 하셨습니다. 니느웨는 그때 막 성장하기 시작하는 나라였던 것 같습니다. 그러나 악한 나라였습니다. 그래서 요나는 니느웨에서 하루 동안 걸으면서 사십 일 후에는 이 성이 망한다고 외쳤는데, 니느웨는 왕으로부터 일반 백성까지 전부 다 회개함으로 망하지 않게 됩니다. 그 악한 니느웨도 회개하니까 하나님이 용서해주시는데, 하물며 이스라엘이 회개하는데 용서해주시지 않겠습니까? 그러나 이스라엘 백성은 회개하지 않습니다. 일시적으로 촛대는 니느웨로 넘어가게 됩니다.

3. 유다의 위대한 왕

북쪽 이스라엘이 여로보암 2세와 요나 선지를 통해서 부흥하고 있을 때, 하나님은 남쪽 유다도 축복하셨습니다. 이때 왕은 그 어리석은 유다 왕 아마샤의 아들 아사랴였습니다.

15:1-2, "이스라엘 왕 여로보암 제이십칠년에 유다 왕 아마샤의 아들 아사랴가 왕이 되니 그가 왕이 될 때에 나이가 십육 세라 예루살렘에서 오십이 년간 다스리니라 그의 어머니의 이름은 여골리야라 예루살렘 사람이더라"

여기에 보면 왕의 어머니의 이름과 출신을 중요하게 기록하고 있는 것을 볼 수 있습니다. 그 이유는 자식들은 어머니의 신앙을 본받기 때문입니다. 아사랴의 어머니는 예루살렘 사람이었습니다. 그러니까 모압이나 애굽 출신의 어머니들과는 신앙이 완전히 달랐던 것입니다. 교회에서도 어머니의 신앙이 확실한 자녀들은 초등학생인데도 예배 시간에 설교를 필기하는 모습을 볼 수 있습니다.

아사랴는 초기의 아마샤의 신앙을 본받아서 모든 것을 하나님의 말씀대로 정직히 정치했습니다.

15:3, "아사랴가 그의 아버지 아마샤의 모든 행위대로 여호와 보시기에 정직히 행하였으나"

여기 나오는 '아마샤'의 행위는 은 백 달란트를 손해 보면서까지 선지자의 말을 듣고 에돔을 이긴 초기 아마샤의 행위를 말하는 것입니다. 그러나 아마샤는 에돔에 이긴 후부터 교만해져서 에돔의 신을 섬기고 쓸데없이 이스라엘과 전쟁하다가 결국 이스라엘의 포로가 되어버립니다.

그런데 아사랴는 초기에 순수했던 아마샤의 신앙을 본받아 무려 오십이 년간 유다를 다스리게 됩니다. 이때 유다는 굉장히 부강한 나라가 되었습니다. 그때 활약했던 선지자가 있는데 바로 '스가랴'입니다. 이 스가랴는 스가랴서를 쓴 선지자가 아닙니다. 여기 나오는 아사랴는 '웃시야'라고 하면 잘 알 것입니다. 아사랴와 웃시야는 동일 인물입니다.

아사랴는 블레셋을 쳐서 이기고 가드 성벽을 허뭅니다. 그리고 블레셋 땅 안에 유다의 성을 쌓습니다. 그리고 아사랴는 암몬과 싸워 이겨서 많은 조공을 받습니다. 아사랴 때 유다는 엄청 부강한 나라가 되었습니다. 이때 유다 백성은 좋은 산과 밭에 농부와 포도원을 다스리는 자를 두어서 농사를 잘 지었고 새로운 무기를 개발해서 화살을 쏘고 돌을 쏘는 기계들을 성마다 설치했고, 아사랴의 이름은 아주 유명한 이름이 되었습니다.

사실 오십이년 왕 노릇 하는 것은 쉬운 일이 아닙니다. 그가 크게 성공하니까 아사랴의 마음이 교만하게 되었습니다. 그때 사탄이 아사랴에게 틈을 탔는데, 아사랴에게 이상한 충동의 마음이 생겼습니다. 그것은 하나님의 성전에서 자기가 직접 분향하고 싶은 충동이었습니다. 내가 왕인데 왜 성전 제사를 직접 드리지 못하고 제사장만 드려야 하느냐는 것이었습니다. 아마도 아사랴는 오십이 년간 왕 노릇 하면서 그동안 하지 못했던 새로운 것을 해 보고 싶다는 강한 욕망이 생겼던 것입니다.

그래서 아사랴는 성전에 들어가서 제사장들에게 "나도 기름 부음을 받은 사람이기 때문에 직접 하나님께 분향하겠다"고 했습니다. 그때 제사장들은 아사랴의 앞을 막으면서 제지했습니다. "왕이시여, 이것은 오직 제사장만 할 수 있는 것입니다. 왕은 분향하실 수가 없습니다." 그랬더니 아사랴가 엄청나게 분노하면서 "내가 이렇게 유다를 부강하게 한 왕인데 못할 것이 뭐가 있느냐?"고 소리를 질렀습니다. 하나님 앞에서 분노하는 것이나 소리를 지르는 것이나 분향하는 것을 조심해야 합니다. 하나님은 모든 것을 다 듣고 계시고 살아계신 하나님이시기 때문입니다.

15:5, "여호와께서 왕을 치셨으므로 그가 죽는 날까지 나병환자가 되어 별궁에 거하고 왕자 요담이 왕궁을 다스리며 그 땅의 백성을 치리하였더라"

아사랴가 화를 내면서 억지로 분향하려고 할 때 아사랴의 이마에서는 나병이 퍼지기 시작했습니다. 한센 환자는 성전에 들어올 수 없기 때문에 대제사장은 즉시 왕을 성전에서 밖으로 내보내었습니다. 그래서 결국 아사랴는 그 큰 업적에도 불구하고 한센 환자로 별궁에 갇혀서 쓸쓸하게 살다가 죽었습니다.

우리에게 주어진 축복은 하나님을 더 가까이하라는 초청으로 생각하고 하나님이 축복하시면 하실수록 더 하나님을 가까이하시기를 바랍니다.

25
앗수르의 등장
왕하 15:8-38

서울에 있을 때 집 가까이에 있는 작은 산에 올라가 보니까 소나무를 많이 베어 방수 천으로 덮어서 밧줄로 싸 놓았고 세워져 있는 소나무들도 거의 X 표시해 놓은 것을 볼 수 있었습니다. 이것은 앞으로 베어낼 소나무라는 뜻입니다. 그 베어진 소나무나 앞으로 베어질 소나무들은 모두 재선충으로 감염된 나무들이었습니다. 재선충은 소나무에는 사람으로 치면 암과 같은 것이었습니다. 재선충은 애벌레 같은 작은 벌레인데 전파 속도가 아주 빠르고 또 소나무를 옮기면서 알이 땅에 떨어져서 다른 소나무에 감염될 수 있으므로 벤 자리에서 그대로 나무를 모아서 방수천으로 꽁꽁 싸매어 놓았습니다. 아마 그 산은 재선충 때문에 얼마 가지 않아서 소나무가 하나도 없는 민둥산이 되고 말 것입니다.

북쪽 이스라엘에서 끊으려야 끊을 수 없는 것이 금송아지 우상이었습니다. 이스라엘 나라가 금송아지 우상에 그렇게 집착했던 이유는 일단 금송아지를 숭배하면서 나라가 번창했기 때문입니다. 더욱이 여로보암 2세 때는 옛날 잃어버렸던 땅을 전부 다 찾을 정도로 나라가 번창했습니다. 그리고 일단 이스라엘 백성이 금송아지를 섬기는 동안에 나라가 망하지는 않았습니다. 그리고 이스라엘 백성은 금송아지를 여호와라고 믿었기 때문에 자신들이 우상숭배하는 것은 아니라고 생각했던 것입니다. 그러나 그들은 하나님의 뜻을 몰라도 너무 몰랐습니다. 하나님께서 이스라엘을 망하지 않고 부강하게 하신 것은 이스라엘이 너무 불쌍해서 그렇게 하신 것이지, 그들이 잘 믿어서 그렇게 하신 것은 아니었습니다. 그러나 여로보암 2세 이후 이스라엘은 신하가 왕을 죽이고 자기가 왕이 되는 일이 반복되다가 결국 앗수르에 망하고 맙니다.

1. 첫 번째 악순환

이스라엘 나라 정치는 악순환의 반복이었습니다. 여로보암 2세때 이스라엘이 너무 가난하고 불쌍하니까 하나님께서 마지막 수단으로 그들을 잘살게 해 주셨습니다. 다시 말해서 그들이 너무 가난해서 하나님을 제대로 믿을 수 없다고 징징거리니까 하나님께서 마지막 방법으로 이스라엘이 잘살게 해주고 영토도 넓힐 수 있게 해 주셨던 것입니다. 그러나 이에 대해 이스라엘 백성이 보인 반응은 하나님의 기대와는 정반대였습니다. 그들은 잘살게 되니까 자기 멋대로 살았던 것입니다. 하나님께서는 여로보암 2세가 죽을 때까지는 참으셨습니다. 그러나 여로보암의 아들이 왕이 되었을 때부터는 이스라엘은 그야말로 피비린내 나는 숙청의 연속이었습니다. 여로보암의 아들의 이름은 스가랴였습니다. 그러나 그 후에 일어난 왕들의 통치를 보면 전부 다 똑같았습니다. 그야말로 '이하동문' 이었습니다. 그들은 모두 잘못된 믿음을 가지고 있었기 때문입니다.

15:9, "그의 조상들의 행위대로 여호와 보시기에 악을 행하여 이스라엘로 범죄하게 한 느밧의 아들 여로보암의 죄에서 떠나지 아니한지라"

여기서 "느밧의 아들 여로보암의 죄"는 바로 금송아지를 숭배하는 것이었습니다. 하나님께서 이스라엘 백성에게 요구한 것은 복잡한 것이 아니었습니다. 하나님께서는 이스라엘 백성에게 하나님을 어떤 우상으로도 만들지 말라고 말씀하셨습니다. 이스라엘 백성에게는 하나님의 말씀을 듣는 것이 하나님을 섬기는 것이었습니다. 그리고 하나님께서는 순종이 제사보다 낫다고 말씀하셨습니다. 천천의 수양과 만만의 기름보다도 하나님의 말씀을 듣는 것이 그 어떠한 제사 행위보다도 하나님께서 기뻐하시는 것이었습니다.

그런데 여로보암의 아들 스가랴가 왕 노릇을 한 것은 고작 6개월이었습니다. 6개월이 지난 후에 스가랴는 야베스의 아들 살룸에 의해서 암살되고 말았습니다. 그러나 이런 가운데서도 성취되는 것이 있었습니다. 그것은 바로 하나님의 말씀이었습니다. 예후가 완전히 하나님의 말씀으로 돌아오지는 않았지만, 그는 아합의 후손과 이세벨과 바알의 제사장들을 멸절시키는 데 특별한 열심을 가지고 하나님의 뜻을 이루어드렸습니다. 심지어 그는 유다 왕이었던 아하시야와 그의 동생 사십 명도 만나자마자 모두 죽여서 구덩이에 던져버렸습니다. 그때 하나님께서는 예후에게 약속하시기를 "네 자손이 네 대 동안 왕 노릇을 할 것이라"고 말씀하셨습니다. 하나님의 그 말씀 그대로 예후는 그 아들 여호아하스와 여로보암 2세와 스가랴, 이렇게 네 대 동안 왕노릇을 하고는 왕위를 빼앗기고 말았습니다.

그런데 여기서 정말 아까운 사실이 있습니다. 예후는 아합의 아들과 이세벨과 바알의 제사장들을 모두 다 죽였습니다. 그렇다면 그가 죽을 각오를 하고 하나님의 말씀으로 돌아왔더라면 아주 훌륭한 왕이 될 수 있었을 것입니다. 그러나 백성이 금송아지를 좋아해서 그것을 돌이켰을 때의 반발이 두려워서 그렇게 하지 못했습니다. 그리고 예후의 아들 여호아하스 때에 안타까운 순간이 있었습니다. 그때 하나님의 종 엘리사가 병들어 죽게 되었는데, 엘리사는 여호아하스에게 활을 가지고 땅을 치라고 했습니다. 그런데 여호아하스는 믿음이 없어서 활로 땅을 세 번만 치고 말았던 것입니다. 여호아하스가 엘리사의 말을 믿고 백번 정도 땅을 쳤더라면 적들을 백번 싸워서 완전히 이길 수 있었을 것입니다.

여로보암 2세 때도 아쉬움이 있습니다. 하나님께서는 여로보암 2세 때 나라를 엄청나게 부강하게 하셨습니다. 그러나 하나님은 또 요나 선지를 보내어서 니느웨 성이 그 악한 죄 때문에 40일 후에는 망한다고 선포하게 하셨습니다. 요나 선지가 니느웨에 가기 싫어서 다시스로 도망쳤을 때 하나님은 큰 폭풍을 준비하셔서 바다에 빠지게 하시고 큰 물고기로 요나를 삼켜서 다시 육지에 토해내서 니느웨로 가게 하셨습니다. 요나는 니느웨에서 하루를 걸으면서 사십일 후에는 니느웨가 망한다고 소리를 질렀는데 그 소리를 듣고 니느웨는 왕으로부터 백성에 이르기까지 모두 회개함으로 니느웨는 망하지 않았습니다. 그러나 이스라엘은 니느웨가 회개하는 것을 보고서도 하나님 앞에 무릎을 꿇지 않았습니다. 그래서 예후의 후손은 하나님이 주시는 최소한도의 복만 받고 말았습니다. 그것은 바로 4대 동안 왕 노릇 하는 것이었습니다. 그야말로 스가랴는 하나님이 어쩔 수 없어서 세우신 것 같습니다. 그래서 스가랴는 6개월 동안만 왕 노릇 하고 그의 신하 살룸의 반역으로 죽임을 당합니다.

살룸이 왕 노릇 한 것은 겨우 한 달이었습니다. 그가 한 달 동안 한 것은 열심히 여로보암의 뒤를 따라서 금송아지 우상을 섬긴 것이었습니다. 그는 금송아지 우상을 섬기면 복 받을 줄 알았지만, 이제는 더 이상 하나님도 기다리시지 않으셨습니다. 므나헴이 디르사에서부터 사마리아로 올라와서 살룸을 죽이고 왕이 되었습니다(14절).

그런데 므나헴이 반역하는데 자기가 있는 마을 디르사와 그 주위에 있는 성들이 동조하지 않았습니다. 모든 성이 성문을 열지 않았습니다. 그래서 므나헴은 디르사의 모든 사람을 죽이고 아이 밴 여자들은 배를 갈라서 죽였습니다. 므나헴은 그만큼 분노에 차 있었습니다. 그는 자기 고향 사람들을 가장 잔인하게 죽였습니다. 그런데 므나헴이 분노에 차 있다고 해서 모든 것을 자기 마음대로 할 수 있는 것이 아니었습니다.

> 15:19, "앗수르 왕 불이 와서 그 땅을 치려 하매 므나헴이 은 천 달란트를 불에게 주어서 그로 자기를 도와 주게 함으로 나라를 자기 손에 굳게 세우고자 하여"

하나님께서는 드디어 앗수르를 움직이기 시작하셨습니다. 그동안 앗수르는 약한 나라였는데, 드디어 강해지기 시작했습니다. 그래서 '불' 이라고 이름하는 앗수르 왕이 이스라엘로 쳐들어왔습니다. 불은 다른 이름으로 '디글랏 빌레셀 3세' 로 알려져 있습니다. 이때 므나헴은 도저히 앗수르 군대를 이길 수 없으니까 은 천 달란트를 주고 항복했습니다. 이때 은 천 달란트는 요즘으로 은 25톤 정도 되는데 그 엄청난 돈을 주고 므나헴은 자기 왕위를 유지하려고 하였습니다. 므나헴은 부자들에게 모두 은 오십 세겔씩을 내게 해서 앗수르 왕에게 주니까 앗수르 왕은 은을 가지고 별말 없이 물러갔습니다. 하나님께서 금송아지에 오염된 자들에게 X자 표시를 해 놓으시니까 일단 돈부터 뜯기고 그다음에는 망하게 되는 것입니다.

2. 두 번째 악순환

므나헴은 앗수르의 도움을 받은 것이 효력이 있었는지 신하에 의해 죽임을 당하지는 않았습니다. 그래서 그의 아들 브가히야가 이스라엘 왕이 되어서 2년을 다스렸습니다. 이때 이스라엘의 형편을 보면 왕이 되는 자는 좋기는 한데 반드시 끝에 부하의 반역으로 죽는다는 것이었습니다. 이스라엘은 왕이 금송아지나 찾고 무능하면 어느 순간에 신하 중에서 야망을 가진 자가 왕을 죽이고 자기가 왕이 되고 나라를 엉망으로 만들어버리는 악순환이 반복되는 것입니다.

그래서 므나헴의 아들 브가히야는 베가의 쿠데타로 죽임을 당하고, 베가가 왕이 됩니다. 이 베가가 아람 왕 르신과 함께 유다를 공격해서 큰 피해를 끼치게 합니다. 베가가 왕이 되기 위해서 한 일은 왕궁 호위소에서 왕과 아르곱과 아리에를 죽이고 길르앗 사람 호위대 오십 명을 죽인 일이었습니다. 아마도 호위소는 왕이 쿠데타를 피할 수 있도록 만든 은신처였던 것 같습니다. 브가히야는 은신처에 숨었어도 소용이 없었습니다. 아르곱과 아리에도 수비대장들인 것 같은데 그들도 죽었고 에루살렘 사람들을 믿지 못해서 길르앗 사람 50명을 호위대로 삼았지만 그들 모두 죽임을 당했습니다(25절).

베가는 유다를 공격하면서 큰 피해를 주었고 유다 왕과 신하들을 벌벌 떨게 만들었습니다. 하나님은 선지자 이사야를 보내서 베가를 두려워하지 말라고 했지만, 그때 유다 왕 아하스는 하나님의 말씀을 믿지 않았습니다.

베가는 제법 오래 왕 노릇을 했습니다. 20년 동안 왕 노릇을 했는데 결국 앗수르의 공격을 받게 됩니다. 그때 앗수르는 단순히 이스라엘을 때리는 몽둥이가 아니라 그들을 찔러 죽이는 칼이었던 것입니다.

이때 앗수르 왕 디글랏 빌레셀은 불의 아들이었던 것 같습니다. 그는 이스라엘의 많은 지역을 정복하고 사람들을 앗수르로 사로잡아 갔습니다. 이미 이때 이스라엘은 거의 망한 것이나 마찬가지였습니다.

15:29, "이스라엘 왕 베가 때에 앗수르 왕 디글랏 빌레셀이 와서 이욘과 아벨벳 마아가와 야노아와 게데스와 하솔과 길르앗과 갈릴리와 납달리 온 땅을 점령하고 그 백성을 사로잡아 앗수르로 옮겼더라"

나라는 사마리아만 정복되지 않았을 뿐 북쪽의 모든 땅이 다 정복되었고 백성은 모두 쇠사슬에 묶여서 앗수르로 붙들려갔습니다. 이때 이스라엘은 마치 중병에 걸려서 거의 산소 호흡기로 숨 쉬는 환자와 같았습니다. 그런데 여기에 무엇이 먹을 것이 있다고 엘라의 아들 호세아가 베가를 죽이고 왕이 됩니다. 결국 호세아는 이스라엘의 마지막 왕이 됩니다.

3. 말씀의 신앙을 지키는 유다

유다 왕 요담은 아사랴 즉 웃시야의 아들이었습니다. 웃시야(아사랴)는 25세에 왕이 되어 50년 동안 유다를 다스렸습니다. 웃시야는 철저하게 하나님의 말씀대로 개혁을 한 왕이었습니다. 그래서 바알이나 아세라를 없애고 하나님의 축복을 받아서 유다를 엄청 부강하게 한 왕이었습니다. 그러나 웃시야가 오래 정치하면서 교만해지니까 굳이 자기가 성전 분향을 하겠다고 나섰습니다. 성전에서 분향하는 것은 오직 제사장만 할 수 있는 일이었습니다. 그래서 대제사장과 제사장들이 왕을 막아서 안 된다고 하니까 웃시야가 화를 내다가 이마에서부터 한센병이 생겨서 퍼지기 시작했습니다. 그래서 결국 웃시야는 죽을 때까지 별궁에 갇혀서 한센 환자로 살다가 죽고 말았습니다.

요담은 아버지 웃시야 즉 다윗의 길을 충실히 따라갔습니다. 그러나 그의 예배는 좀 자유로웠습니다.

15:34-35, "요담이 그의 아버지 웃시야의 모든 행위대로 여호와께서 보시기에 정직히 행하였으나 오직 산당을 제거하지 아니하였으므로 백성이 여전히 그 산당에서 제사를 드리며 분향하였더라 요담이 여호와의 성전의 윗문을 건축하니라"

요담은 백성의 예배는 오직 성전에서만 드리게 하지 않고 산당에서 마음대로 드리게 하였습니다. 이것은 예배를 하나로 통합하지 아니한 것이었습니다. 물론 산당에서 예배를 드린다고 해서 꼭 우상숭배를 한다고 볼 수는 없지만, 하나님의 말씀이 소홀히 될 가능성이 있습니다. 사람들은 자꾸 자체로 예배를 드리고 싶어 합니다. 그러다가 나중에는 잘못된 것이 있어도 바꾸려고 하지 않습니다. 즉 더 이상 제사장의 말을 들으려고 하지 않는 것입니다. 그래서 선지자들은 산당 예배를 부정적으로 평가했습니다.

그런데 요담에게는 특이한 것이 있었습니다. 그것은 요담이 성전 예배에 참석하지 않는 것이었습니다. 아마도 아버지 웃시야가 성전에서 예배드리다가 한센병에 걸렸기 때문인 것 같습니다. 그래서 요담은 모든 것을 하나님의 말씀대로 하면서도 예배를 성전에서 드리지 않았습니다. 왕이 예배를 드리지 않으니까 귀족들도 성전 예배를 빠지게 되고 나중에는 백성도 예배를 드리지 않게 되었습니다. 이것은 우리에게도 마찬가지입니다. 만일 담임목사가 수요일 예배를 드리지 않으면 교인들은 수요일 예배를 중요하지 않구나 생각해서 많이 빠지게 됩니다. 또 담임목사가 주일 오후 예배를 빠지고 다른 교회 설교하러 가면 교인들은 오후 예배를 소홀히 하게 되는 것입니다.

요담이 성전 예배를 빠지는 것은 그렇다 하더라도 그다음에 아하스라는 엄청난 불신앙의 아들이 등장하게 됩니다. 그래서 하나님은 북쪽 아람 왕 르신과 이스라엘 왕 베가를 보내서 유다를 많이 침공하게 했습니다. 이것은 요담이 성전 예배를 완전히 빠지는 것은 옳지 않다는 것을 가르쳐주시기 위해서였습니다. 그러나 요담은 하나님의 이 메시지를 듣지 못했습니다. 그래서 그는 정치는 말씀대로 했지만 또 외적으로는 북쪽 이스라엘과 아람 왕 르신의 공격을 받아서 고생은 고생대로 했습니다.

우리가 90% 정도 순종해서는 복을 받기 어렵습니다. 우리가 기왕 믿으려고 하면 100% 완전히 순종해서 부흥이 일어나야 살 수 있습니다. 즉 부흥이 아니면 고생하는 것입니다. 열심히 순종하여 하나님의 축복을 받으시기 바랍니다.

26
유다의 독버섯 아하스

왕하 16:1-20

아무리 신앙이 좋더라도 결점이 없는 사람은 한 사람도 없는 것 같습니다. 웃시야는 한평생 하나님을 잘 섬겼고 복도 많이 받아서 국력이 강해졌지만 딱 한 번 성전에서 자기가 하나님께 분향하겠다고 고집을 부리는 바람에 이마에서부터 한센병이 생겨서 격리되어 왕 노릇도 제대로 하지 못하고 비참하고 쓸쓸하게 죽어야 했습니다. 웃시야 왕 때만 해도 제사장의 정신이 살아있었던 것 같습니다. 그래서 웃시야 왕이 무리하게 분향하려고 했을 때 대제사장은 웃시야의 앞을 가로막고 분향하지 못하게 했습니다. 이때 웃시야가 화를 내니까 그의 이마에서부터 한센병이 생기기 시작했습니다.

웃시야의 아들 요담도 하나님의 말씀대로 정치를 잘한 사람이었습니다. 그러나 요담은 한평생 성전 예배에 참석하지 않았습니다. 그 이유는 아버지 웃시야가 하나님의 말씀대로 정치를 잘해서 복을 받았지만, 성전에서 화를 내는 바람에 한센 환자가 된 것을 보고 자기도 성전에 들어가서 실수하면 한센병이 생기든지 죽든지 할까 봐 성전에 들어가지 않았던 것 같습니다. 그러나 왕이 성전 예배를 참석하지 않고 마음으로만 하나님을 믿으니까 유다의 신앙은 냉랭했습니다. 왕의 신앙이 냉랭하니까 유다에는 부흥이 일어나지 않았던 것입니다. 냉랭한 신앙이 오래 계속되니까 유다에는 자기들도 모르게 독버섯이 자라고 있었습니다.

그때 아주 강한 독버섯 즉 신앙의 괴물이 등장하게 되는데, 그 사람이 바로 아하스입니다. 아하스는 이전의 왕들이 했던 모든 신앙적인 부흥을 전부 다 죽여버렸습니다. 여호사밧이나 웃시야나 요담 등 하나님 앞에 정직한 왕들이 했던 모든 정치를 다 죽여버리고 독버섯을 온 유다에 퍼트렸습니다. 독버섯이 이렇게 온 유다에 퍼지게 된 원인은 요담이 성전에서 예배드리는 것을 두려워하여 예배를 드리지 않았기 때문입니다. 그 결과 온 유다에 독버섯이 퍼지게 되었고 그것을 먹은 사람들은 다 독이 퍼져서 죽었던 것입니다.

1. 유다의 독버섯 아하스

16:1-2, "르말랴의 아들 베가 제십칠년에 유다의 왕 요담의 아들 아하스가 왕이 되니 아하스가 왕이 될 때에 나이가 이십 세라 예루살렘에서 십육 년간 다스렸으나 그의 조상 다윗과 같지 아니하여 그의 하나님 여호와께서 보시기에 정직히 행하지 아니하고"

아버지 요담이 마음으로만 하나님을 믿고 성전 예배에 참석하지 않으니까 온 유다의 신앙은 식어가게 되었습니다. 이런 썰렁한 공기에 서식하기 좋은 것이 바로 독버섯입니다. 한때는 우리나라의 지식인 중에서 예수님을 믿지만 교회는 안 나가는 이들이 있었습니다. 이들을 무교회주의자라고 불렀습니다. 이들은 예수님의 말씀은 너무나도 귀하고 좋아서 믿지만, 교회에 나가면 싸우기나 하고 목사의 설교가 너무 시시하기 때문에 예배 출석은 하지 않는다고 했습니다. 일본에서는 우찌무라 간조가 대표적인 인물이고, 우리나라에서는 함석헌 선생이 그런 영향을 많이 퍼트렸습니다.

유다의 요담 왕이 마음으로만 하나님을 믿고 성전 예배를 참석하지 않으니까 아주 무서운 독버섯이 자라게 되었는데, 그것이 바로 유다 왕 아하스였습니다. 아하스는 스무 살에 왕이 되었으므로 결코 어린 나이가 아니었습니다. 그러나 그는 굉장히 역동적이고 강한 나라를 원했던 것 같습니다. 그런데 하나님은 하나님의 율법만 외우고 그 말씀만 지키고 아무것도 하지 말라고 하셨기 때문에 아하스는 이러한 것이 마음에 들지 않았습니다. 아하스는 아무것도 하지 않으면 세상에 뒤떨어지고 죽는다고 생각했던 것입니다.

아하스는 이스라엘의 왕들이 행했던 길을 따라갔습니다. 하나님만 섬기고 가만히 있는 것보다는 우상을 섬기고 열심히 사는 것이 더 성공한다고 생각했기 때문입니다. 이 세상에는 하나님을 믿지 않는 사람 중에 성공하고 잘 사는 사람이 얼마나 많습니까? 그래서 심지어는 하나님이 가장 싫어하는 신을 믿었는데 그것은 몰렉 신이었습니다. 몰렉 신 제사는 자기 아들을 산채로 불을 통과시켜서 태워죽이는 가증한 제사를 드렸습니다.

16:3, "이스라엘의 여러 왕의 길로 행하며 또 여호와께서 이스라엘 자손 앞에서 쫓아내신 이방 사람의 가증한 일을 따라 자기 아들을 불 가운데로 지나가게 하며"

하나님께서 가나안 땅에서 원주민을 쫓아내시고 이스라엘 백성이 살게 하신 것은 가나안 원주민들의 우상숭배가 너무 혐오스럽고 하나님이 보시기에 견딜 수 없었기 때문입니다.

16:4, "또 산당들과 작은 산 위와 모든 푸른 나무 아래에서 제사를 드리며 분향하였더라"

　유다 백성은 산당이나 산이나 조금이라도 큰 나무가 있으면 영험이 있다고 해서 거기서 제사드리고 분향했던 것입니다. 아하스는 백성이 하고 싶은 대로 다 하게 해주는 것이 인기를 끄는 방법이라고 생각했습니다. 사람들이 점을 치는 것은 하나님이 우리에게 미래를 알지 못하게 하셨기 때문입니다. 그러나 우리의 미래는 지금 우리가 하나님을 믿는 믿음으로 나가면 얼마든지 바뀔 수 있습니다. 하나님은 이런 점쟁이들이 자기 나름대로는 설득력을 가지고 있어도 죽이라고 했는데, 유다 백성은 열심히 점이나 무속을 믿었던 것입니다.

2. 아하스의 꼼수

　하나님은 우상숭배와 점과 음행에 빠진 유다를 정신 차리게 하시기 위해서 북쪽 이스라엘과 아람의 연합군으로 하여금 유다를 공격하게 하셨습니다. 이때 이스라엘 왕은 베가였고, 아람 왕은 르신이었습니다. 사실은 이스라엘 나라와 아람 나라 중 하나만 해도 유다를 충분히 이길 수 있었습니다. 그런데 두 나라가 연합해서 유다를 공격하니까 유다는 전국이 폐허가 되고 예루살렘만 처량하게 남았습니다. 이때 하나님의 말씀을 외쳤던 선지자가 유명한 이사야 선지였습니다. 이사야 선지는 이 당시 유다의 모습을 "머리끝부터 발끝까지 성한 곳이 없을 정도로 얻어터진 사람과 같았고 예루살렘만 열매를 다 딴 원두막처럼 되었다"고 했습니다. 이사야 선지는 옛날에는 예루살렘이 거룩한 성으로 불렸는데 이제는 소돔과 고모라같이 되었고 창녀촌이 되었다고 책망했습니다.

그리고 이사야 선지는 유다 왕과 귀족들에게 "여호와께서 말씀하시되 오라 우리가 서로 변론하자 너희의 죄가 주홍 같을지라도 눈과 같이 희어질 것이요 진홍 같이 붉을지라도 양털 같이 희게 되리라"(사 1:18)고 했습니다. 하나님은 유다 백성에게 변론하자고 했습니다. 이것은 무슨 말이든지 해 보라는 것입니다. 너희가 잘못한 것에 대해서 말만 하기만 하면 하나님께서 다 희게 해주시고 어려움에서도 구원해주실 것이라고 말씀하셨습니다.

이때 이스라엘과 아람 나라가 연합하여 유다를 공격하니까 유다 나라 전체는 폐허가 되고 사람들의 마음은 폭풍이 불 때 사시나무 떨듯이 떨렸다고 했습니다. 그만큼 유다 백성은 두려웠고 전쟁의 결과가 무서웠던 것입니다.

그때 하나님은 이사야 선지에게 그의 아들 스알야숩을 데리고 아하스 왕을 찾아가게 했습니다. 스알야숩이라는 이름은 '남은 자는 돌아온다' 는 뜻입니다. 이사야 선지는 아하스 왕에게 지금 너희들이 보기에는 이스라엘 왕 베가와 아람 왕 르신이 맹렬한 불같이 보이지만, 사실 그들은 타다가 저절로 꺼지는 부지깽이에 불과하기 때문에 두려워하지 말라고 했습니다. 즉 아하스는 마음을 돌이켜서 하나님께 돌아오기만 하면 지금까지 우상숭배하고 점치고 음란한 짓을 한 것을 다 깨끗하게 하시고, 이스라엘과 아람 군대도 저절로 꺼지게 된다고 했습니다. 그러면서 이사야 선지는 하나님의 말씀이 잘 믿어지지 않으면 표적을 하나 구하라고 했습니다. 하늘 위에 있는 태양도 좋고 땅에 있는 산이나 기후도 좋고 바다의 어떤 표적이라도 좋다고 했습니다. 그러나 아하스는 하나님의 말씀을 믿지 않았습니다. 그는 겉으로는 믿는 체하면서 엉뚱한 소리를 했습니다. 즉 자기는 감히 하나님을 시험하지 않겠다고 말한 것입니다. 이는 자기는 하나님을 믿기 때문에 표적 같은 것은 구하지 않겠다는 뜻이었습니다. 그러나 이것은 아하스가 진짜 하나님을 믿었기 때문이 아니었습니다.

이때 아하스의 마음에는 꼼수가 하나 있었는데, 그것은 앗수르 왕 디글랏 빌레셀에게 금과 은을 갖다주어서 아람과 이스라엘 군대가 유다를 공격하는 틈을 타 후방에서 공격해달라고 부탁하는 것이었습니다. 그 당시 앗수르는 강대국이 되어가고 있었기 때문에 어떻게 해서든지 아람과 이스라엘을 정복하기를 원했습니다. 그런데 유다 왕 아하스가 엄청난 금과 은까지 갖다주면서 아람과 이스라엘을 뒤에서 공격해 달라고 하니까 이것이 웬 떡이냐 하면서 아람부터 공격해서 아람 나라를 멸망시켜버렸습니다.

16:7-8, "아하스가 앗수르 왕 디글랏 빌레셀에게 사자를 보내 이르되 나는 왕의 신복이요 왕의 아들이라 이제 아람 왕과 이스라엘 왕이 나를 치니 청하건대 올라와 그 손에서 나를 구원하소서 하고 아하스가 여호와의 성전과 왕궁 곳간에 있는 은금을 내어다가 앗수르 왕에게 예물로 보냈더니"

사람이 돈이 있으면 어려움이 생겼을 때 기도하기보다는 돈으로 해결하려고 합니다. 아하스는 성전과 왕궁 곳간에 있는 금과 은을 전부 다 꺼내서 앗수르 왕에게 바쳤습니다. 그리고 그는 "나는 왕의 신복이라"고 했습니다. 아하스는 하나님의 신복이 되기보다는 눈에 보이는 앗수르 왕의 신복이 되는 것이 자신에게 더 안전하다고 생각했습니다. 우리가 생각하기에 아하스의 처신이 너무 어리석은 것 같지만 실제로 우리도 이와 비슷한 경우를 당하면 아하스처럼 행동하기 쉽습니다.

유다는 하나님보다 앗수르의 디글랏 빌레셀을 의지하는 바람에 엄청난 피해를 보게 됩니다. 아하스는 이스라엘과 전쟁하면서 유다 백성 12만 명이 죽게 됩니다. 그리고 20만 명이 포로로 잡혀가게 됩니다. 그러니까 이스라엘과 전쟁하면서 무려 32만 명의 백성이 없어진 것입니다. 20만 명이 포로가 되어서 모두 쇠사슬에 매여서 맨발로 이스라엘에 끌려오니까 이스라엘 사람들은 굉장히 좋아했습니다. 이들을 노예로 외국에 팔면 많은 돈을 벌 수 있었기 때문입니다. 그러나 이스라엘에도 바른말을 하는 선지자가 있었습니다.

오뎃이라는 선지자가 백성 앞에 서서 지금 이 사람들이 포로로 잡혀 온 것은 하나님의 말씀을 듣지 않고 우상숭배 해서 잡혀 오게 된 것인데, 어떻게 같은 이스라엘 사람들을 노예로 팔려고 하느냐고 책망했습니다. 그리고 오뎃 선지는 "우리는 죄가 없느냐? 우리는 유다에 비하면 죄가 더 많다"고 했습니다. 그리고 포로로 잡혀 온 유다 백성을 노예로 팔지 말고 벌거벗은 자에게는 옷을 입히고 걷지 못하는 자는 나귀에 태우고 물을 주고 양식을 주고 신발을 신겨서 돌려보내야 한다고 주장했습니다. 이때 하나님의 영이 강하게 역사하시므로 선지자의 말대로 20만 명의 포로를 다시 집으로 돌려보내었습니다.

이사야의 아들이 '스알야숩' 아닙니까? 이것은 전쟁에서 죽지 않고 살아남은 자들이 돌아온다는 뜻이었습니다. 결국 20만 명이나 되는 포로가 이사야의 아들 이름대로 돌아왔습니다. 하나님께서는 12만 명의 유다 백성이 죽은 것으로 아하스가 깨닫기를 원하셨던 것입니다. 그리고 유다 백성이 20만 명이나 포로가 될 줄 아시고 미리 이사야의 아들의 이름을 '스알야숩' 이라고 지어주셨던 것입니다.

3. 아하스의 아첨

드디어 디글랏 빌레셀은 아람 나라를 멸망시켜서 사람들을 많이 죽이고 포로들을 기르라는 먼 곳으로 보내었습니다. 그리고 그는 잠시 아람 나라의 수도 다메섹에 있었던 것 같습니다. 그때 아하스는 디글랏 빌레셀에게 인사하기 위하여 다메섹으로 찾아가서 절을 하고 또 선물을 바쳤습니다. 그때 아하스는 디글랏 빌레셀이 사용하는 제단을 보게 되었습니다. 그 제단은 유다 백성이 쓰는 제단보다 컸고 아주 멋이 있어 보였습니다.

16:10-11, "아하스 왕이 앗수르의 왕 디글랏 빌레셀을 만나러 다메섹에 갔다가 거기 있는 제단을 보고 아하스 왕이 그 제단의 모든 구조와 제도의 양식을 그려 제사장 우리야에게 보냈더니 아하스 왕이 다메섹에서 돌아오기 전에 제사장 우리야가 아하스 왕이 다메섹에서 보낸 대로 모두 행하여 제사장 우리야가 제단을 만든지라"

그래서 아하스는 하나님의 제단을 버리고 디글랏 빌레셀이 제사드리는 제단을 사용하기 위해서 그 제단의 도면을 그려서 대제사장 우리야에게 보내었습니다. 즉 이 디글랏 빌레셀의 제단을 그대로 만들어서 내가 예루살렘에 돌아가면 거기서 하나님께 제사를 바치게 하라고 했습니다. 아하스 때는 이미 유다 부흥의 불이 꺼져서 제사장들도 왕의 비위에 맞추는 데만 급급했습니다. 그래서 대제사장 우리야는 하나님의 제단을 치우고 그것보다 훨씬 크고 멋있는 제단을 만들었습니다. 아하스가 그렇게 한 이유는 유다가 앗수르와 같은 제단을 쓰는 형제라는 것을 보여주기 위해서였습니다.

아하스는 드디어 예루살렘에 돌아와 새 제단에서 번제를 바쳤습니다. 그러나 번제는 하나님의 말씀에 정확하게 일치해야 능력이 나타나는 것이지 더 크고 화려하다고 해서 능력이 나타나는 것은 아닙니다. 하나님의 제단은 디글랏 빌레셀의 제단에 비하면 너무 작고 오래되고 초라했습니다. 아하스는 이 새 제단에 모든 제사를 드리게 하고, 옛날 제단은 새 제단과 성전 사이에 두어서 자기가 하나님에게 무엇인가 물어볼 것이 있을 때 사용하겠다고 했습니다. 이것은 완전히 기만이었습니다. 이사야 선지가 그렇게 하나님의 말씀을 전해도 듣지 않는 사람이 무엇 때문에 하나님께 묻기 위하여 제사를 드리겠습니까?

그리고 성전에는 낭실이 있었는데 이것은 예배를 준비하는 방이었던 것 같습니다. 아하스는 혹시 디글랏 빌레셀이 성전에 와서 왜 이렇게 낭실이 두 군데나 있냐고 할까 봐 안식일에 쓰는 낭실과 왕이 쓰는 낭실을 옮겨버리고 물두멍과 큰 물통도 다른 곳으로 옮겨버렸습니다. 이것은 이제 하나님께 드리는 예배를 포기한다는 뜻이었습니다. 아하스는 16년 동안 하나님을 배반하고 백성을 타락시키는 일만 실컷 하고 죽었습니다. 우리는 독버섯을 키워도 안 되고 독버섯을 먹어도 안 됩니다. 재미가 없더라도 잠잠히 하나님의 말씀을 들으시고 하나님께서 일하신다는 것을 믿으시기 바랍니다.

27
이스라엘의 멸망
왕하 17:1-18

대영 박물관의 앗수르관에 가보면 영국 사람들이 얼마나 지독한지 앗수르 유적의 벽면을 뜯어와서 거기에 세워놓았는데, 그중에 이스라엘이 멸망한 당시의 모습을 보여주는 부조도 있습니다. 거기에 보면 앗수르 사람들이 동물을 죽이듯이 이스라엘 사람들을 죽이고 머리를 베어서 발로 차기도 하고, 사람의 껍질을 벗겨서 죽이기도 하고, 살아 있는 사람의 혀에 구멍을 뚫어서 쇠사슬로 매어서 앗수르까지 끌고 가는 처참한 모습들이 새겨져 있습니다.

구약 성경에는 두 명의 호세아가 나옵니다. 한 사람은 호세아서를 쓴 선지자 호세아입니다. 또 다른 사람은 이스라엘이 멸망할 때의 왕 호세아입니다. 그런데 호세아 선지는 이스라엘 백성을 향하여 "너희들은 창녀들의 자식이기 때문에 하나님이 더 이상 긍휼을 베풀지 아니하시고 버린다"고 예언했는데, 이스라엘 나라는 같은 이름을 가진 호세아 왕 때 드디어 멸망하게 됩니다. 옛날에는 나라들끼리 전쟁해도 항복하고 조공을 바치면 사람들을 이렇게 비참하게 죽이지는 않았습니다. 그러나 이스라엘 왕 호세아는 처음에 앗수르 왕 살만에셀에게 항복하고 조공을 바쳤지만, 나중에 배신해서 애굽 왕에게 사신을 보내고 더 이상 앗수르 왕에게 조공을 바치지 않는 바람에 철저하게 짓밟히게 되어 지구상에서 이스라엘이라는 나라가 완전히 사라지게 됩니다.

1. 이스라엘의 기회

이스라엘 백성은 얼마든지 정신만 잘 차리고 있었으면 앗수르에 의해 멸망 당하지 않을 수 있었습니다. 그러나 그들은 하나님의 말씀을 심각하게 생각하지 않고 엉뚱한 짓만 실컷 하다가 시간을 다 허비하는 바람에 나라가 완전히 멸망하게 됩니다.

> 17:1-2, "유다의 왕 아하스 제십이년에 엘라의 아들 호세아가 사마리아에서 이스라엘 왕이 되어 구 년간 다스리며 여호와께서 보시기에 악을 행하였으나 다만 그 전 이스라엘 여러 왕들과 같이 하지는 아니하였더라"

호세아는 이스라엘 마지막 왕이었는데, 그는 하나님 보시기에 악을 행했지만, 그 전 이스라엘 왕같이 악하게 행하지는 않았다고 했습니다. 호세아가 자기보다 앞에 있었던 왕들만큼 악하게 통치하지 않았다면 그것으로 충분한 것이 아닐까요? 결코 그렇지 않습니다. 하나님께서는 이스라엘 왕이나 백성이 하나님께 돌아오기를 기다리고 또 기다리셨지만, 호세아 때는 이미 하나님이 기다리시는 시간이 다 끝나버렸던 것입니다. 그래서 호세아가 이전의 다른 왕들보다 조금 덜 악하게 했다고 해서 하나님 앞에서 용서될 수 있는 것이 아니었습니다. 호세아가 그 전 이스라엘 왕만큼은 악하지 않았다는 것은 무슨 뜻일까요? 호세아 전의 왕들은 살아있는 아기들을 불에 집어넣어 죽이는 제사를 드렸지만, 그는 그 짓은 하지 않고 바알이나 금송아지 우상을 섬겼다는 뜻입니다. 그러나 하나님은 이스라엘을 용서하시지 않았습니다.

이스라엘은 이 전에 얼마든지 용서받을 수 있는 기회가 있었다는 말은 무슨 뜻입니까? 우선 하나님은 여로보암 2세 때 나라를 부강하게 하셨습니다. 하나님께서 이스라엘을 물질적으로도 부강하게 하시고 이전의 영토도 다 찾게 하신 것은 결코 이스라엘이 잘해서 그런 것이 아니라, 하나님이 자기들을 사랑하시지 않고 너무 어려움만 주셔서 하나님을 믿을 수 없다고 불평하니까 하나님께서 마지막 수단으로 이스라엘에 물질적인 부를 주신 것이었습니다. 그러므로 비록 이스라엘이 지금까지 금송아지를 섬기고 바알과 아세라를 섬겼지만 하나님께서 그들에게 사랑을 부어주실 때 정신을 차리고 하나님의 말씀으로 돌아오면 얼마든지 용서받을 수 있었습니다.

그리고 하나님은 요나 선지를 보내어 그 악한 성 니느웨를 회개하게 하셨습니다. 결국 요나가 니느웨는 멸망하게 될 것이라고 외쳤을 때 니느웨 성 사람들은 왕으로부터 시작해서 일반 백성에게 이르기까지 모두 베옷을 입고 하나님께 회개했습니다. 그러나 이스라엘 백성은 끝까지 하나님 앞에서 고집을 부리고 우상과 자신들의 악한 삶을 버리지 않았습니다.

여로보암 2세의 아들 베가는 쓸데없이 유다를 공격하고 아람 나라와 손을 잡는다고 시간을 다 허비해버렸습니다. 그런데 여로보암 2세의 아들 베가 때 앗수르가 쳐들어와서 이스라엘의 많은 땅을 정복하고 백성을 앗수르로 잡아갔습니다. 그러나 베가는 정신을 차리지 못하고 유다를 공격하는 데 정신이 팔려서 결국 호세아에게 암살을 당하고 맙니다.

그리고 앗수르 왕이 이스라엘을 멸망시키러 쳐들어왔을 때 호세아는 앗수르 왕 살만에셀에게 항복하고 조공을 바쳤습니다. 그때 호세아나 이스라엘 백성이 끝까지 조공을 바치고 앗수르 왕에게 복종했으면 멸망하지는 않았을 것입니다. 그러나 이스라엘 왕 호세아는 일단 앗수르 왕에게 항복해 놓고 어느 정도 조공을 바치다가 몰래 애굽왕 소에게 사신을 보내어서 동맹 조약을 맺고 앗수르에 조공을 바치지 않았습니다. 그러니까 앗수르 왕이 이스라엘의 배신에 본때를 보여줘야겠다고 생각해서 대대적인 공격을 하게 됩니다.

2. 이스라엘 왕 호세아의 배신

앗수르 왕 살만에셀이 이스라엘로 쳐들어왔을 때 호세아는 자신의 힘으로는 도저히 막아낼 수 없다는 것을 알고는 항복하고 조공을 바쳤습니다.

17:3-4, "앗수르의 왕 살만에셀이 올라오니 호세아가 그에게 종이 되어 조공을 드리더니 그가 애굽의 왕 소에게 사자들을 보내고 해마다 하던 대로 앗수르 왕에게 조공을 드리지 아니하매 앗수르 왕이 호세아가 배반함을 보고 그를 옥에 감금하여 두고"

우리에게 어떤 큰 불행이 생길 때 우리는 자신이 살아온 삶을 한번 돌아볼 필요가 있습니다. 하나님께서 반드시 우리에게 무엇인가 깨닫게 하시려고 이런 질병이나 전쟁이나 사업의 실패를 주시기 때문입니다. 그러나 사람들은 어려움이 생길수록 자존심이 더 생기면서 자신의 과거를 반성하는 것을 싫어합니다.

여기서 우리에게 아주 심각한 문제가 생기게 됩니다. 즉 우리가 당하는 이런 고난과 고통이 우리의 신앙과 무슨 관계가 있느냐는 것입니다. 우리는 자신의 나라의 안보 문제나 경제적인 위기나 전염병이 퍼지는 것 등은 우리의 신앙과는 아무 관계가 없다고 생각합니다. 이것은 이스라엘의 호세아 왕이나 백성도 마찬가지였습니다.

그러나 이스라엘은 하나님과 약속을 맺은 민족입니다. 하나님께서는 이스라엘 백성을 택하셔서 제사장 나라로 삼으시고 온 세계 민족 가운데서 그들에게만 하나님을 알게 하셨습니다. 그래서 하나님을 믿는다는 것은 세계의 모든 국력을 다 합친 것보다 더 큰 능력입니다. 이것은 오늘 우리에게도 마찬가지입니다. 우리는 하나님과 언약을 맺은 백성입니다. 하나님은 우리를 택하셔서 하나님의 비밀을 알게 하셨습니다. 그러나 우리가 현실 가운데서 이것을 믿기가 참 어렵습니다. 하지만 짧은 기간을 살펴보면 세상에서 힘 있는 사람이 이기고 성공하는 것이 맞지만 조금 더 긴 인생길을 살펴보면 모든 것이 하나님의 말씀대로 되는 것을 볼 수 있습니다.

일단 호세아는 앗수르 군대가 쳐들어오니까 대항할 수 없었습니다. 아마 전쟁에서 계속 패배하면서 밀렸던 것 같습니다. 그래서 호세아는 앗수르 왕에게 항복하고 종의 나라가 되었습니다. 그리고 매년 조공을 바쳤습니다. 물론 이것이 이스라엘 왕이나 백성에게 억울할 수 있습니다. 그들에게 힘이 있었더라면 이런 조공을 바칠 필요가 없는데 힘이 없으니까 땅도 빼앗기고 좋은 물건이나 돈도 다 빼앗기고 더 가난하게 살아야만 했습니다. 그러나 그들이 지금까지 하나님께 행한 것을 생각한다면 그들은 망하고 죽는 것보다는 종이 되어서 조공을 바치고 멸망하지 않는 것이 나은 것입니다.

그러나 호세아나 이스라엘 귀족들은 머리를 굴리기 시작했습니다. 즉 우리가 앗수르만 섬길 필요가 없다는 것입니다. 애굽은 이스라엘과도 거리도 가깝고 역사와 전통을 생각해도 앗수르보다 훨씬 나은 나라였습니다. 애굽이 최고 지성의 나라라면 앗수르는 거의 깡패의 나라였습니다. 그러나 당시 애굽은 다른 나라를 도울 힘이 없는 껍데기뿐인 나라였다는 사실입니다. 이스라엘 왕은 그것도 모르고 애굽 왕에게 사신을 보내어서 동맹하자고 제안하니까 애굽 왕은 얼른 돈을 받고 도와주겠다고 동맹을 맺었습니다. 그러나 이것은 어려운 회사가 부실기업을 인수하는 것과 같은 것입니다.

이스라엘 왕은 애굽 왕의 약속만 철석같이 믿고 앗수르에 바치던 조공을 끊어버리고 배반했습니다. 그러니까 앗수르 왕이 화가 나서 다시 이스라엘을 공격해 왔습니다. 이때는 그냥 조공을 받으려고 온 것이 아니라 본때를 보여주려고 침공한 것이었습니다. 호세아 왕은 금방 앗수르 군에 의해 포로가 되어 앗수르 군대 안에 있는 감옥에 갇혀버렸습니다. 호세아 왕은 하루 만에 왕좌에서 내려와 쇠사슬에 매여 꼼짝도 하지 못하고 끌려다니는 신세가 되었습니다. 왕이 잡혔으면 그 나라 백성은 항복하면 되는데 유다의 장관들이나 장군 중에는 무슨 일이 있어도 절대로 항복하지 않는다는 결심으로 뭉친 사람이 있어서 앗수르에 저항하니까 앗수르도 무려 3년 동안이나 사마리아를 포위해야만 했습니다. 결국 이스라엘 백성은 양식이 떨어지게 되고 더 이상 버틸 힘이 없었습니다. 마침내 사마리아는 앗수르에 의하여 멸망하고 사마리아 사람들은 거의 다 죽임을 당하게 됩니다.

호세아가 왕이 된 지 9년, 세계 역사로 BC 722년에 이스라엘이라는 나라는 지구상에서 사라지게 됩니다. 우리에게 가장 의문스러운 점이 바로 이것입니다. 왜 하나님은 이스라엘에 엘리야와 엘리사 같은 선지자를 보내셨는데도 끝내 망하게 하셨을까 하는 점입니다. 하나님은 교만한 자를 구원하시는 것을 기뻐하시지 않습니다. 하나님은 여러 번 선지자를 보내어 경고하시고 고난을 주시지만, 하나님의 백성이 고난을 두려워하지 아니하고 하나님의 말씀을 지킬 때 살려주시는 것이지, 이스라엘 백성이라고 해서 무조건 살려주시는 것은 아닙니다.

그래서 세례 요한은 설교를 들으러 온 바리새인들을 향해서 "너희 조상이 아브라함이라고 자랑하지 말라. 하나님은 이 돌들로도 아브라함의 자손을 만들 수 있다"(마 3:9)고 책망했습니다. 즉 역사와 전통이라는 것은 지금 믿음이 없다면 길에 돌아다니는 돌보다 더 가치가 없는 것입니다.

3. 이스라엘의 멸망 원인

우리가 어려움을 당했을 때나 나라가 망하게 되었을 때 이것이 우리의 신앙과 관계가 있다고 생각하지 않습니다. 나라가 망하는 것은 어디까지나 지도자들이 무능한 탓이고 국력이 약한 탓이지, 신앙이 잘못되었기 때문이라고는 생각하지 않는다는 것입니다. 그러나 이스라엘의 역사를 쓴 저자들은 이스라엘이 망한 것은 그들이 애굽에서 건져내신 하나님을 배반하고 오히려 하나님께서 가나안 땅에서 쫓아내신 가나안 원주민의 신앙을 따랐기 때문이라고 강조하고 있습니다.

> 17:7-8, "이 일은 이스라엘 자손이 자기를 애굽 땅에서 인도하여 내사 애굽의 왕 바로의 손에서 벗어나게 하신 그 하나님 여호와께 죄를 범하고 또 다른 신들을 경외하며 여호와께서 이스라엘 자손 앞에서 쫓아내신 이방 사람의 규례와 이스라엘 여러 왕이 세운 율례를 행하였음이라"

역사는 이스라엘 백성의 출애굽까지 거슬러 올라갑니다. 하나님은 이스라엘 백성을 애굽에서 노예로 고생하는 가운데 무려 열 가지 재앙으로 바로를 치시고 그들을 노예의 자리에서 건져내셨습니다. 그러면서 하나님은 이스라엘 백성에게 "너희는 택함받은 백성이기 때문에 오직 하나님만 믿고 섬기라"고 말씀하셨습니다. 하나님은 시내산 불 가운데서 말씀하셨고 반석을 쳐서 생수가 쏟아지게 하셨습니다. 그러나 이스라엘 백성은 가나안 땅에 와서 생활이 안정되니까 이방인의 신들에게 호기심을 가지게 되었습니다. 그들은 자기 멋대로 살고 행하면서도 잘 살았기 때문이었습니다.

우리 인간의 마음속에는 언제나 이런 죄에 대한 호기심이 있습니다. 우리는 때때로 하나님의 말씀에 순종하는 것은 따분하고 재미가 없고 세상 사람들이 하는 것처럼 마음대로 사는 것이 정말 멋진 삶이라고 생각하는 것입니다. 그래서 때로는 자기도 모르는 사이에 세상의 음란하고 더러운 문화에 자석이 끌려가듯이 끌려갈 때도 있습니다. 그러나 우리는 택함받은 백성이라는 것을 기억해야 합니다. 우리는 이 세상에서 어느 누구도 감히 알 수 없는 하나님을 아는 사람들입니다.

이스라엘 백성은 하나님을 배반했습니다. 그래서 그들은 견고한 망대나 성읍에 산당을 세우고, 모든 산과 푸른 나무 밑에서 우상숭배를 하고 분향을 했습니다. 즉 그들은 사마리아의 모든 성곽을 점치는 곳으로 만들고 사마리아의 모든 거리를 창녀촌으로 만들었던 것입니다.

하나님은 이스라엘 백성을 오랫동안 포기하지 않고 돌아오게 하려고 무진 애를 쓰셨습니다. 그래서 선지자들과 선견자들을 부지런히 보내어서 우상숭배를 버리고 하나님의 율법을 지키라고 경고하셨습니다. 여로보암이 금송아지를 만들어서 벧엘에서 제사 지낼 때 유다에서 온 무명의 선지자는 제단이 갈라져서 재가 쏟아질 것이라고 예언했는데 그대로 되었습니다. 또 하나님은 아합과 이세벨의 피를 개들이 핥아 먹을 것이라고 예언했는데 그대로 되었습니다. 심지어 하나님은 예후라는 장군을 세워서 아합의 아들 칠십 명을 다 죽여서 그 머리들을 한 소쿠리에 담게 하고, 바알을 섬기는 모든 제사장을 모아서 다 죽이는 일까지 하게 하셨습니다. 그러나 이스라엘 왕이나 백성은 목을 곧게 해서 하나님을 돌아볼 생각조차 하지 않았습니다.

17:14, "그들이 듣지 아니하고 그들의 목을 곧게 하기를 그들의 하나님 여호와를 믿지 아니하던 그들 조상들의 목 같이 하여"

이스라엘 백성의 목은 뻣뻣했습니다. 이스라엘은 조상 때부터 목이 깁스가 되어 있어서 하나님이 아무리 불러도 돌아보지도 않았습니다. 그들은 하나님의 말씀은 실체가 없다고 생각해서 이방인들이 섬기는 허망한 우상을 숭배했습니다. 그들은 금송아지 우상을 축복을 주는 하나님이라고 생각했습니다. 심지어 그들은 자신들의 열정을 나타내기 위해서 아이들을 산채로 불 가운데 집어넣어서 죽이는 제사를 드렸습니다. 결국 하나님은 이스라엘을 이 지구상에서 사라지게 하셨습니다.

우리는 하나님의 진노를 사는 것보다는 가난하고 병드는 것이 낫습니다. 우리는 때때로 사람에게 굴욕당하는 것이 목을 뻣뻣하게 해서 하나님의 말씀에 귀를 막는 것보다 훨씬 낫습니다. 우리는 하나님의 택함 받은 백성이기 때문에 하나님이 우리의 생명이고 하나님이 우리의 능력입니다. 세상 사람들이 잘사는 것을 부러워하지 마시고, 하나님의 진리로 기뻐하고 하나님을 기쁘시게 하는 성도들이 다 되시기 바랍니다.

28
멸망 그 이후
왕하 17:19-41

사람들은 어떤 불행한 일이 생기기 전에 '설마'라고 하면서 준비를 등한히 할 때가 많습니다. '설마 나에게 암이 생길까? 설마 내 차가 교통사고가 날 것인가? 설마 내가 탄 배가 바다에 빠질까?' 이렇게 생각하면서 스스로 위안을 하는 것입니다. 물론 '설마'가 맞을 때가 많이 있습니다. 사람들은 평소에 건강관리를 잘 하지 않아도 암에 잘 안 걸리고, 교통사고도 안 나고, 배도 무사히 목적지에 도착합니다. 그러나 좋지 않은 조건이 몇 개가 합쳐지면 이 '설마'는 통하지 않고 큰 사고로 연결되게 됩니다.

선지자들이 이스라엘은 우상숭배로 망한다고 부르짖었지만, 이스라엘 백성은 모두 '설마'라고 생각했습니다. 그 이유는 하나님은 택한 백성이 잘못을 해도 절대로 버리지 아니하시기 때문입니다. 그리고 현재 이스라엘 나라는 경제적으로 성공하고 있었습니다. 물론 앗수르가 야만적이고 공격적이긴 하지만 지금까지 하나님은 이런 나라들을 이스라엘에게 몽둥이로 쓰셨지, 이스라엘을 죽이지는 않으셨던 것입니다. 그러나 이스라엘은 더 이상 하나님의 자녀가 아니었습니다. 그들은 깡패요, 살인자요, 가장 말을 듣지 않는 패역한 자가 되었습니다. 이스라엘 백성은 '설마, 설마' 하다가 진짜로 나라가 망해버렸습니다. 그래서 많은 사람이 전쟁으로 죽고 겨우 살아남은 자들은 앗수르의 먼 곳으로 붙들려갔습니다. 대형 사고가 터지고 나면 그 남은 흔적은 참혹합니다.

이제 이 지구상에서 이스라엘이라는 나라는 완전히 없어지고 말았습니다. 이스라엘은 앗수르와의 전쟁에서 지는 바람에 많은 사람이 죽고 남은 사람들은 앗수르 변방으로 붙들려가고 말았습니다. 이스라엘은 빈 땅이 되고 말았는데, 앗수르 왕은 그 땅에 이방인들을 이주시켜서 살게 했습니다. 이스라엘은 이제 완전히 이방인의 땅이 되고 말았습니다.

1. 신앙과 나라의 운명

우리가 세상을 살다가 보면 어떤 사람의 성공과 실패는 그 사람의 능력과 운에 달린 것 같습니다. 머리가 좋아서 공부를 잘하는 사람이 좋은 학교에 들어가고, 부모로부터 유산을 많이 물려받은 사람이 세상에서 부요하게 잘사는 것을 볼 수 있습니다. 그 대신 신앙은 우리의 삶에 큰 영향을 미치는 것 같지 않습니다. 하나님을 그렇게 잘 믿고 예배를 사랑하고 이웃에게 헌신적이었던 사람이 여전히 가난하고 못 살고 고난만 받는 것을 볼 때가 있습니다. 그래서 차라리 하나님을 버리고 세상에서 성공하는 길을 가고 싶어 하는 사람들이 많습니다.

그러나 이것은 아주 잘못 생각하고 있는 것입니다. 우리가 하나님을 믿는다는 것은 단순히 어떤 종교를 가지는 것을 의미하는 것이 아니라, 하나님의 자녀가 되는 것을 말하기 때문입니다. 만일 우리가 하나님의 자녀라면 하나님이 세상의 주인이기 때문에 세상 모든 것이

다 우리의 것이 됩니다. 그래서 우리에게는 하나님의 아들이라는 자격만 가지고 있으면 충분합니다. 우리는 굳이 하나님을 믿지 않는 자들처럼 이 세상에서 많은 돈이나 지위를 가지고 있을 필요가 없는 것입니다. 그러나 우리가 실제 생활에서는 이것을 믿는 것이 너무나도 어렵습니다. 우리 눈에 보이는 것은 세상이지, 하나님의 약속의 말씀이 아니기 때문입니다.

이스라엘 백성이 부러웠던 것은 세상 나라들은 굳이 하나님을 믿지 않고 우상숭배 하면서도 잘 살고 강한 나라가 되고 세상의 모든 것을 다 가질 수 있었다는 것입니다. 이스라엘 백성의 마음속 깊은 곳에 자리 잡은 욕망은 음란한 육체의 정욕과 세상에서 잘사는 것이었습니다. 그러나 이스라엘 백성이 알지 못했던 것은 그들은 하나님의 자녀들이었고 온 세상이 자기들 것이었다는 사실입니다. 그런데 그들은 하나님의 말씀을 버리고 세상 사람들의 우상과 삶을 따라갔습니다. 그래서 한순간 하나님과 이스라엘 백성의 관계는 끊어져 버리고 남이 되어버렸습니다. 그 결과는 이스라엘의 멸망이었습니다.

이스라엘 백성은 앗수르가 쳐들어와도 '야단만 치고 돌아가겠지'라고 생각했는데 '설마, 설마' 하다가 이스라엘은 진짜 멸망하고 말았습니다. 왕도 죽고 군인들도 죽고 모든 귀족도 다 죽었고 이스라엘 땅은 앗수르가 정복해버렸습니다. 이스라엘의 멸망은 그 당시 전 세계에 아주 쇼킹한 뉴스였습니다. 이스라엘은 당시로서는 너무나 눈부시게 발전하고 있는 나라였는데 갑자기 어느 한순간 가라앉으면서 나라가 망해버렸기 때문입니다. 그리고 이스라엘 자리에는 아무것도 남지 않게 되었습니다. 심지어 사마리아의 경우에는 모든 돌을 다 꺼내어 굴러버렸기 때문에 성의 흔적도 남아있지 않았습니다.

성경은 이스라엘의 멸망이 절대로 군사력이 약했다거나 인구가 적어서 망한 것이 아니라 그들이 하나님을 버리고 우상을 택하고 세상을 택했기 때문이라고 강조하고 있습니다. 우리가 만일 하나님의 자녀라면 이 세상에서 많은 것을 가질 필요가 없습니다. 우리는 단지 이 세상에서 하나님의 자녀답게 살아가기만 하면 되는 것입니다. 세상에 있는 모든 것이 하나님의 것이기 때문입니다. 그러나 우리는 인간이므로 이 세상에서 성공하고 싶고, 부요하게 살고 싶고, 죄가 어떤 것인지 강한 호기심을 가지게 되는 것입니다.

이제 두 개의 이스라엘 나라 중에서 하나는 없어지고 유다만 남았습니다. 즉 큰 이스라엘은 망하고, 작은 이스라엘 즉 유다만 남은 것입니다. 그러면 남은 유다는 멸망한 이스라엘의 전철을 따르지 말아야 할 것입니다. 그러나 유다는 방향을 바꾸지 않고 이스라엘이 멸망한 그 길을 그대로 따라갔습니다. 그 이유가 무엇일까요? 그들은 이스라엘 멸망의 원인이 신앙에 있다고 생각하지 않았기 때문입니다. 유다 백성은 이스라엘이 멸망한 것이 이스라엘이 약했고 앗수르가 너무 강했기 때문이라고 생각했습니다. 그래서 그들은 자기들이 따라가던 이스라엘의 잘못된 길을 바꾸지 않았던 것입니다.

17:19-20, "유다도 그들의 하나님 여호와의 명령을 지키지 아니하고 이스라엘 사람들이 만든 관습을 행하였으므로 여호와께서 이스라엘의 온 족속을 버리사 괴롭게 하시며 노략꾼의 손에 넘기시고 마침내 그의 앞에서 쫓아내시니"

유다 백성은 이스라엘 나라가 멸망해서 없어지는 것을 보았으면 자신들의 길을 돌이켜 보고 빨리 방향을 바꾸어야 하는데, 그들도 '설마' 라는 병에 빠진 것입니다. 즉 '설마' 하나님을 잘 믿지 않는다고 해서 하나님의 성전이 있는 유다가 망하기야 하겠느냐라고 안일하게 생각했습니다.

하나님은 유다 백성에게 과거 역사를 한번 생각해 보시기를 원하셨습니다. 하나님께서 다윗의 신앙을 보시고 이스라엘을 축복하시고 부흥을 주셨는데, 그 아들 솔로몬이 그 엄청난 부와 명예에도 불구하고 우상을 섬기는 바람에 하나님은 이스라엘을 찢으셔서 열 지파를 여로보암에게 주셨던 것입니다. 그러나 여로보암은 백성에게 금송아지를 여호와라고 속이고 우상을 받아들이다가 나라가 멸망하고 만 것입니다.

2. 이방 나라가 된 이스라엘

옛날에는 어떤 나라가 전쟁에서 진다고 하여도 항복하고 조공을 바치면 백성을 다 잡아가지는 않았습니다. 쓸만한 사람들만 잡아가서 노예로 팔고 다른 사람들은 그대로 두어서 조공을 바치게 하였습니다. 그러나 앗수르가 보기에도 이스라엘 사람들은 너무 악질적이었고 반항적이었기 때문에 앗수르 왕은 이스라엘을 그냥 둘 수 없었습니다. 그래서 앗수르 왕은 이 썩은 냄새 나는 이스라엘을 다 죽이든지, 아니면 아주 먼 곳에 보내어서 냄새가 나지 않게 만들었습니다. 그래서 이스라엘 백성을 저 먼 앗수르 변방까지 끌고 가서 거기에서 살게 했습니다.

17:23, "여호와께서 그의 종 모든 선지자를 통하여 하신 말씀대로 드디어 이스라엘을 그 앞에서 내쫓으신지라 이스라엘이 고향에서 앗수르에 사로 잡혀 가서 오늘까지 이르렀더라"

이스라엘 백성이 선지자들의 경고에 그렇게 고집스럽게 반항하지만 않았더라도 그렇게 비참하게 죽거나 포로로 붙들려가지는 않았을 것입니다. 그들은 한편으로는 하나님의 백성이라는 오만함과 다른 한편으로는 세상에서 어느 정도 성공했다는 자만심으로 선지자들의 경고를 아주 우습게 알았습니다. 그들은 선지자를 조롱하고 끝까지 그 말을 듣지 않았습니다. 그 결과 하나님의 때가 다 되었을 때 인간적으로는 도저히 망할 것 같지 않던 이스라엘이 망하고 말았습니다. 그리고 그 고집스럽던 이스라엘 백성은 포로가 되어 도저히 돌아올 수 없는 먼 곳으로 붙들려가서 다시는 이스라엘 땅으로 돌아오지 못했습니다.

그래서 이스라엘 땅은 주인이 없는 완전히 빈 땅이 되고 말았습니다. 앗수르 왕은 이스라엘을 빈 땅으로 두면 세금도 받지 못하고 야생 동물들만 우글거리는 황무지가 되기 때문에 다른 땅에 있던 이방 사람들을 옮기기 시작했습니다.

17:24, "앗수르 왕이 바벨론과 구다와 아와와 하맛과 스발와임에서 사람을 옮겨다가 이스라엘 자손을 대신하여 사마리아 여러 성읍에 두매 그들이 사마리아를 차지하고 그 여러 성읍에 거주하니라"

여기에 나오는 여러 나라의 이름은 망한 나라들입니다. 그래서 바벨론과 구다와 아와와 하맛과 스발와임에서 망한 자들을 이스라엘 땅에 끌고 와서 그곳에 살게 했던 것입니다. 그래서 이스라엘은 완전히 사람들이 바뀌었습니다. 이스라엘 사람들은 앗수르 아주 척박한 땅으로 붙들려가고, 다른 나라에서 망한 사람들이 이스라엘 땅에 와서 살게 된 것입니다. 그러나 이 사람들은 운이 좋은 편이었습니다. 이스라엘은 그래도 농사를 지을 수 있는 땅이었기 때문입니다. 그러나 이스라엘 백성은 앗수르 변방으로 쫓겨 간 후 거기에서도 또 흩어지고 또 흩어져서 더 이상 순수한 이스라엘 백성은 남지 않게 되었습니다.

우리 민족도 이와 비슷한 경험을 겪은 바가 있습니다. 우리나라 사람들 중에서 일본의 압제를 견디지 못한 사람들은 만주 땅으로 갔습니다. 또 조선인 중에서 소련 땅까지 가서 살았던 사람들이 굉장히 많이 있었는데, 어느 날 갑자기 스탈린이 이 조선족들을 중앙아시아로 강제로 이주시켰습니다. 그래서 중앙아시아에 있는 키르기스스탄과 우즈베키스탄 같은 곳에는 고려인이라고 해서 한국 사람 후손이 몇십만 명씩 살고 있는 것을 볼 수 있습니다. 이 고려인들은 대개 현지인들과 결혼해서 외모도 한국 사람과 비슷한 사람도 있고 현지인같이 생긴 사람도 있다고 합니다. 또 우크라이나에도 고려인들이 수만 명이 살고 있다는 것입니다.

그런데 놀라운 것은 이스라엘이 완전히 이방인의 땅이 되었지만, 여전히 하나님의 땅이라는 증거가 나타나고 있었습니다. 그것은 이방인들이 이스라엘 땅에 와서 여호와를 모르고 이방신을 섬기니까 사자들이 자꾸 나타나서 사람들을 물어 죽이는 것이었습니다. 그래서 이스라엘 땅에 와서 좋다고 생각했던 이방인들은 사자 때문에 마음대로 나가서 돌아다닐 수도 없었습니다. 이 이방인들은 '왜 이 땅에는 이스라엘 백성이 떠나고 난 후에 사자들이 이렇게 설치며 사람들을 공격하는가?' 생각하다가 이 땅은 하나님의 땅이기 때문에 아무나 살 수 없다는 것을 깨닫게 되었습니다. 그래서 이 이방인들은 앗수르 왕에게 사람을 보내어서 "우리가 이 땅의 신의 법을 알지 못해서 그 신이 사자들을 보내서 사람들을 물어 죽이고 있는데 제발 우리가 살 방법을 가르쳐 주시기 바랍니다"라고 부탁했습니다.

그랬더니 앗수르 왕은 여러 제사장이나 선지자들에게 물어본 후에 이스라엘에서 붙들려 간 제사장 한 명을 보내어서 하나님을 섬기는 법을 가르치면 사자들도 잠잠할 것이라고 생각했습니다. 그래서 그 수많은 포로 중에서 단 한 명의 제사장을 골라서 그를 다시 이스라엘로 보내서 벧엘에서 하나님의 법도를 가르치게 했습니다. 그랬더니 그들은 모두 여호와도 섬기고 자기 민족의 신도 섬기게 되었습니다. 그래서 사마리아의 종교는 하나님의 말씀도 조금은 남아 있지만 거의 이방인들의 종교와 섞인 것이었습니다. 그래서 나중에 유다 백성이 바벨론 포로에서 돌아왔을 때, 사마리아 사람들이 우리도 하나님을 섬기기 때문에 성전을 같이 짓자고 제안한 것은 거짓말입니다. 그렇지만 앗수르에 포로된 이스라엘 백성이 나중에 전 세계에 퍼지면서 다른 인종들과 뒤섞여 살다가 오순절 때 부흥이 일어난 후에 하나님께로 돌아오게 됩니다.

3. 이스라엘이라는 이름

이 세상에서 가장 위대한 이름은 '이스라엘'이라는 이름입니다. 야곱이 천사와 씨름해서 이기고 얻은 승리자라는 뜻의 이름입니다. 이스라엘 백성은 천사와 씨름해서 이겼기 때문에 이 세상 어떤 나라도 이길 수 있습니다. 그러나 그들은 이 이름값을 하지 못해서 멸망하고 말았습니다.

> 17:34, "그들이 오늘까지 이전 풍속대로 행하여 여호와를 경외하지 아니하며 또 여호와께서 이스라엘이라 이름을 주신 야곱의 자손에게 명령하신 율례와 법도와 율법과 계명을 준행하지 아니하는도다"

또 하나님의 가장 위대한 이름은 '여호와'입니다. 이 이름은 하나님은 스스로 존재하는 분이라는 뜻인데, 이 모든 만물의 창조자라는 뜻입니다. 하나님께서는 이스라엘 백성이 출애굽할 때 홍해를 갈라서 그들을 인도하셨습니다. 이스라엘 백성에게는 이런 위대한 이름이 있었고 위대한 능력이 있었습니다.

우리는 하나님의 자녀입니다. 하나님의 자녀들이 돈 자랑이나 하고 세상 것이나 탐을 낸다면 부끄러울 뿐 아니라 오히려 하나님 자녀의 자격을 박탈당하게 됩니다. 물론 우리가 인간인 이상 하나님의 말씀을 완전히 지킬 수는 없습니다. 그러나 우리는 그때마다 회개하면 됩니다. 또 우리가 인간인 이상 세상 것에 대한 호기심이나 탐심이 생길 수 있습니다. 그러나 그런 것들을 조금만 사용하다가 별것이 아니라는 것을 알아야 합니다.

17:39, "오직 너희 하나님 여호와만을 경외하라 그가 너희를 모든 원수의 손에서 건져내리라 하셨으나"

우리는 원수를 미워할 필요가 없습니다. 이들은 오히려 우리에게 정신을 차리게 하는 가시입니다. 이런 가시를 무엇 때문에 좋아하고 따라가겠습니까? 물론 하나님의 말씀은 재미가 없는 것 같습니다. 그러나 그 말씀 속에 들어가면 재미있는 것이 너무 많이 있고 놀라운 세계가 펼쳐지게 됩니다. 우리는 이미 망한 나라들을 따라갈 필요가 없습니다. 우리는 예전에 부흥했던 일제 강점기의 교회나 6.25 전쟁 후의 교회를 생각하고 기도하고 엎드리는 성도들이 다 되시기 바랍니다.

29
방향 전환
왕하 18:1-16

구약 이스라엘에는 두 개의 배가 항해하고 있었습니다. 그중에 큰 배가 이스라엘이고, 작은 배가 유다였습니다. 그런데 이스라엘은 하나님이 축복하고 부요하게 해주시니까 마음이 교만해져서 우상숭배와 음란에 빠져서 앗수르의 공격을 받아서 완전히 침몰하고 말았습니다. 그러나 이스라엘의 작은 배 유다는 이스라엘이 완전히 침몰하는 것을 보면서도 배의 방향을 바꾸지 않고 여전히 이스라엘이 망한 방향을 향해서 열심히 따라가고 있었습니다. 그것은 이스라엘의 신앙이 망한 원인이 아니라고 생각했기 때문입니다. 유다 백성은 하나님을 믿기는 했지만, 그 신앙을 현실과 연결하지는 않았습니다. 즉 신앙은 신앙이고, 현실은 현실이라고 믿었던 것입니다.

그런 유다에 갑자기 새 왕이 나타나게 되었습니다. 이 사람은 그의 아버지 아하스와는 완전히 다른 사람이었습니다. 그는 유다의 방향을 완전히 바꾸어서 절벽 쪽으로 충돌하게 한 것이 아니라 나라의 방향을 하나님께로 돌리는데 성공한 훌륭한 왕이었습니다.

우리는 요즈음 한 나라에서 왕이나 대통령의 생각이 얼마나 중요한지 알 수 있습니다. 러시아의 대부분 사람은 전쟁을 원치 않는데 블라디미르 푸틴이라는 한 사람의 고집이 전쟁을 일으켜서 수만 명을 죽게 하고 있습니다. 지도자 한 사람이 잘 판단하면 전 국민이 똑똑해지게 되고 지도자 한 사람이 어리석으면 나라 전체가 바보가 되는 것입니다.

유다의 방향을 급하게 돌린 그 왕은 히스기야였습니다. 이 왕은 다윗 이후로 한 사람 나올까 말까 한 신앙적인 지도자였습니다. 우선 유다에 이런 지도자가 나타났다는 것 자체가 기적이었습니다.

1. 히스기야의 등장

유다라는 배는 이스라엘이라는 배를 따라서 멸망을 향해 열심히 가고 있었습니다. 그런데 지금까지 유다를 멸망의 길로 끌고 가던 아하스라는 왕이 젊은 나이로 갑자기 죽어버리고, 그 아들 히스기야가 왕이 되었습니다. 유다에서 일어났던 가장 큰 기적은 철저하게 하나님의 말씀에 헌신한 한 왕이 등장하게 되었다는 것입니다. 그는 히스기야 왕이었습니다. 히스기야 왕은 멸망을 향하여 달리고 있는 유다라는 배를 급하게 방향을 틀어서 망하지 않는 방향으로 돌릴 사람이었습니다.

오늘 본문의 배경은 이스라엘이 망하려고 하는 그 시점이었습니다. 이스라엘의 마지막 왕은 호세아이고, 이때 유다 왕은 아하스였습니다. 아하스는 스무 살에 왕이 되어서 16년 동안 유다를 다스렸습니다. 그리고 아하스가 죽은 지 6년 만에 드디어 이스라엘이 앗수르에 의해 멸망하고 맙니다. 그럼에도 불구하고 유다 왕 아하스는 이스라엘이 망한 길을 그대로 따라가고 있었습니다. 아하스는 앗수르 왕에게 잘 보이려고 다메섹에서 앗수르 왕을 만나서 앗수르의 제단을 그대로 설계해서 하나님의 성전에 두게 하고, 열심히 우상숭배를 했으며, 심지어는 자기 아이를 불살라 죽이는 이방신을 섬기기도 했습니다. 아마 아하스가 조금 더 오래 왕으로 있었더라면 유다도 이스라엘과 똑같이 앗수르에게 망하고 말았을 것입니다.

그런데 갑자기 아하스는 서른여섯 살에 죽고 그 아들 히스기야가 유다의 왕이 되었습니다. 부모부터 시작해서 거의 모든 백성이 우상숭배에 빠져 있는 그때 전적으로 하나님만 섬기는 히스기야가 왕이 되었다는 것은 유다에게는 기적이었습니다. 히스기야의 아버지 아하스 때 유다가 어떠했는지는 이사야서를 읽어보면 잘 알 수 있습니다. 이때 유다는 머리끝부터 발끝까지 성한 데가 없을 정도로 병들어 있었고, 그 의로운 성이었던 예루살렘은 창녀와 점쟁이들이 우글거리는 소돔과 고모라같이 되었다고 했습니다. 그때 하나님은 이사야 선지를 통해서 유다 백성을 부르셨습니다. "여호와께서 말씀하시되 오라 우리가 서로 변론하자 너희의 죄가 주홍 같을지라도 눈과 같이 희어질 것이요 진홍 같이 붉을지라도 양털 같이 희게 되리라"(사 1:18). 하나님이 보시기에 유다는 마치 가을에 수박밭이나 참외밭에서 열매를 다 따 가버리고 원두막만 남아 있는 것과 같았습니다. 즉 모든 유다 백성은 다 망하고 예루살렘만 겨우 남아서 버티는 형편이었습니다.

그런데 갑자기 히스기야가 유다의 왕이 되었습니다. 히스기야는 유다나 이스라엘에서 그전에도 이만큼 하나님을 믿는 왕이 없고 그 후에도 없을 만큼 정말 다윗과 거의 같을 정도로 하나님을 잘 믿는 왕이었습니다. 도대체 아버지 아하스도 우상숭배자이고 모든 관리나 제사장들도 우상숭배 하는데 어떻게 히스기야는 하나님을 바로 믿는 사람이 될 수 있었을까요? 그것은 히스기야가 어렸을 때부터 하나님께서 그를 선지자의 말씀으로 양육하셨기 때문입니다. 히스기야는 어렸을 때부터 하나님의 말씀에 비상한 관심을 보이고 부지런히 이사야나 다른 선지자들을 찾아가서 하나님의 말씀을 배운 것 같습니다. 이것은 결국 하나님께서 히스기야를 이런 말씀의 종으로 키우신 것이었습니다.

18:1, "이스라엘의 왕 엘라의 아들 호세아 제삼년에 유다 왕 아하스의 아들 히스기야가 왕이 되니"

이스라엘의 마지막 왕이 호세아입니다. 그는 이스라엘에서 9년 동안 왕노릇을 하다가 앗수르에 의해 죽게 됩니다. 그러나 사마리아가 앗수르에 3년 동안 포위되어 있었기 때문에 호세아가 왕 노릇을 제대로 한 것은 6년밖에 되지 않습니다. 이스라엘이 완전히 멸망하기 6년 전에 유다에는 새로운 왕 히스기야가 등장하게 됩니다. 그러나 그는 지금까지의 유다 왕이나 이스라엘 왕과는 달리 완전히 하나님에게 미치다시피 할 정도로 하나님께 충성된 사람이었습니다.

18:3, "히스기야가 그의 조상 다윗의 모든 행위와 같이 여호와께서 보시기에 정직하게 행하여"

히스기야는 유다와 이스라엘 왕 중에서 가장 다윗을 닮은 왕이었습니다. 그는 처음부터 끝까지 하나님을 믿고 의지했습니다. 사실 하나님께서 원하셨던 다윗의 후손은 히스기야 같은 사람이 계속 나오는 것이었습니다. 그러나 이런 사람이 하나 나오는데 얼마나 오랜 세월이 걸렸는지 모릅니다. 이와 같이 이 세상에서 가장 어려운 것이 자기 목숨을 걸고 하나님의 말씀을 사랑하는 사람이 만들어지는 것입니다.

히스기야는 왕이 되자마자 아버지 아하스에 의해 성전을 가득 채우고 있던 쓰레기를 치우는 일부터 했습니다. 성전 뜰에는 앗수르식의 제단이 있었고 하나님의 제단이나 물두멍은 다른 곳에 치워져 있었습니다. 그리고 성전의 모든 방은 우상을 섬기는 기구들로 가득 채

워져 있었습니다. 히스기야는 아버지가 만든 앗수르식의 제단부터 부수었고, 성전 안에 있는 모든 쓰레기를 다 치우고, 제단이 있어야 할 곳에 제단을 두고, 물두멍이 있을 곳에 물두멍을 있게 하고, 제사장들도 지금까지 우상숭배 했던 마음들을 다 회개하게 했습니다.

이렇게 부흥이 일어나려고 하면 준비가 아주 중요합니다. 그 준비는 하나님 앞을 가로막고 있는 모든 불필요한 제도나 물건이나 행사를 다 치워버리고 오직 하나님의 말씀과 기도만 두는 것입니다. 그래야만 성령의 기름이 흐르게 되고 여기에 불이 붙어서 부흥이 일어나게 됩니다.

이때 유다 백성이 얼마나 한심했는지 볼 수 있습니다. 그것은 모세가 광야에서 만들었던 놋뱀이 그때까지 남아 있었는데 그들은 그 놋뱀 앞에서 제사드리고 놋뱀을 숭배했던 것입니다.

18:4, "그가 여러 산당들을 제거하며 주상을 깨뜨리며 아세라 목상을 찍으며 모세가 만들었던 놋뱀을 이스라엘 자손이 이때까지 향하여 분향하므로 그것을 부수고 느후스단이라 일컬었더라"

이전 유다 왕들은 웬만큼 하나님을 잘 믿어도 산당을 없애지 못했습니다. 산당을 없애는 것에 백성의 반발이 심했기 때문입니다. 산당은 산이나 언덕이나 푸른 나무 밑에 만든 기도처 같은 곳인데, 누구든지 하나님께 제물을 바칠 수 있다는 점에서는 좋은 점도 있지만, 말씀이 없었기 때문에 항상 먼저 우상이 퍼지는 곳이 되었습니다. 그러나 백성은 자기 나름대로 하나님을 섬기는 것을 좋아했기 때문에 제사장이 간섭하는 것을 아주 싫어했습니다. 그러나 히스기야는 그 산당부터 부수었습니다. 즉 모든 유다 백성은 자기 마음대로 제사해서는 안 되고, 하나님의 통치를 받아야 한다는 뜻이었습니다.

그리고 히스기야는 모세라는 위대한 하나님의 종이 만든 놋뱀이라도 우상이 되었을 때는 부수어버리고 '느후스단' 곧 놋조각이라고 불렀습니다. 믿음이 없는 놋뱀은 놋조각에 불과한 것입니다.

2. 하나님과 연합한 히스기야

히스기야의 신앙은 하나님과 완전히 붙어 있어서 아무리 떼려고 해도 뗄 수 없었습니다.

18:5-6, "히스기야가 이스라엘 하나님 여호와를 의지하였는데 그의 전후 유다 여러 왕 중에 그러한 자가 없었으니 곧 그가 여호와께 연합하여 그에게서 떠나지 아니하고 여호와께서 모세에게 명령하신 계명을 지켰더라"

히스기야는 하나님을 의지했습니다. 이것은 하나님이 히스기야에게는 머릿속에 있는 분이 아니라 실제적인 하나님이었다는 것입니다. 우리도 사실 하나님과 동행하고 싶을 때가 많이 있습니다. 그러나 하나님과 동행하는 것이 어떤 것인지 알지 못해서 포기할 때가 많습니다. 하나님의 말씀을 가까이하는 것이 하나님과 동행하는 것입니다. 하나님과 동행한다는 것은 그렇게 어려운 일이 아닙니다. 우리가 하나님의 말씀을 듣기를 즐거워하고 어려운 일이 생길 때마다 하나님을 믿는 것입니다. 그리고 하나님의 말씀을 가까이하는 것입니다.

히스기야는 하나님의 말씀대로 모든 것을 했습니다. 그래서 모세의 율법에 유월절을 지키라고 하면 지키고, 우상을 버리라고 하면 버렸습니다. 그랬더니 히스기야는 하나님과 연합하여 항상 하나님과 붙어 다니게 되었습니다. 우리가 하나님과 붙어 있으면 아주 작은 일에도 하나님께서 일하시는 것을 느낄 수 있습니다. 우리는 병들었을 때든지 혹은 가난할 때든지 혹은 어려운 일을 당하게 되었을 때도 하나님을 부정하지 않고 하나님을 기다려야 합니다.

18:7-8, "여호와께서 그와 함께 하시매 그가 어디로 가든지 형통하였더라 저가 앗수르 왕을 배반하고 섬기지 아니하였고 그가 블레셋 사람들을 쳐서 가사와 그 사방에 이르고 망대에서부터 견고한 성까지 이르렀더라"

히스기야가 하나님과 연합하여 떨어지지 않으니까 하나님께서는 히스기야가 하는 모든 일을 형통하게 하셨습니다. 하나님이 히스기야에게 앗수르를 배반하라고 하니까 두말하지 않고 앗수르를 버렸습니다. 이스라엘이 앗수르를 배반했다가 나라가 망했지만 히스기야는 하나님이 하라고 하시니 앗수르도 버렸던 것입니다. 블레셋의 가사도 치라고 하시니 가서 쳤습니다. 블레셋의 모든 망대나 견고한 성도 부수라고 하시니 다 부수었습니다. 이것은 하나님이 히스기야와 함께하시는 증표였습니다.

앞에 절벽이 있는 줄을 보면서도 방향을 돌리지 않고 인간적인 머리만 의지했던 이스라엘이라는 나라는 결국 망하게 됩니다. 히스기야왕 4년 곧 호세아 7년에 앗수르 왕 살만에셀이 사마리아에 올라와서 성을 에워싸게 됩니다. 그리고 3년 만에 사마리아는 함락됩니다. 그리고 이스라엘 사람들은 엄청난 숫자가 죽고 2만 7천 명가량이 포로로 잡혀가게 되는데, 전부 앗수르의 변두리 척박한 땅으로 끌려가서 거기서 이스라엘이라는 나라가 없어지게 됩니다. 이스라엘이 이방인들과 결혼해서 피가 다 섞여버렸기 때문입니다. 이스라엘이 멸망하고 만 것은 그들이 여호와의 말씀을 듣지 않고 하나님께서 모세에게 명령하신 것을 다 버렸기 때문입니다.

3. 믿음의 대가

우리가 하나님을 열심히 믿으면 언제나 모든 일에 형통하고 모든 일이 잘될 것으로 생각합니다. 그러나 하나님은 때때로 우리로 더 겸손하게 하시며 하나님의 위대하심을 나타내시기 위해서 엄청난 어려움을 주실 때가 있습니다. 이때 우리는 세상의 방법은 다 버렸고 아직 하나님의 능력은 오지 않아서 애매할 때가 많습니다. 하나님의 백성이 아직 어리거나 청소년 시기가 되면 하나님의 백성으로 행동해도 아직 모세나 엘리야 같은 능력은 나타나지 않아서 어려움에 처하게 될 때가 많습니다. 이것이 바로 우리가 믿음을 가졌을 때 치러야 하는 대가입니다.

히스기야도 이런 어려움을 당하게 되었습니다. 히스기야가 앗수르를 배반하니까 앗수르 왕 산혜립이 올라와서 유다를 멸망시키려고 모든 성읍을 점령하고 라기스까지 오게 되었습니다. 라기스가 뚫리면 그다음은 바로 예루살렘이 공격당하게 됩니다.

이때 아직 히스기야는 하나님의 능력을 체험하지 못했습니다. 그렇다고 해서 무조건 앗수르와 싸울 수 있는 자신감도 없었습니다. 그래서 결국 히스기야는 앗수르 왕과 굴욕적인 화친을 맺게 됩니다. 그때 히스기야는 앗수르 왕에게 자기가 앗수르를 배반한 것을 인정하면서 왕이 얼마를 요구하든지 다 내겠다고 했습니다. 그때 앗수르 왕은 히스기야에게 은 삼백 달란트와 금 삼십 달란트를 내라고 했습니다. 이것은 엄청난 돈이었습니다. 히스기야는 이 은과 금을 마련하기 위해서 성전 문에 입힌 금을 다 떼어내고 왕궁 기둥에 붙어 있는 금을 다 떼어내고 성전의 금과 왕궁의 금을 전부 다 모아서 앗수르 왕에게 바쳤습니다.

18:15-16, "히스기야가 이에 여호와의 성전과 왕궁 곳간에 있는 은을 다

주었고 또 그 때에 유다 왕 히스기야가 여호와의 성전 문의 금과 자기가
모든 기둥에 입힌 금을 벗겨 모두 앗수르 왕에게 주었더라"

그러나 앗수르 왕은 금과 은만 받고 약속을 떼먹어버리고 대군을
이끌고 예루살렘에 쳐들어왔습니다. 히스기야는 앗수르 왕에게 사기
당한 것입니다. 앗수르 왕 산헤립은 돈은 다 받아 놓고 신하들과 군대
를 보내 예루살렘까지 점령하려고 했습니다. 이 세상에서 현실의 벽
은 너무 높아서 우리가 하나님의 말씀을 들고 가면 실패할 수밖에 없
습니다. 그 때문에 많은 사람이 신앙을 버리고 세상으로 가버립니다.
그러나 우리는 세상에서 실패한 모습 그대로 또 하나님께 나가야 합
니다. 그때 세상의 벽이 허물어지면서 하나님의 기적이 나타나게 됩
니다. 아무리 어려움을 당해도 귀한 믿음이 보석입니다. 끝까지 하나
님을 배반하지 말고 하나님을 따르시기 바랍니다.

30
히스기야의 치욕
왕하 18:17-37

헤르만 헤세가 쓴 작품 중에 청소년이 좋아하는 《데미안》이라는 소설이 있습니다. 그 내용을 보면 데미안이 다른 곳에서 전학 오게 되었는데 학교의 나쁜 아이들이 싱클레어에게 자꾸 나쁜 짓을 시키는 것입니다. 처음에는 부모의 돈을 훔쳐서 오라고 하더니 그다음에는 저금통에 있는 돈을 다 털어서 오라고 시킵니다. 그리고 나중에는 누나를 밤에 데리고 나오라고 합니다. 주인공 싱클레어는 누나까지 거짓말로 꾀어내어 깡패들에게 데리고 가려고 하니까 너무 양심에 고통이 되었습니다. 그래서 싱클레어는 깡패들에게 가서 도저히 자기 양심으로 누나를 데리고 오지 못하겠다고 하니까 이 아이를 때리려고 했습니다. 그때 전학 온 지 얼마 안 되는 데미안이 나타나서 깡패들을 다 때려서 쫓아버리고 싱클레어를 위기에서 구해줍니다. 아마 학교에서 깡패들에게 시달리는 아이들은 데미안 같은 친구가 있으면 좋겠다고 생각할 것입니다. 그런데 소설 《데미안》은 처음에는 기독교적인 분위기에서 시작되지만, 나중에는 아주 이상한 종교로 흐르기 때문에 조심해서 읽어야 합니다.

사회에서나 단체에서 약한 자는 항상 강한 자로부터 괴롭힘을 당하게 되어 있습니다. 직장에서 부하 직원은 실적이 나쁘다고 매일 상사에게 꾸지람을 듣는 바람에 화병이 되어서 돌연사하는 때도 있고, 우울증이나 공황장애를 겪기도 합니다.

하나님의 백성은 하나님의 말씀으로 하나님의 사랑을 많이 받는 존귀한 자들입니다. 그러나 힘이나 돈이나 권세가 없습니다. 그래서 악한 마귀는 이 세상에서 힘이 있고 권세 있는 자들을 충동질해서 하나님의 백성을 시기하게 만듭니다. 하나님의 백성은 가난도 참을 수 있습니다. 때로는 병의 고통도 참을 수 있습니다. 그러나 인격적으로 다른 사람들에게 무시당하고 욕을 먹는 것은 참기가 어렵습니다. 그런 일을 겪을 때 하나님의 백성은 죽어야 하나 아니면 참으면서 살아야 하나 하는 고민을 하게 됩니다.

1. 이해할 수 없는 상황

히스기야는 유다에서 몇백 년에 한 명 날까 말까 한 신앙의 인물이었습니다. 그는 아버지 때 섬기던 우상을 다 부수었고 제단을 파괴해 버렸습니다. 또 유다 백성이 우상숭배로 사용하던 모세의 놋뱀까지 부수어버렸습니다. 그리고 히스기야는 악한 나라 앗수르와의 관계를 끊어버렸습니다. 그리고 유다의 가시와 같은 블레셋을 쳐서 이기고 블레셋 지역 안에 유다의 성을 쌓아서 유다 백성이 살게 했습니다. 이것은 하나님께서 히스기야와 함께하신다는 증표였습니다. 더욱이 히스기야는 전쟁을 대비하여 역대 어느 왕도 하지 못한 대공사를 했습니다. 바로 예루살렘 성의 바위를 뚫어서 수로를 만들어놓은 것입니다. 그래서 지금도 예루살렘에 가면 땅속으로 히스기야가 판 터널을 통해서 물이 계속 성안으로 흘러가는 것을 볼 수 있습니다.

그런데 드디어 앗수르가 예루살렘으로 쳐들어왔습니다. 히스기야
는 마음으로는 하나님을 믿었지만, 현실적으로는 도저히 앗수르와 싸
울 수 없었습니다. 이것이 바로 말씀과 현실의 차이입니다. 히스기야
는 앗수르 왕 산헤립에게 종이 되겠다고 약속하고 그들이 달라는 대
로 금과 은을 다 바쳤습니다. 금을 얻기 위해서 성전의 문과 기둥에
있는 금까지 다 벗겨서 바쳐야 했습니다.

그러나 산헤립은 히스기야로부터 금과 은을 다 받고 난 후에는 예
루살렘을 포위해서 백성을 모두 다 죽이고 예루살렘을 자기 땅으로
만들려고 했습니다. 히스기야는 이것을 도무지 이해할 수 없었습니
다. 그는 철저하게 하나님의 말씀에 순종해서 우상을 부수고 그 단을
파괴해 버렸습니다. 그는 하나님의 말씀대로 모든 것을 철저하게 했
습니다. 그러나 현실은 그렇게 쉽지 않았습니다. 히스기야는 너무나
도 강한 군사를 거느린 앗수르 왕 산헤립의 공격을 받아서 성전의 금
과 은과 왕궁의 금을 다 바쳐야 했고, 이제는 성전이 있는 성까지 빼
앗겨야 했습니다. 이때는 이런 욕을 당하느니 그냥 죽어야 하느냐 아
니면 비참하지만 끝까지 살아야 하느냐 하는 선택을 해야 합니다.

18:17, "앗수르 왕이 다르단과 랍사리스와 랍사게로 하여금 대군을 거느
리고 라기스에서부터 예루살렘으로 가서 히스기야 왕을 치게 하매 그들
이 예루살렘으로 올라가니라 그들이 올라가서 윗못 수도 곁 곧 세탁자의
밭에 있는 큰 길에 이르러 서니라"

이때 앗수르 왕 산헤립은 예루살렘을 지키는 성인 라기스에 군대
를 보내 공격하고 있었습니다. 산헤립은 라기스에서 히스기야가 보
낸 금과 은을 다 받았습니다. 그리고 그것으로는 성이 차지 않았는지
자기 밑에 있는 장군들에게 많은 군대를 거느리고 예루살렘으로 가서
히스기야에게 엄청난 욕을 퍼부은 다음, 성을 공격해서 정복하라고

지시했습니다. 산혜립은 그것이 당연하다고 생각한 이유는 자기가 신이나 마찬가지라고 생각했기 때문입니다.

이때 앗수르 왕의 장군들과 예루살렘의 고관들이 만난 곳은 예루살렘 성 가까이에 있는 윗못 수도, 즉 '세탁자의 밭'이 있는 큰 길이었습니다. '세탁자의 밭'은 세탁하는 사람이 빨래하고 난 후에 빨래를 널어놓는 곳을 말하는 것 같습니다.

2. 랍사게의 욕설

이때 앗수르의 장군 중에서 히스기야와 예루살렘을 욕한 대표적인 인물은 랍사게라는 장군이었습니다. 랍사게는 특이하게도 히브리 말을 아주 유창하게 말할 수 있었습니다. 그뿐만 아니라 랍사게는 예루살렘의 사정을 아주 잘 알고 있었습니다. 그래서 랍사게는 유대인들의 약점도 잘 알고 있었습니다. 랍사게는 유창한 히브리어로 유다의 높은 직위에 있는 세 사람에게 몇 가지 욕을 했습니다.

첫째는 히스기야가 앗수르 왕을 이길 계략이 없다는 것입니다. 여기서 계략은 히스기야가 판 수로를 말하는데 물만 있다고 해서 전쟁에서 이길 수 있는 것은 아니라고 했습니다. 전쟁에서 물이 있는 것은 기본이고 양식과 무기와 군사가 있어야 하기 때문입니다. 그래서 너희들이 믿는 것은 말뿐이지, 실제로는 앗수르를 이길 수 없다고 했습니다.

두 번째는 너희가 애굽의 군대를 믿고 항복하지 않는 것 같은데, 이미 애굽은 자기 스스로도 지킬 수 없는 약한 나라가 되어버렸다고 했습니다. 랍사게는 애굽은 상한 갈대라고 했습니다. 즉 부서진 대나무와 같기 때문에 그것을 짚고 길을 가면 손만 더 찔리게 된다고 했습니다.

세 번째는 너희가 여호와를 의지한다고 하는데, 사실 너희는 여호와를 버렸다고 했습니다. 그 이유는 산당에 제사드리는 그 많은 곳이 전부 여호와를 섬기는 곳인데 히스기야가 종교개혁을 한다고 하면서 산당을 다 허물어버렸으니까 사실 너희는 이미 여호와를 다 버려놓고 여호와를 믿는다고 큰소리를 치고 있다고 했습니다. 사실 이 말은 아직도 산당의 제사를 잊지 못하는 일반 백성의 마음을 충분히 흔들 수 있었습니다.

그리고 네 번째로는 랍사게는 유대인들은 말을 탈 줄 모른다는 것을 잘 알고 있었습니다. 하나님께서는 이스라엘 백성에게 말을 의지하지 말라고 명령하셨기 때문입니다. 그래서 유다 백성들은 나귀는 타고 다닐 수 있었지만 큰 말을 타고 달리는 것은 하지 못했습니다. 랍사게는 유다의 높은 신하들에게 말을 잘 탈 수 있는 사람만 내어놓으면 너희에게 말 이천 마리를 주겠다고 했습니다. 그러나 예루살렘에는 말을 잘 탈 수 있는 사람이 없었습니다. 예루살렘 사람들은 랍사게가 말 이천 마리를 공짜로 주겠다고 해도 말 탈 사람이 없어서 말을 받지 못했습니다. 물론 랍사게의 이 말도 거짓말일 것입니다.

18:25, "내가 어찌 여호와의 뜻이 아니고야 이제 이 곳을 멸하러 올라왔겠느냐 여호와께서 전에 내게 이르시기를 이 땅으로 올라와서 쳐서 멸하라 하셨느니라 하는지라"

그리고 랍사게는 여기에 결정적인 거짓말을 했습니다. 그것은 우리가 예루살렘을 쳐들어온 이유는 우리 마음대로 온 것이 아니라 하나님께서 올라가서 예루살렘을 멸망시키라고 명령하셨기 때문이라고 했습니다. 그래서 랍사게는 히스기야나 예루살렘 사람들이 앗수르에 항복하지 않고 버티면 버틸수록 하나님의 명령을 거역하는 것이 된다고 엄포를 놓았습니다.

3. 유다 대표의 부탁

이때 예루살렘 대표로 왕궁 책임자인 엘리야김과 서기관 셉나와 사관 요아가 나가 있었습니다. 그런데 이 세 명의 유다 대표들은 랍사게가 유창한 히브리말로 하나님의 이름을 훼방하고 유다 백성을 무시하는 것을 보고 견딜 수 없었습니다. 그래서 이 세 명의 대표는 랍사게에게 특별한 부탁을 했습니다. 즉 유다 대표들은 아람어라든지 앗수르 말을 알아들을 수 있으니까 제발 히브리어로 욕을 하지 말고 아람어로 해 달라고 했습니다. 지금 성 위에 있는 모든 백성이 장군이 하는 말을 다 듣고 있는데 그들이 이 말을 들으면 너무나도 좋지 못하기 때문에 제발 히브리말로 욕하지 말고 아람어로 해달라고 부탁했습니다.

이 말을 듣고 랍사게는 세 명의 예루살렘 대표에게 야단을 쳤습니다. "내가 앗수르 왕의 명령으로 여기에 와서 말하는 것은 너희 세 사람만 들으라고 하는 줄 아느냐? 아니라"는 것입니다. "예루살렘 사람들은 곧 양식이 없어서 자기 대변을 먹고 자기 소변을 마시게 될 텐데 내가 말하는 것은 백성도 다 들으라고 하는 소리라"고 소리를 질렀습니다. 그리고 랍사게는 더 큰 소리로 성 위에 있는 백성이 다 들을 수 있도록 히브리어로 말을 했습니다. 즉 "너희는 히스기야의 말에 속지 말라"고 했습니다. 히스기야가 너희에게 여호와가 우리를 건지실 것이고 예루살렘은 앗수르 왕의 손에 함락되지 않을 것이라고 말하는 모양인데 속지 말라고 했습니다.

일단 랍사게는 백성에게 그럴듯한 미끼를 던졌습니다. 그것은 너희가 항복하기만 하면 모두 자기 포도와 무화과 열매를 먹고 자기 우물에서 물을 마실 것이라고 했습니다. 단지 조건은 그들이 다른 지방으로 가야 한다는 것이었습니다. 이것은 예루살렘 사람들을 포로로 잡아서 딴 곳으로 끌고 간다는 뜻이었습니다. 그러나 항복하면 죽이지는 않을 것이라고 했습니다. 랍사게가 생각하기에 이미 멸망한 이스라엘과 유다는 같은 하나님을 믿는 사람들입니다. 그러나 이스라엘 백성은 앗수르 왕에게 항복하지 않고 버티다가 거의 다 죽고 2만 7천 명 정도만 포로가 되어서 아주 먼 곳으로 끌려갔습니다. 그러니까 예루살렘도 이스라엘과 다를 것이 뭐가 있냐고 생각하고 있었습니다.

그뿐만 아니라 지금까지 앗수르 왕과 싸웠던 많은 민족이 모두 신들이 있었는데 어느 신도 그 백성을 구하지 못했다고 주장했습니다.

18:33, "민족의 신들 중에 어느 한 신이 그의 땅을 앗수르 왕의 손에서 건진 자가 있느냐"

하맛과 아르밧의 신들과 스발와임과 헤나와 아와의 신들이 어디 있느냐고 물었습니다. 이 나라는 모두 앗수르가 정복한 나라들이었습니다.

그리고 마지막으로 너희와 같은 신을 믿는 사마리아의 신 여호와가 이스라엘을 구해주었느냐고 꾸짖었습니다. 그러면서 랍사게는 예루살렘 사람들에게 여호와가 너희를 구하실 것이라는 말에 속지 말라고 했습니다. 랍사게는 바로 여기서 예루살렘 사람들의 마음을 건드렸습니다. 만약 랍사게가 예루살렘 사람들의 잘못이나 미련한 것을 꾸짖고 욕을 했더라면 다 받아들였을 텐데 여호와가 감히 너희를 구하겠느냐고 했을 때, 이 전쟁은 바로 신앙의 싸움이라는 것을 알았던 것입니다.

예루살렘 사람들은 성 위에서 랍사게가 하는 무지막지한 욕을 듣고서도 아무도 말을 하지 않았습니다. 왕이 백성에게 랍사게가 무슨 욕을 해도 아무 말도 하지 말라고 명령을 내렸기 때문입니다.

대개 전쟁은 심리전에서부터 시작합니다. 그래서 상대방에서 욕을 하면 이쪽에서도 욕을 해서 욕에서부터 일단 밀리지 말아야 합니다.

휴전선에 있는 북한 군인들이 가장 흔들리는 것은 남한에서 하는 대북방송이라고 합니다. 달콤한 말로 유행하는 노래를 부르면 추운 데서 고생하는 북한 군인들의 마음이 흔들린다고 합니다. 그런데 이미 북한 사람들은 남한의 비디오를 사서 다 보고 있고 노래도 다 부르고 있다고 합니다. 그리고 개성 공단에서 나누어주던 초코파이는 최고 북단 압록강이나 두만강 마을까지 올라가서 인기가 있다고 합니다.

그러나 백성은 아무도 랍사게에게 욕을 하지 않았습니다. 그 이유는 이것은 하나님이 랍사게를 통해서 우리를 시험하시는 말씀이고 우리가 말로 사람을 이기는 것이 이기는 것이 아니라, 하나님을 움직여야 전쟁에서 이기는 것이라고 생각했기 때문입니다. 오늘날은 스트레스의 시대이고 분노의 시대입니다. 인구의 반 정도는 우울증으로 고통받고 있거나 정신과 치료를 받고 있습니다. 그러나 우리는 죽으면 안 되고, 자포자기해서도 안 됩니다. 사람을 이길 필요 없이 하나님의 마음만 움직이면 이기게 됩니다.

31
히스기야의 승리
왕하 19:1-37

우리나라가 올림픽 경기에서 부동의 금메달을 차지하는 종목은 여자 양궁입니다. 여자 양궁 선수들은 시합할 때 바람이 불 수도 있고 관람객들이 소리 지를 수도 있으므로 훈련할 때 강한 바람이 부는 날에도 양궁을 쏘게 하고 또 양궁을 쏠 때 옆에서 소리 지르거나 꽹과리 같은 것을 치게 하거나 밤에 혼자서 무덤을 갔다 오게 하거나 손으로 뱀을 집게 하는 훈련을 한다고 합니다. 사실 이런 것들은 양궁과는 직접적인 관계는 없지만, 어떤 환경에서도 손이나 발이 흔들리지 않고 쏘려고 하면 이런 담력 훈련이 필요하다는 것입니다.

하나님은 우리를 낮추시고 또 낮추서서 완전히 밑바닥이 되게 하신 후에 그 사람을 일으키서서 세계적인 축복을 받게 하시는 경우가 많이 있습니다. 그래서 요셉 같은 경우에는 애굽의 총리가 되기 전에 노예가 되었고, 또 여주인의 요구를 거절했다고 해서 죄수가 되기도 했습니다. 그에게 완전히 희망이 사라졌을 때 하나님은 그를 일으키서서 애굽의 총리가 되게 하셨습니다. 사드락, 메삭, 아벳느고는 느부갓네살이 만든 금 우상에 절하지 않는다고 해서 맹렬하게 타는 풀무 불에 던져졌지만, 그들은 그 불에 타지 않고 살아서 나왔습니다.

히스기야는 이스라엘이나 유다에서 몇백 년에 하나 날까 말까 한 신앙의 인물이었습니다. 그는 아버지 때부터 섬겨오던 우상들을 다 부수고 성전에 있는 앗수르의 제단도 부수고 철저하게 율법대로 살았습니다. 그러나 어느 날 힘이 센 앗수르 군대가 쳐들어와서 나라를 다 불태우고 마지막 남은 라기스를 공격하면서 백성이 다 보는 앞에서 욕이란 욕은 다 듣게 됩니다. 그런데 히스기야 왕에게는 이런 앗수르의 큰 군대를 물리칠 힘이 없었습니다. 히스기야가 신앙대로 하면 앗수르에게 항복하지 말고 하나님이 도우실 때까지 버텨야 하지만, 인간적인 생각으로는 항복해서 목숨이나 건져서 포로로 붙들려가는 길밖에 없었습니다. 히스기야는 신앙과 현실 사이에서 고민하지 않을 수 없었습니다. 그리고 이때까지만 해도 하나님은 히스기야에게 아무런 말씀도 주시지 않았습니다. 죽어야 하는지 아니면 굴욕적으로라도 살아야 하는지가 히스기야의 고민이었습니다.

1. 히스기야의 심정

히스기야는 앗수르 왕 산헤립이 보낸 신하 랍사게로부터 모든 백성이 보는 앞에서 가장 더럽고 수치스러운 욕을 다 들었습니다. 그러나 히스기야는 앗수르 왕의 신하에게 반박하는 말을 한마디도 할 수 없었습니다. 반박했다가는 앗수르 군대를 더 자극해서 한 사람도 살지 못하고 다 죽을 수 있었기 때문입니다.

19:2, "왕궁의 책임자인 엘리야김과 서기관 셉나와 제사장 중 장로들에게 굵은 베를 둘려서 아모스의 아들 선지자 이사야에게로 보내매"

이때 히스기야는 자기 옷을 찢었습니다. 이것은 이스라엘 백성이 가장 슬플 때 하는 행위입니다. 그리고 굵은 베옷을 입었습니다. 이 옷은 사람이 죽었을 때 입는 상복입니다. 지금 히스기야나 예루살렘 사람들은 모두 다 죽은 사람이나 마찬가지라는 뜻이었습니다. 그리고 히스기야는 자기가 가장 신임하는 사람 세 사람을 이사야 선지에게 보내서 자신과 유다를 위해서 기도해 달라고 부탁했습니다. 히스기 야가 적이 군사들을 끌고 와서 공격하려고 하는데 작전 회의를 하든 지 백성을 모아서 전쟁할 준비를 하지 않고, 신하들을 이사야 선지에 게 보내어서 기도를 부탁한 것은 옳은 결정이었을까요? 보통 사람들 은 이해할 수 없지만, 이것은 바른 방향이었습니다. 신하들을 이사야 에게 보낸 때부터 하나님의 말씀이 흘러나오기 시작했기 때문입니다.

그래도 히스기야에게 소망이 있는 것은 하나님의 말씀을 전하는 선지자 이사야가 있었다는 사실입니다. 히스기야는 자기 신하들을 이 사야에게 보내서 자기 심정을 이야기하게 하는데 그렇게 솔직하게 자 신의 심정을 표현할 수 없습니다.

19:3, "그들이 이사야에게 이르되 히스기야의 말씀이 오늘은 환난과 징벌
과 모욕의 날이라 아이를 낳을 때가 되었으나 해산할 힘이 없도다"

히스기야는 앗수르 왕의 신하가 많은 군대를 이끌고 예루살렘 문 앞에까지 와서 욕이란 욕은 다 했을 때 "오늘은 환난과 징벌과 모욕 의 날이라"고 했습니다. 정말 히스기야는 이 세상에 태어나서 이런 욕은 처음 들어보았고 이런 욕을 듣고서도 한 마디의 반박을 하지 못 하는 자신은 치욕 중의 치욕을 당했다고 했습니다. 히스기야는 자신 을 아기를 낳는 산모에 비유했습니다. 산모가 아기를 낳아야 하는데 힘을 다 써도 아기가 나오지 않고 이제는 쓸 힘도 없어서 아기도 죽어 가고 자신도 죽어가고 있는 형편이라는 것입니다. 이때는 그 누구도

산모를 도울 수 없고 아기를 도울 수 없습니다.

히스기야는 앗수르 군대가 쳐들어온 환난 자체를 부정적으로 보지 않았습니다. 이것은 마치 아기를 낳는 것과 같기 때문에 힘을 쓰면 더 좋은 아기가 태어날 수 있습니다. 그러나 문제는 히스기야 자신이 탈진해서 아기를 밀어낼 힘이 없었다는 것입니다.

히스기야는 히브리어를 능통하게 하는 랍사게가 백성 앞에서 살아계신 하나님을 모욕했는데 하나님께서도 그 욕을 들으셨을 것이라고 하면서, 이사야 선지에게 제발 당신도 아직 남아 있는 예루살렘 사람들을 위해서 죽임당하지 않도록 기도를 해달라고 부탁했습니다.

히스기야 왕의 신복들이 이사야 선지를 찾아갔을 때 드디어 하나님의 말씀이 이사야 선지에게 임했습니다. 그것은 앗수르 왕의 부하가 욕한 것 때문에 두려워하지 말라는 것이었습니다. 그가 욕한 것은 너희에게 한 것이 아니라 여호와 하나님 나에게 한 것이라고 했습니다. 그래서 내가 한 영을 보내리니 앗수르 왕 산헤립이 예루살렘까지 오지도 못하고 본국으로 돌아가서 거기서 칼에 맞아 죽을 것이라고 하셨습니다. 하나님의 말씀은 너무나도 쉬운 듯 보이지만 현실 가운데서 그 말씀을 믿는 것은 너무나도 어렵습니다.

2. 앗수르 왕이 보낸 편지

이때 앗수르 왕은 라기스를 점령했는지 라기스를 떠나서 립나에서 전쟁하고 있었습니다. 그래서 예루살렘에 있던 랍사게는 립나에서 앗수르 왕을 만나 예루살렘에서 벌어진 일을 보고했습니다. 즉 랍사게는 자기가 예루살렘 사람들이 다 알아들을 수 있도록 욕이란 욕은 다 했는데 예루살렘 사람들은 한마디의 응답도 없이 잠잠히 있다는 것입니다.

이때 하나님이 보내신 한 영이 소문을 퍼트리기 시작했습니다. 그 것은 구스 왕 디르하가가 예루살렘을 돕기 위해서 출발했다는 소문이 었습니다. 아마도 이 당시 구스 즉 에디오피아는 아프리카 북부를 지 배하는 강력한 나라였던 것 같습니다. 앗수르가 아무리 강한 군대를 가지고 있다고 하지만 구스 군대와 예루살렘의 유다 군대 사이에 끼 게 되면 아무래도 어려워질 수 있었습니다. 이때 이 소문을 듣고 앗수 르 왕은 자기 나라로 돌아가면 되는데, 앗수르 왕은 끝까지 예루살렘 을 정복할 생각을 가지고 있었습니다. 그래서 그는 구스 왕 디르하가 가 출동했다는 말을 듣고서도 고향으로 돌아가지 않고 오히려 히스기 야에게 더 치욕적인 편지를 써서 보냈습니다.

19:10, "너희는 유다의 왕 히스기야에게 이같이 말하여 이르기를 네가 믿 는 네 하나님이 예루살렘을 앗수르 왕의 손에 넘기지 아니하겠다 하는 말 에 속지 말라"

그 편지에는 히스기야가 너희에게 하나님 여호와가 우리를 구원 한다고 큰소리치지만 그 말을 믿지 말라는 내용이 들어 있었습니다. 지금까지 우리가 여러 나라를 정복했는데 우리를 이긴 신이 없었다는 것입니다. 하나님께서는 소문을 통하여 산헤립을 본국으로 돌아가게 하려고 하셨는데, 그는 돌아가기는커녕 도리어 편지를 써서 더욱 더 히스기야를 두렵게 만들었습니다.

3. 한 명의 천사

히스기야는 앗수르 왕의 신하 랍사게가 한 욕설과 앗수르 왕이 보 낸 편지가 너무나도 치욕적이어서 감당할 수 없었습니다. 아마 히스기야가 그 욕설과 편지를 자기 힘으로 감당하려고 했으면 미쳐서 죽었을지 모릅니다. 그래서 이사야 선지는 히스기야에게 앗수르 왕이나 신하가 욕한 것은 너에게 한 것이 아니고 하나님 나에게 한 것이니까 너무 괴로워하지 말라고 말씀하셨습니다.

히스기야는 앗수르 왕의 이 악한 편지를 가지고 성전에 올라갔습니다. 그리고 그 편지를 하나님 앞에 펴놓고 하나님께 기도했습니다. "그룹 위에 계시는 하나님은 천하만국에 홀로 계신 하나님이시라. 하나님이 천지를 만드셨습니다"라고 고백했습니다. 그리고 "하나님은 귀를 기울여서 랍사게가 한 욕을 들으시고 하나님은 눈을 뜨셔서 산헤립이 보낸 편지를 보십시오."라고 했습니다. "물론 앗수르 왕이 여러 민족을 멸망시킨 것은 맞지만 그들의 신들은 가짜요 그것들은 나무나 돌로 만든 것인데 우리 하나님은 천하만국에 홀로 하나님이신 분이신데 앗수르 왕이 이렇게 욕을 하니 하나님께서 우리를 그 손에서 구원하여 주십시오."라고 기도했습니다.

이때 하나님은 선지자 이사야를 보내서 말씀하셨습니다. 하나님은 히스기야가 앗수르 왕 산헤립 때문에 기도하는 것을 들으셨다고 하셨습니다. 그리고 하나님은 앗수르 왕에게 대하여 "네가 처녀 딸 시온을 멸시하며 비웃었는데 너는 하나님에 대하여 반항하고 욕을 했다."고 말씀하셨습니다. 물론 네가 많은 나라를 정복하며 여러 민족을 멸망시켰지만 이것은 하나님께서 오래전부터 예정하신 것이라고 하셨습니다.

19:25상, "네가 듣지 못하였느냐 이 일은 내가 태초부터 행하였고 옛날부터 정한 바라"

앗수르 왕 산헤립은 자기가 유능하고 야망이 있어서 이 모든 나라를 정복한 줄 알지만, 하나님께서는 태초부터 이런 계획을 가지고 계섰고 예정을 해 놓으셨다는 것입니다. 그래서 산헤립은 하나님의 손에 의하여 사용되는 꼭두각시에 불과하다는 것입니다.

그러나 우리는 악한 자가 도를 넘어서 하나님의 백성을 해치지 못하도록 기도해야 합니다. 그래서 우리는 누군가가 말도 되지도 않는 말로 욕하거나 대적할 때 성전에 나와서 하나님께 "하나님, 저 악한 자가 하는 욕을 다 들으셨지요? 그 말이 전부 자기 머리로 돌아가게 해주십시오."라고 기도해야 합니다. 누군가가 악한 편지를 보내거나 혹은 욕을 하는 전화를 했을 때도 성전에 나와서 편지를 펼쳐 놓고 "하나님, 이 사람이 쓴 편지를 읽어보십시오. 이 사람은 저를 욕한 것이 아니라 하나님을 욕하고 있습니다."라고 일러 바쳐야 합니다. 사람들이 미련하게도 다른 사람이 카톡이나 문자로 보낸 악플을 다 읽는 바람에 너무 속이 상해서 자살하기도 하고 정신병에 걸리기도 하는 것을 보게 됩니다. 그런 것은 읽을 필요가 없는 것입니다.

하나님께서는 히스기야가 앗수르 왕을 물리칠 증거를 말씀하셨습니다. 그것은 올해는 유다 백성이 농사를 짓지 않고 밭에서 자동적으로 난 밀이나 곡식을 먹는다는 것입니다. 올해는 양식도 없고 씨를 뿌릴 종자도 없기 때문입니다. 그런데 놀랍게도 들판에서 얼마나 많은 곡식이 자라는지 유다 백성은 굳이 농사를 지을 필요가 없었습니다. 그리고 하나님은 히스기야에게 내년에도 농사를 지을 필요가 없다고 하셨습니다. 올해 저절로 자란 밀이나 곡식에서 떨어진 것이 또 열매를 맺을 것이기 때문이라고 하셨습니다. 그리고 그동안에 유다 백성은 포도나무를 심고 무화과나무를 심으면 삼 년 후에는 열매를 맺을 것이라고 하셨습니다. 그 이유는 예루살렘에 남은 자가 있고 시온에 피하는 백성이 있기 때문이라고 하셨습니다. 여기서 '남은 자'는 예루살렘에서 죽지 않고 살아남은 사람을 말하는 것이 아니라 끝까지 세상을 따라가지 않고 하나님을 붙드는 사람들을 말하는 것입니다.

하나님께서는 히스기야를 안심시키는 말씀을 하셨습니다. 하나님은 히스기야에게 앗수르 왕이나 그 군대가 예루살렘을 향해서 화살을 하나도 쏘지 못하고 자기들이 온 길로 돌아갈 것이라고 하셨습니다. 하나님은 다윗을 위해서 이 성을 보호하고 구원하겠다고 말씀하셨습니다. 그러나 현실은 하나님의 말씀과 너무 달랐습니다. 현실에서는 구스 왕 디르하가가 예루살렘을 구해준다는 소식은 가짜 소문에 불과했고, 지금 앗수르 왕의 군대가 예루살렘을 멸망시키려고 온 들판을 가득 채우고 있었습니다.

19:35, "이 밤에 여호와의 사자가 나와서 앗수르 진영에서 군사 십팔만 오천 명을 친지라 아침에 일찍이 일어나 보니 다 송장이 되었더라"

그러나 하나님의 역사는 밤에 나타났습니다. 그날 밤에 하나님의 천사 하나가 나타났습니다. 그리고 그는 앗수르 군대 십팔만 오천 명을 죽게 만들었습니다. 앗수르 군대는 하룻밤 사이에 전부 송장으로 변해버렸습니다. 산헤립이 아침에 일어나 보니까 온 들판과 장막 안에 있던 앗수르 군인들은 모두 죽어 있었습니다. 이것이 바로 하나님의 능력입니다. 하나님은 천사 하나만 보내도 무장한 군인 십팔만 오천 명을 죽일 수 있습니다.

우리가 하나님의 말씀을 믿고 기도하기만 하면 하나님의 군대는 사탄과 싸워서 물리치게 됩니다. 세상이 아무리 우리를 욕하고 조롱해도 너무 상처받지 말고 하나님께 다 돌리시기 바랍니다. 하나님은 모든 욕을 듣고 계시고 모든 악한 글을 보고 계십니다.

32
히스기야의 중병
왕하 20:1-21

하나님의 백성은 주로 세 가지 고난을 만납니다. 그 첫 번째가 경제적으로 망하는 고난입니다. 사람이 누구든지 경제적으로 망하면 인생 밑바닥까지 떨어지게 되고 먹을 것이 없어서 굶지 않으면 양식이나 돈을 빌려야 합니다. 그리고 사람들을 만날 수 없고 미래를 위한 계획을 전혀 세울 수도 없습니다. 그러나 돈이 없으면 하나님의 말씀은 얼마든지 들을 수 있고 기도할 수 있다는 장점이 있습니다. 두 번째는 악한 자로부터 구박을 당하거나 매일 욕을 먹는 고난입니다. 하나님의 백성은 자존감이 강하기 때문에 다른 사람들로부터 욕을 먹는 것은 잘 참지 못합니다. 또 나 때문에 하나님의 이름까지 욕을 먹을 때는 얼마나 억울하고 분한지 눈물을 흘리고 마음에 깊은 고통을 받게 됩니다.

그리고 세 번째로 당하는 고난은 죽을병에 걸리는 것입니다. 이 고난이 심각한 이유는 하나님이 기도를 들어주시지 않으면 죽게 되기 때문입니다. 이때 비로소 깨닫는 것이 내 생명은 내 것이 아니라는 사실입니다. 이때는 정말 목숨 건 기도를 하게 되는데 기적적으로 사는 분도 있고 돌아가시는 분도 많이 있습니다. 미국의 휴스턴에는 유명한 암센터가 있습니다. 그런데 그곳에 한국인 원장이 있었습니다. 그분이 우리나라 신문 기자와 인터뷰한 것을 보았는데, 한국 사람들은 암에 걸렸다고 하면 꼭 앞으로 얼마나 살게 되느냐고 물어본다는 것입니다. 그 물음에 앞으로 얼마나 살지는 어느 누구도 모른다고 답한다고 합니다. 그런데 가끔 기적이 일어날 때가 있는데 분명히 암이 있었지만 암이 깨끗이 없어지는 분들이 있다는 것입니다. 그리고 그런 분들은 거의 크리스천이라고 했습니다.

히스기야 왕은 강한 나라 앗수르가 침략했을 때 전쟁을 피하기 위하여 금이나 은을 전부 모아 앗수르 왕에게 다 갖다 바쳤습니다. 심지어 히스기야는 성전 벽이나 기둥에 붙어 있는 금까지 다 뜯어서 바쳤습니다. 그런데 앗수르 왕은 이렇게 다 빼앗아가고도 군대와 신하를 예루살렘에 보내서 백성이 듣는 앞에서 욕이란 욕을 다하게 했습니다. 그러나 하나님은 천사 하나를 보내서 하룻밤에 앗수르 군사 18만 5천 명을 이유도 없이 송장으로 만들어버렸습니다.

그런 후에 히스기야는 중병에 걸리게 되었는데, 피골이 상접해서 일어날 수도 없고 등에서는 썩은 고름이 나오는데 거의 죽을 것이 확실했습니다. 그런데다 이사야 선지자가 히스기야에게 와서 "네가 곧 죽을 테니까 집안과 나라의 모든 일을 정리하라"고 했습니다. 이제 히스기야가 죽을 것이 확실해지게 되었습니다. 히스기야에게는 더 이상 살 소망이 없었습니다. 사람에게 고통스러운 것은 소망이 없는 상태에서 죽을 때를 기다리면서 고통 가운데 있어야 한다는 것입니다.

1. 죽을병에 걸린 히스기야

이스라엘과 유다를 통틀어서 가장 신앙적으로 다윗을 닮았고 율법대로 하나님을 잘 믿었던 왕은 히스기야입니다. 그런데 이런 신앙의 인물 히스기야가 그 당시에는 병명을 알 수 없는 중병에 걸려서 거의 다 죽어가게 됩니다. 이런 모습을 보면 크리스천은 크게 실망하게 됩니다. "하나님을 잘 믿어도 전쟁이 일어나고 욕을 먹고 병에 걸리고, 하나님을 제대로 믿지 않아도 환난과 고통이 일어나고 욕을 먹고 중병에 걸린다면, 구태여 하나님을 믿어야 할 이유가 어디에 있느냐?" 하는 것입니다.

20:1, "그 때에 히스기야가 병들어 죽게 되매 아모스의 아들 선지자 이사야가 그에게 나아와서 그에게 이르되 여호와의 말씀이 너는 집을 정리하라 네가 죽고 살지 못하리라 하셨나이다"

히스기야는 자신을 돌아보니까 도대체 나을 병 같지 않았습니다. 히스기야는 식사를 제대로 하지 못하고 점점 죽어가고 있었습니다. 하나님의 백성은 이런 절망적인 상황에 처해도 하나님의 한 방 기적을 믿고 인내하면서 병과 싸우다가 또 기적적으로 살아나는 경우가 많이 있습니다.

제 어머니는 제가 어렸을 때 간디스토마에 걸려서 새카맣게 죽어가고 있었습니다. 의사는 집에 왕진와서 어머니를 진찰해보고 얼마 못산다고 했습니다. 그때 어머니는 아직 젊은 나이에 이 아이들만 두고 가는 것과 특히 믿지 않는 남편을 만나서 신앙생활도 제대로 하지 못했는데 죽는다고 생각하니까 너무 기가 차셨다고 합니다. 그래서 어머니는 하나님께 눈물로 베개를 적시면서 한번만 살려주시면 신앙생활도 잘하고 아이들도 신앙으로 잘 키우겠다고 하나님과 약속하셨습니다. 얼마 후 어머니는 그 병을 이기고 살아나셨습니다. 그리고 한평생 새벽이면 일어나 기도하시고 아무리 남편이 반대하고 시어머니가 핍박해도 아이들을 교회에 보내고 신앙생활을 하셨습니다.

하나님의 신실한 종 이사야가 하나님의 말씀을 그대로 전하는데, "너는 집을 정리하라. 너는 죽고 살지 못하리라"고 하니까 히스기야는 그야말로 실낱같이 남은 희망마저 완전히 사라지고 말았습니다.

여기서 우리가 갖게 되는 의문은 두 가지입니다. 첫째는 도대체 히스기야는 무슨 병에 걸렸을까 하는 것이고, 또 하나는 왜 하나님은 그렇게 하나님을 잘 믿는 히스기야를 병으로부터 살려주시지 않을까 하는 것입니다.

히스기야가 걸린 병은 암은 아니고 결핵성 척추염인 것 같습니다. 많은 경우 결핵은 폐결핵으로 걸리는데 어떤 경우에는 척추에 걸리는 경우도 있습니다. 이럴 때는 등의 상처에서 고름을 하루에 한 종지씩 받아내는데 결국 사람이 빼짝 말라서 죽게 됩니다. 아마도 히스기야는 앗수르 군대가 포위하고 백성이 굶으니까 자신도 금식하다가 건강이 약해져서 이런 병에 걸렸다고 볼 수 있습니다. 또 다른 하나는 현대에 많이 걸리는 화병을 생각할 수 있습니다. 히스기야는 원수로부터 모욕당하고 하나님의 이름까지 더럽힘을 당하니까 너무나도 화가 났던 것입니다. 히스기야는 몸 상태만 해도 죽을 것 같은데 하나님의 선지자까지 찾아와서 죽고 살지 못할 것이라고 하니까 그에게는 아무런 소망이 없었습니다.

2. 히스기야의 기도

히스기야는 이스라엘과 유다 전체에서 눈뜨고 찾아볼 수 없는 신앙의 인물이었습니다. 그러나 그가 이런 식으로 비참하게 죽으면 앞으로 오고 올 유다의 모든 왕은 하나님을 잘 믿어봐야 아무 소용이 없다고 하면서 더 하나님을 멀리할 것 같았습니다. 그런데 이사야는 히스기야에게 죽는다고 했지, 기도까지 하지 말라고 하지 않았습니다.

하나님은 아무리 절대적이라고 하셔도 그 뜻을 바꾸시는 경우가 있습니다. 그래서 히스기야는 하나님을 향해서 통곡하면서 기도했습니다.

> 20:2-3, "히스기야가 낯을 벽으로 향하고 여호와께 기도하여 이르되 여호와여 구하오니 내가 진실과 전심으로 주 앞에 행하며 주께서 보시기에 선하게 행한 것을 기억하옵소서 하고 히스기야가 심히 통곡하더라"

우리가 인생길을 걷는 것이나 하나님의 일을 하는 것은 마치 긴 마라톤 경기를 하는 것과 같습니다. 하나님의 이 경기를 끝까지 완주하려고 준비하고 뛰고 있는데 아직 반도 뛰기도 전에 하나님께서 그만두라고 하신다면 우리는 너무나도 억울할 것입니다. 그러면 우리는 하나님께 울면서 "한 번만 더 기회를 주셔서 하나님의 뜻을 이루게 해주십시오."라고 기도하며 매달릴 것입니다.

히스기야는 이제 겨우 앗수르 군대 물리쳤는데 하나님께서 이제 그만 살고 죽으라고 하시니까 히스기야는 기가 차서 벽을 향하여 통곡하면서 하나님께 기도했습니다. "하나님, 저는 지금까지 진실과 전심으로 하나님 앞에서 행했습니다. 제발 저에게 한 번 더 기회를 주셔서 하나님의 말씀으로 끝까지 뛰어서 하나님의 말씀대로 사는 것이 얼마나 복된 것인지 사람들에게 보일 수 있게 해주십시오."라고 하며 매달린 것입니다. 이것은 하나님이 보시기에 충분히 설득력이 있는 기도였습니다.

우리는 하나님께서 히스기야에게 이 죽을병을 주신 이유를 두 가지로 생각해 볼 수 있습니다. 하나는 히스기야가 말씀대로 유다를 끌고 나갔지만 유다 귀족이나 백성은 형식적으로 하나님의 말씀에 순종하는 척했다고 보는 것입니다. 그럴 가능성이 큽니다. 히스기야가 죽고 난 후 그 아들 므낫세가 왕이 되는데 므낫세는 히스기야가 이룬 신앙의 업적을 전부 다 부수고 유다를 영적으로 다 죽여 놓았기 때문입니다. 그래서 사실 유다의 역사는 이후에도 계속되지만, 사실은 므낫세 때 멸망했다고 보아야 합니다.

그리고 또 하나는 하나님이 히스기야가 교만해질 가능성을 깨우쳐주시려는 것입니다. 이것도 상당히 타당한 가능성이 있습니다. 히스기야가 병이 낫고 난 후에 바벨론에서 축하 사신이 오는데, 그때 히스기야는 왕궁의 금이나 창고 안의 보물을 그들에게 다 보여주고 자랑에 빠진 것입니다. 여기서 우리는 히스기야가 하나님의 말씀에 순종해서 진실과 전심으로 섬겨온 것은 사실이지만, 유다 백성의 정신은 썩었고, 히스기야의 마음속에도 우쭐하는 자랑하는 마음이 있었던 것을 알 수 있습니다.

그런데 하나님 앞에서 통성으로 기도하고 울면서 기도하는 것은 효력이 있습니다. 이 기도는 모든 자존심을 다 버리고 오직 하나님만 바라보고 드리는 기도이기 때문입니다. 우리도 언제든지 기도할 수 있습니다. 하나님께서 "네 병이 낫지 않을 것이라"고 말씀하셔도 우리는 기도할 수 있습니다. 우리가 하나님께 기도하는 것만은 이 세상이나 하늘의 어떤 세력도 막을 수 없습니다. 이때 사람들은 전혀 중요하지 않습니다. 하나님과 나의 일대일의 관계만 중요한 것입니다.

3. 하나님의 응답

하나님은 드디어 히스기야의 눈물의 기도를 들으셨습니다. 그래서 이사야가 예루살렘 성읍 가운데까지 가기도 전에 하나님은 이사야에게 다시 가서 변경된 하나님의 뜻을 전하라고 말씀하셨습니다. 때때로 우리가 보기에 하나님의 뜻은 정해진 것 같지만 우리가 눈물로 기도하고 통성으로 기도할 때 얼마든지 바뀔 수 있습니다.

20:5-6, "너는 돌아가서 내 백성의 주권자 히스기야에게 이르기를 왕의 조상 다윗의 하나님 여호와의 말씀이 내가 네 기도를 들었고 네 눈물을 보았노라 내가 너를 낫게 하리니 네가 삼 일 만에 여호와의 성전에 올라 가겠고 내가 네 날에 십오 년을 더할 것이며 내가 너와 이 성을 앗수르 왕의 손에서 구원하고 내가 나를 위하고 또 내 종 다윗을 위하므로 이 성을 보호하리라 하셨다 하라 하셨더라"

하나님께서는 이사야를 통하여 히스기야에게 "내가 네 기도를 들었고 네 눈물을 보았노라"고 말씀하셨습니다. 이것은 하나님께서 누구나 진심으로 드리는 기도를 들으시는 것을 보여줍니다. 그래서 하나님은 자리에서 일어나지도 못하던 히스기야에게 3일 만에 성전에 올라가서 예배를 드릴 것이고. 그의 수명을 15년이나 더 늘려 주시고. 이 성을 앗수르 왕의 손에서 구원해주시겠다고 약속하셨습니다.

히스기야는 "네가 죽고 살지 못하리라"는 이사야의 예언도 기가 막혔지만, "네가 병이 다 나아서 3일 만에 성전에 올라가리라"는 말씀은 더 믿을 수 없었습니다. 히스기야는 이사야 선지가 말하는 하나님의 말씀을 믿고 싶었지만, 인간이 얼마나 약합니까? 지금 거의 다 죽어가고 있는데 정반대되는 말씀을 하시니까 히스기야는 믿을 수 없었습니다.

이때 이사야는 신하에게 무화과 반죽을 가져오라고 해서 히스기야 왕의 고름 나는 상처에 놓으니까 고름이 그쳤습니다. 그리고 히스기야는 이사야 선지에게 지금 나는 거의 죽어가고 있는데 도대체 무슨 근거로 3일 만에 성전에 올라가겠다고 말씀하시느냐고 물었습니다. 그때 이사야는 "하나님이 한 징조를 보여주실 텐데 아하스의 해시계가 앞으로 10도 나아가기를 원하느냐, 아니면 뒤로 10도 나아가기를 원하느냐?"고 물었습니다. 히스기야 왕은 해시계가 앞으로 가는 것은 쉬우니까 거꾸로 뒤로 가게 해 달라고 부탁했습니다. 즉 시간이 뒤로 물러나는 것입니다. 그때 아하스의 해시계 그림자가 뒤로 10도 물러가고, 히스기야는 3일 후 성전에 올라가서 하나님께 병을 낫게 하신 감사 예배를 드리게 됩니다.

그러나 유감스러운 것은 히스기야도 자랑의 함정에는 빠지고 말았다는 것입니다. 히스기야가 앗수르 군대를 물리치고, 죽을병이 기적으로 나았다는 소문이 전 세계에 전해지게 되었습니다. 그때 바벨론 왕 브로닥발라단은 세계 정복을 꿈꾸고 있었는데, 반드시 예루살렘의 비밀을 알아야 하겠다고 생각했습니다. 그래서 히스기야가 병 나은 것을 축하하는 사신을 보내면서 예루살렘의 비밀을 알아내고자 했습니다. 예루살렘의 비밀은 눈물의 기도에 있고 하나님의 말씀에 있었습니다. 그러나 히스기야는 다시 살게 되니까 너무 기분이 좋아서 바벨론의 사신들에게 자기 자랑을 실컷 했습니다. 즉 히스기야는 바벨론의 사신들에게 눈물의 기도와 하나님의 성전 말씀을 보여주어야 하는데, 보물창고에 아직 남아 있는 보물과 군기고의 모든 무기들을 보여주고 자랑한 것입니다.

이때 이사야는 다시 히스기야에게 와서 사신들이 어디서 왔으며 왕은 무엇을 보여주었느냐고 물었습니다. 그랬더니 히스기야는 여기에 온 사신들은 바벨론의 사신들이고 창고의 보물과 무기고의 무기들을 다 보여주었다고 했습니다. 그랬더니 이사야는 "하나님의 말씀에 어느 날 바벨론 군대가 쳐들어올 텐데 그때 창고의 모든 보물을 다 빼앗아가고 무기고의 무기를 전부 다 탈취해 갈 것"이라고 했습니다. 그리고 왕이나 귀족의 자식들은 전부 내시가 되어서 바벨론 왕을 섬길 것이라고 했습니다. 우리가 조금만 빈틈을 보이면 바로 사탄이 틈타고 하나님의 심판이 임하는 것입니다.

그런데 이때 히스기야는 이해할 수 없는 말을 합니다.

20:19, "히스기야가 이사야에게 이르되 당신이 전한 바 여호와의 말씀이

선하니이다 하고 또 이르되 만일 내가 사는 날에 태평과 진실이 있을진대 어찌 선하지 아니하리요 하니라"

　여기서 히스기야는 이사야에게 당신이 전한 하나님의 말씀은 선하다고 하면서 내가 사는 동안에 태평과 진실이 있으면 된다고 했습니다. 우리가 보기에 히스기야의 이 말은 후대에 유다가 망하는 것은 상관없다고 하는 것 같습니다. 사실 우리는 후대까지 책임질 수 없습니다. 우리는 우리 세대에서 최선을 다하고 후대는 후대대로 하나님 앞에서 매달려서 자신들의 부흥을 일으켜야 합니다.

　하나님은 우리의 기도를 들으시고 우리의 눈물을 보시는 분이십니다. 병과 사투를 벌이고 계신 분은 모두 눈물의 기도로 승리하시기 바랍니다. 그러나 우리가 끝까지 자랑하지 않고 하나님을 높여드리기는 어렵습니다. 하나님께서 우리에게 더 많은 긍휼을 베풀어주시기를 바랍니다.

33
영적인 추락
왕하 21:1-26

이스라엘과 유다에는 아주 큰 대세가 있었습니다. 이것은 바로 우상숭배라는 대세였습니다. 이스라엘은 금송아지를 숭배하고 다른 나라의 바알이나 아세라를 숭배하다가 멸망했는데, 유다도 그 흐름을 따라가고 있었습니다. 히스기야의 아버지 아하스는 엄청난 우상숭배자였습니다. 그러나 이 우상숭배의 흐름을 역으로 돌린 사람이 바로 히스기야였습니다. 히스기야는 모든 우상을 부수고 산당 예배도 금지하고 적이 쳐들어와도 여호와를 믿는 믿음을 지켰기 때문에 앗수르 군대 18만 5천 명을 물리칩니다. 그리고 중병에 걸려 죽어갈 때 눈물로 간구함으로, 하나님은 이사야를 보내서 사흘 만에 건강해져서 성전에 올라가서 예배를 드릴 것이라고 하시면서 그 증표로 아하스의 해 시계를 뒤로 십도나 물러나게 하셨습니다.

그런데 히스기야가 죽은 후 왕이 된 그의 아들 므낫세는 아버지가 평생에 걸쳐서 돌려놓은 흐름을 되돌려놓았습니다. 므낫세는 12살에 왕이 되어서 55년 동안 유다의 왕으로 있었습니다. 그동안 므낫세는 아버지가 만들었던 성전 제도를 전부 다 부수어버렸습니다. 그리고 므낫세는 백성을 설득해서 바알과 아세라의 단을 만들고 해나 달이나 별들을 숭배하는 종교를 믿게 했습니다. 므낫세는 거기서 한 걸음 더 나아가 하나님께서 가장 싫어하시는, 아들을 불 가운데로 통과해서 죽이든지 중화상을 입히는 종교까지 믿었습니다. 므낫세가 추구했던 이런 종교 정책은 옛날 하나님이 가나안 땅에서 쫓아내었던 아모리 족속들보다 더 타락한 것이었습니다.

그래서 하나님은 드디어 유다도 이미 멸망한 이스라엘처럼 망하게 할 것이고, 그릇을 씻은 후에는 엎어서 보관하듯이 예루살렘을 엎어버리겠다고 말씀하셨습니다. 즉 유다나 예루살렘의 멸망은 이미 므낫세 때 이루어졌다고 볼 수 있습니다. 그러나 실제로는 유다의 역사가 좀 더 계속됩니다. 즉 요시야라는 왕이 나타나서 하나님의 말씀대로 통치하기도 하지만, 요시야가 죽은 후에는 요시야의 세 아들 여호여김과 여호야긴 그리고 시드기야 때 유다는 멸망하게 됩니다.

1. 우상숭배의 대세

히스기야의 아버지 아하스는 하나님께서 이사야 선지를 보내어 두려워하지 말고 하나님을 믿으라고 권면하셨음에도 불구하고 하나님의 말씀을 믿지 않고 돈과 우상을 믿었습니다. 그때 이사야는 자기 아들 스알야숩을 데리고 가서 지금 이스라엘 왕 르신과 아람 왕 베가가 맹렬히 타는 나무 같지만 사실은 타다가 저절로 꺼질 부지깽이에 불과하니까 너무 두려워하지 말고 하나님을 의지하라고 말씀하셨습니다. 이사야의 아들 스알야숩의 이름의 뜻은 남은 자가 돌아온다는 뜻인데, 실제로 이스라엘에 포로로 붙들려갔던 이십만 명이 아무 조건 없이 풀려나서 예루살렘으로 돌아왔습니다.

우리는 하나님의 말씀을 들으면 적용해야 합니다. 즉 포로 되었던 자들이 살아서 돌아왔으면 이스라엘 왕 르신과 아람 왕 베가의 불도 꺼지게 될 줄 알아야 했던 것입니다. 이사야는 아하스 왕에게 하늘이나 땅의 징조를 구하라고 했지만, 아하스는 자기 머리만 믿고 성전의 금과 창고의 은을 주고 앗수르 왕에게 복종했던 것입니다. 이런 우상숭배와 굴욕의 흐름을 완전히 거꾸로 돌린 사람이 히스기야였습니다.

히스기야는 아버지 시대의 모든 바알이나 아세라의 우상을 부수고 심지어는 아버지가 만든 앗수르의 제단을 부수고, 모세가 만든 놋뱀까지 백성이 숭배하니까 부수어버렸습니다. 이렇게 히스기야가 시대의 흐름을 역행하니까 그에게 너무나도 어려움이 많았습니다. 앗수르 왕 산헤립이 쳐들어와서 망할 처지에 놓이게 되었고, 심지어 자신은 죽을병에 걸려서 죽기 직전의 상태에 놓이기도 했습니다. 그러나 하나님은 히스기야를 도와주셔서 앗수르 군대 18만 5천 명을 죽였고, 히스기야를 살리기 위해서 해 시계의 그림자를 10도나 뒤로 물러나게 하기도 했습니다. 그러나 히스기야도 인간이기 때문에 영원히 살 수는 없었습니다.

히스기야가 하나님이 약속하신 대로 15년을 더 왕 노릇 하고 죽었을 때 그 아들 므낫세가 왕이 되었습니다. 므낫세는 왕이 되자마자 히스기야가 했던 바른 하나님을 믿는 모든 신앙을 부수고 예루살렘과 유다를 우상숭배의 나라로 만들고 말았습니다. 므낫세는 12살에 왕이되어 무려 55년을 왕 노릇을 하면서 예루살렘과 유다를 철저한 우상숭배의 나라로 만들었습니다.

우리 생각으로는 므낫세의 아버지 히스기야는 그 놀라운 신앙의 인물인데 어떻게 해서 그의 아들은 그렇게 철저한 우상숭배자가 될 수 있었을까 하면서 이해하지 못할 것입니다. 이것이야말로 돌연변이라고 말할지 모릅니다. 그러나 인간의 눈으로 보면 므낫세가 돌연변이가 아니라 히스기야같이 하나님의 말씀을 믿는 신앙의 인물이 돌연변이입니다. 그런 의미에서 우리는 모두 돌연변이라고 말할 수 있습니다.

므낫세는 온 예루살렘과 유다를 우상숭배의 나라로 만들었고 바로 이때 유다는 이미 정신적으로 멸망했던 것입니다. 병원의 환자 중에는 중병에 들어서 스스로 움직이지도 못하고 의식도 없고 인공호흡기에 의지해서 호흡하는 분들은 단지 생물학적으로만 살아 있어서 피가 돌고 있을 뿐입니다. 그러다가 얼마 있지 않으면 결국 돌아가시는데 실제적인 사망은 이미 의식이 없고 스스로 호흡하지 못할 때부터라고 보아야 합니다.

> 21:2-3, "므낫세가 여호와 보시기에 악을 행하여 여호와께서 이스라엘 자손 앞에서 쫓아내신 이방 사람의 가증한 일을 따라서 그의 아버지 히스기야가 헐어 버린 산당들을 다시 세우며 이스라엘의 왕 아합의 행위를 따라 바알을 위하여 제단을 쌓으며 아세라 목상을 만들며 하늘의 일월 성신을 경배하여 섬기며"

므낫세가 모델로 삼았던 사람은 이스라엘의 가장 악한 왕 아합이었습니다. 그래서 바알과 아세라 상을 만들고 심지어는 하나님께서 이름을 두시겠다고 맹세한 성전 마당에 해와 달과 별을 섬기는 우상을 만들고, 자식을 불 가운데 통과시켜서 죽이는 종교의식을 행했던 것입니다. 또 사람들에게 점도 치게 하고 신접한 자와 박수도 가까이 두고 그들이 하는 말을 믿었습니다.

므낫세는 어리석게도 자기만 사용하는 아세라 목상을 성전에다가 세웠습니다. 성전은 어떤 곳입니까? 하나님께서 자기 이름을 두신 곳이라고 했습니다. 우리가 성전에 가면 언제든지 하나님을 만날 수 있고 하나님의 말씀을 들을 수가 있는 것입니다. 하나님께서는 이스라엘 자손에게 그들이 성전을 깨끗이 지키며 여호와의 율법을 지키면 절대로 자기 발로 약속의 땅을 떠나서 세상을 방황하며 돌아다니지 않을 것이라고 약속하셨습니다. 므낫세는 자기가 주도적으로 우상숭배를 하면서 백성을 설득까지 했다고 합니다.

> 21:11, "유다 왕 므낫세가 이 가증한 일과 악을 행함이 그 전에 있던 아모리 사람들의 행위보다 더욱 심하였고 또 그들의 우상으로 유다를 범죄하게 하였도다"

하나님은 가나안 원주민들이 우상숭배하는 것을 꼴 보기 싫어서 그들을 가나안 땅에서 다 쫓아내고 이스라엘 백성으로 하나님을 섬기게 했는데, 므낫세는 가나안 원주민보다 더 심하게 우상숭배를 했다고 했습니다. 그러니까 므낫세는 성전을 더 무당의 집이 되게 했고 예루살렘을 더 창녀촌이 되게 했던 것입니다.

2. 하나님의 징계

므낫세는 어떻게 해서 이렇게 불신앙적인 사람이 되었을까요? 첫번째는 호기심이나 반항심 때문이었다고 생각됩니다. 므낫세는 어렸을 때 아버지가 기도하라고 하면 반항심이 생기고 말씀을 읽으라고 하면 반항심이 생겼던 것입니다. 그러다가 나중에는 세상의 탐욕이 생겨서 세상에서 성공하기 위해서 세상 사람들보다 더 적극적으로 우상숭배 했던 것 같습니다.

우리 인간은 자기 눈에 보이지 않는 것은 잘 믿으려고 하지 않습니다. 그래서 하나님을 믿는 것보다는 성모 마리아를 믿는다든지 천사상을 만들어놓고 믿는 것을 더 좋아합니다. 그러나 이것은 하나님의 백성에게는 자기 심장을 칼로 찌르는 것과 같습니다. 하나님의 백성은 우상을 믿고 점을 믿는 순간 자기는 죽는 것입니다. 물론 그들은 이 세상에 살아 있지만, 사실은 식물인간으로 살아 있는 것에 불과합니다.

하나님은 앞으로 유다에 재앙을 내릴 것인데 듣는 사람들의 귀가 울릴 것이라고 했습니다. 즉 유다가 망했다는 소리가 큰 종을 치는 것처럼 귀에서 오래오래 울리게 된다는 것입니다. 결국 그는 귀머거리가 되고 말 것입니다.

21:13, "내가 사마리아를 잰 줄과 아합의 집을 다림 보던 추를 예루살렘에 베풀고 또 사람이 그릇을 씻어 엎음 같이 예루살렘을 씻어 버릴지라"

므낫세는 아합을 자신의 모델로 삼았기 때문에, 하나님은 아합을 망하게 하던 그 기준으로 철저하게 망하게 하시고, 사람이 그릇을 씻어서 엎는 것 같이 예루살렘을 씻어서 엎겠다고 경고하셨습니다. 그러면 예루살렘에는 밥풀떼기나 깍두기 하나도 남지 않고 다 씻기게 되는 것입니다.

므낫세와 유다 백성은 자기 조상들을 애굽에서 나오게 하셨던 하나님을 배신하여 악을 행하고 또 죄 없는 사람들을 자기 마음에 들지 않는다고 많이 죽여서 피를 흘렸습니다. 피가 성 이쪽에서부터 저쪽까지 가득했다고 했습니다. 정치하는 사람이나 정권을 잡은 사람들이 가장 조심해야 하는 것은 사람의 피를 흘리지 않는 것입니다.

그러나 그런 악한 므낫세도 나중에 회개하고 기도도 합니다. 그러나 그때는 이미 시기적으로 늦은 때였습니다. 하나님의 시간이 다 지나가 버리면 하나님은 인정사정없이 징계하십니다.

하나님은 므낫세를 미워하셔서 앗수르 군대 장관들이 와서 므낫세를 포로로 잡게 합니다. 그리고 그를 쇠사슬로 묶어서 바벨론까지 끌고 갑니다. 므낫세는 왕이면 모든 것을 다 할 수 있을 줄 알았지만, 왕도 강한 나라 앞에서는 별수 없었습니다. 그는 바벨론까지 끌려가면서 너무 고생을 했고 바벨론에 가서도 고난을 많이 당했습니다. 므낫세는 자신의 처지가 너무 비참하니까 엄청나게 울었던 것 같습니다. 그래서 하나님께서는 므낫세를 불쌍히 여기셔서 예루살렘에 돌아와서 다시 왕이 되게 하셨습니다. 그래서 므낫세가 유다 왕으로 55년을 지냈지만, 그중 상당한 기간은 포로로 끌려가서 포로 생활한 기간이 포함되어 있는 것입니다.

3. 므낫세의 회개

므낫세는 앗수르의 포로가 되어 자신의 처지가 너무 비참하니까 결국 자기 아버지가 믿던 여호와 하나님을 찾고 기도하게 되었습니다. 그러니까 놀랍게도 앗수르 왕이 그를 풀어주더니 다시 예루살렘에 가서 왕이 되라고 하는 것이었습니다. 그때야 비로소 므낫세는 여호와가 참 하나님인 줄 알았다고 했습니다.

> 대하 33:12, 13, "그가 환난을 당하여 그의 하나님 여호와께 간구하고 그의 조상들의 하나님 앞에 크게 겸손하여 기도하였으므로 하나님이 그의 기도를 받으시며 그의 간구를 들으시사 그가 예루살렘에 돌아와서 다시 왕위에 앉게 하시매 므낫세가 그제서야 여호와께서 하나님이신 줄을 알았더라"

우리가 죄를 짓고 율법의 선을 넘어가도 하나님은 침묵하십니다. 우리는 하나님이 침묵을 하실 때 마음을 겸손하게 낮추어서 "하나님, 제가 교만했습니다. 이제는 절대로 죄를 짓지 않겠습니다."라고 고백하면 하나님은 그냥 넘어가 주십니다. 그러나 하나님이 조용히 계신다고 해서 더 교만하고 더 악하게 나간다면 하나님은 최고의 치욕과 고생을 하게 하시는데, 왕이 포로가 되어서 그 먼 바벨론까지 쇠사슬에 묶여서 끌려가게 되는 것입니다. 그럼에도 불구하고 그가 겸손한 마음을 가지고 회개 기도를 하니까 하나님은 기적을 일으켜 주셔서 포로에서 풀려나게 하시고 다시 돌아와서 유다의 왕이 되게 하셨습니다. 므낫세는 그제야 여호와가 하나님인 줄 알았다고 했습니다. 평소에는 자기가 가장 똑똑한 줄 알았는데 한번 하나님께 맞아보니까 자기가 아무것도 아니라는 사실을 깨달았던 것입니다.

므낫세는 포로에서 돌아온 후 이방신들과 성전의 우상들을 제거했습니다. 그리고 성전 안에 있는 모든 우상의 제단들을 산 밑으로 다 집어 던져버렸습니다. 그리고 국력이 중요하다는 것을 깨닫고 다윗 성 밖에 외성을 쌓고 또 성전 문에 높은 망대를 두고 모든 유다의 성읍에 군대 지휘관을 두어서 방어하게 했습니다. 그리고 이제는 자신이 오직 하나님만 섬기고 제사드렸지만, 백성은 산당에서 자기 멋대로 제사를 드렸습니다. 므낫세가 눈물로 회개하고 기적적으로 바벨론에서 예루살렘으로 돌아와서 다시 왕이 되었고 우상을 버리고 하나님께만 제사했으면 하나님께서 므낫세의 죄를 다 용서하셨을 것 같습니다. 그러나 므낫세나 유다 백성의 죄는 용서되지 않았습니다. 왜냐하면 이미 하나님께서 기다리는 시간이 다 지나버렸기 때문입니다.

이후에 보면 므낫세의 아들 아몬의 이야기가 나옵니다. 그러나 그 모든 것은 므낫세가 행한 악의 재판이었습니다. 즉 '이하동문'인 것입니다. 하나님께서는 므낫세에게 55년이란 긴 세월을 주셔서 우상을 버리고 회개할 시간도 주셨지만, 아몬은 이미 싹이 글렀기 때문에 왕이 된 지 2년 만에 신하들이 반역해서 그를 죽이고 요시야를 새 왕으로 세우게 됩니다. 우리는 이하동문이 되면 안 되겠습니다. 우리는 자기 자신의 입으로 하나님께 신앙고백을 하고 하나님이 조용히 계실 때 겸손한 자세로 사는 것이 가장 중요합니다.

34
율법책의 발견
왕하 22:1-20

유다는 추락을 하고 있었습니다. 유다를 결정적으로 절벽에서 추락하게 만든 사람은 므낫세였습니다. 유다 왕 므낫세는 55년간 왕 노릇을 하면서 아버지 히스기야가 한 모든 신앙의 흔적을 다 지우고 우상의 나라로 만들어버렸습니다. 그래서 이미 므낫세 때 유다는 추락하고 있었습니다. 그런데 유다는 추락하다가 중간에 절벽에 있는 나무에 옷이 걸리게 됩니다. 추락하는 중간에 옷이 걸리도록 한 나뭇가지가 바로 요시야였습니다. 그래서 요시야는 추락하는 유다를 잠시 붙들어 둔 나뭇가지라고 할 수 있습니다. 그러나 유다를 우상숭배로부터 구출할 사람이 없어서 유다는 결국 절벽에서 떨어지게 됩니다. 그러나 유다는 절벽에서 떨어졌지만, 요시야 때문에 완전히 박살 나지는 않고 나라는 망하지만 바벨론으로 포로 되어간 지 70년 만에 돌아오게 됩니다.

요시야는 유다의 마지막 부흥의 불꽃이었습니다. 교사가 학생들을 데리고 수련회 기간 중 한밤중에 캠프파이어를 합니다. 나중에 나무가 다 타서 불이 꺼지게 되고 학생들이 방이나 텐트에 들어가야 할 시간이 되면 잔불을 꺼야 합니다. 그러나 불이 꺼지는 것을 학생들은 너무나도 아쉬워하기 때문에 진행하는 분은 남아 있는 기름을 다 부어서 나무에 다시 불길이 타오르게 됩니다. 그러면 기분이 좋아서 손뼉도 치고 마지막 노래를 부릅니다. 그러나 잠시 후면 결국 캠프의 불은 꺼지게 되어 있습니다.

유다가 하나님 축제의 나라라고 할 때, 축제의 불이 꺼져갈 시기에 마지막으로 다시 한번 불을 붙인 사람이 요시야였습니다. 그러나 요시야의 이 불길은 너무 짧았고 결국 요시야가 죽은 지 11년 후에 유다는 멸망하게 됩니다.

1. 요시야의 등장

요시야는 여덟 살에 왕이 되었습니다. 그런데 요시야는 얼마나 신앙 교육에 잘 되어 있었는지 시행착오를 겪지 않고 아버지 므낫세가 무려 55년 동안이나 우상의 나라로 만들어버린 유다와 예루살렘에 하나님의 부흥을 일으킵니다.

22:2. "여호와 보시기에 정직하게 행하여 그의 조상 다윗의 길로 걸으며 좌우로 치우치지 아니하고"

여기서 '좌' 라는 것은 하나님의 말씀에서 벗어나서 우상숭배로 빠지는 것을 말하고, '우' 라는 것은 하나님의 말씀에 없는 것을 자기 마음대로 만들어 종교적인 열광주의에 빠지는 것을 말합니다. 즉 바알과 아세라 우상숭배하는 것이 '좌' 라고 하면, 금송아지 우상숭배에 빠지는 것은 '우' 로 치우치는 것입니다. 그래서 하나님의 백성은 세상을 따라가도 안되고 종교적인 열광주의에 빠져도 안 됩니다.

대개 교인들은 요시야와 요아스를 혼동할 때가 많은데, 그들이 하나님을 찾게 되는 과정도 비슷합니다. 즉 요아스는 할머니 아달랴가 다윗의 자손들을 다 죽이고 왕이 될 때, 여호야다가 성전에 숨겨서 살린 왕자입니다. 그래서 요아스는 아기였을 때부터 성전에 숨어 자랐기 때문에 성전에 대한 애착이 많았습니다. 반대로 요시야는 거의 유다의 마지막 왕인데, 성전에 관심을 많이 가지고 신하나 제사장들에게 성전 수리를 시킨 모습을 성경에서 볼 수 있습니다. 그래서 요아스나 요시야도 왕이 되었을 때 신하나 제사장들에게 성전을 수리하라고 명령하게 됩니다. 그들은 비록 어린 나이였지만 하나님의 성전이 쓰레기장같이 방치되는 것을 보고 그냥 참을 수 없었던 것입니다.

본문에서 요시야는 왕이 된 지 열여덟째 해에 신하를 성전에 보내어 망가질 대로 망가진 성전을 다시 수리하라고 명령을 내립니다.

> 22:5-6, "여호와의 성전을 맡은 감독자의 손에 넘겨 그들이 여호와의 성전에 있는 작업자에게 주어 성전에 부숴진 것을 수리하게 하되 곧 목수와 건축자와 미장이에게 주게 하고 또 재목과 다듬은 돌을 사서 그 성전을 수리하게 하라"

요시야 나이가 스물여섯이라고 하지만 그 당시에 하나님의 말씀이 없어서 도대체 하나님을 섬기는 데 무엇이 잘못되었는지 알지 못했습니다. 그러나 요시야는 하나님과 그 성전에 대하여 특별한 관심을 가지고 있었습니다. 요시야는 하나님의 성전은 모든 유다 백성의 마음 중심에 있어야 하고 절대로 방치되어서는 안 된다고 생각했습니다. 이것이 바로 하나님에 대한 관심입니다. 바로 이 하나님에 대한 관심이 유다왕국을 절벽에서 추락하는 것을 막은 절벽에 박혀 있는 나뭇가지였던 것입니다. 우리가 하나님에 대하여 관심만 가지고 있어도 완전히 추락하는 것은 면할 수 있습니다.

요시야는 아버지 므낫세가 그렇게 파괴시킨 성전에 대하여 어떻게 관심을 가지게 되었을까요? 아마 그것은 하나님께서 처음부터 요시야의 마음에 하나님을 사랑하는 마음을 주셨기 때문인 것 같습니다. 그리고 요시야는 신하들에게 백성이 성전에 헌금한 것을 헤아리지 말고 그대로 성전을 수리하는 사람들에게 주라고 명령했습니다. 왜냐하면 유다 백성은 모두 서로 믿어야 하고 또 서로 정직해야 했기 때문입니다. 크리스천 사이에 있어서 먼저 믿어준다는 것은 굉장히 아름다운 행위입니다. 먼저 믿어주기 때문에 때로는 조금 믿음이 부족하거나 마음에 상처가 있는 사람도 힘을 얻을 수 있기 때문입니다.

요시야가 하나님의 성전에 대하여 가졌던 관심이 유다의 추락을 일시적으로 멈추게 만들었습니다. 마찬가지로 우리가 하나님의 말씀이나 예배에 관심을 가지는 것만으로도 우리 자신이나 우리나라의 추락을 막을 수 있습니다.

2. 율법책의 발견

대제사장 힐기야는 성전을 수리하기 위해서 상당한 부분까지 수리해야만 했습니다. 성전의 어떤 부분은 부수고 다시 지어야만 했습니다. 그래서 일하는 사람들이 성전의 너무 낡은 구석을 부수는데 거기에서 두루마리 율법책을 발견했습니다.

22:8, "대제사장 힐기야가 서기관 사반에게 이르되 내가 여호와의 성전에서 율법책을 발견하였노라 하고 힐기야가 그 책을 사반에게 주니 사반이 읽으니라"

우리가 이것을 통해서 므낫세 때 얼마나 하나님의 종교를 탄압했는지 하나님의 모든 율법책을 다 태우게 한 것을 알 수 있습니다. 그런데 그 와중에 어떤 사람이 율법책을 하나 빼돌려서 성전 구석에 감추었는데, 세월이 흐르고 난 후에 누군가가 성전 이곳을 고치게 되면 이 두루마리 율법책을 발견하게 될 것으로 생각하고 감추어둔 것이었습니다. 요시야는 하나님의 율법책 없이 자기 생각대로 성전의 부서지고 낡은 부분만 수리하고 있었는데 하나님의 율법책이 발견되니까 이것은 그에게 너무나도 엄청난 일이었습니다. 즉 이제는 하나님의 말씀에 따라서 옳고 그른 것을 분별할 수 있게 된 것입니다. 요시야 때 발견된 두루마리 율법은 모세오경 전체는 아닌 것 같고 아마도 신명기가 아닐까 하는 생각이 듭니다.

대제사장 힐기야는 두루마리 율법책이 발견되었다는 사실을 서기관 사반에게 알리고 사반은 왕에게 보고했습니다. 그래서 서기관 사반은 율법책을 요시야 왕 앞에서 낭독하게 되었습니다. 옛날에는 하나님의 말씀을 낭독하는 것을 아주 중요하게 생각했습니다. 그래서 유다 백성은 바벨론 포로에서 돌아온 후 모든 백성이 서서 몇 시간씩 제사장이 낭독하는 율법의 말씀을 들었던 것입니다(느 8:1-18). 왕의 말씀은 그 백성에게는 결코 지루한 말씀이 될 수 없습니다. 왜냐하면 왕의 말씀 하나하나는 그 백성이 살고 죽는 문제를 결정하는 말씀이기 때문입니다.

요시야는 그냥 순진한 마음에 부서진 성전만 수리하면 유다 백성의 신앙이 살아날 줄 알았는데, 두루마리 율법책을 들어보니까 그것이 아니었습니다. 요시야가 율법의 말씀을 듣고 깨닫게 된 것은 유다 백성이 가나안 땅에 사는 것은 원래 그들이 똑똑하고 능력이 있었기 때문이 아니었습니다. 가나안 원주민은 하나님이 너무 싫어하시는 우상숭배의 족속이었습니다. 물론 그들은 높은 성도 쌓고 좋은 문화도 만들고 거인들도 살고 있었지만, 그들은 너무나도 악한 족속이었습니다. 그래서 하나님께서는 멀리 애굽 땅에서 종살이하던 아브라함의 자손을 불러내서 이 우상숭배자들을 모두 쫓아내고 이 젖과 꿀이 흐르는 땅에 살게 하셨던 것입니다. 그래서 이스라엘 자손에게 가장 중요한 것은 하나님의 율법을 자기 생명처럼 사랑하고 지키는 것이었습니다. 이스라엘 자손이 하나님의 율법을 지키는 한 이 세상에 아무리 강한 족속이 쳐들어온다고 해도 그들은 망하지 않습니다. 왜냐하면 하나님의 불 말과 불 병거와 천사들이 지켜주기 때문입니다. 그러나 만일 이스라엘 자손이 하나님 율법의 말씀을 업신여기고 가나안 족속이나 이방 족속들의 신앙을 따라가면 그들은 하나님과의 약속을 깨어버린 자들이기 때문에 그들은 더 이상 가나안 땅에 살지 못하고 이 땅에서 쫓겨나야 하는 것이었습니다.

요시야 왕이 이 율법책의 말씀을 들었을 때 유다 백성은 단순히 성전을 수리했다고 해서 좋아할 것이 아니라 유다 나라는 망하고 있는 중이고 절벽에서 떨어지고 있는 나라라는 것을 깨닫게 되었던 것입니다.

22:13. "너희는 가서 나와 백성과 온 유다를 위하여 이 발견한 책의 말씀에 대하여 여호와께 물으라 우리 조상들이 이 책의 말씀을 듣지 아니하며 이 책에 우리를 위하여 기록된 모든 것을 행하지 아니하였으므로 여호와께서 우리에게 내리신 진노가 크도다"

요시야 왕은 드디어 깨닫게 되었습니다. 즉 성전이 부서진 것을 수리한다고 해서 유다가 사는 것이 아니라 이미 조상 때부터 하나님의 율법을 어김으로 유다 백성은 이 땅에 살 자격을 상실했다는 사실입니다. 이제 유다는 망해야 하고 추락해야 하고 이 좋은 땅에서 쫓겨나야만 했던 것입니다.

그래서 요시야 왕은 이 사실을 깨닫고는 너무나도 안타까워서 자기가 입고 있는 왕의 옷을 찢어버렸습니다.

22:11, "왕이 율법책의 말을 듣자 곧 그의 옷을 찢으니라"

요시야 왕은 우리가 지금 망하게 되었는데 좋은 옷을 입는 것이 무슨 소용이 있고 왕의 자리에 있는 것이 무슨 소용이 있느냐 하며 지기 옷을 찢어버렸습니다.

옛날에는 환자가 병원에서 검진을 받은 결과가 암이면 본인에게 말해주지 않았습니다. 환자에게 죽을병에 걸렸다고 말하는 것이 의사로서는 너무나도 가슴 아픈 일이었기 때문입니다. 그러나 요즘 병원에서는 그렇게 하지 않습니다. 환자를 진찰한 결과가 암이면 그대로 말해주고, 몇 기면 몇 기라고도 말을 해줍니다. 그래서 환자가 암이라고 해도 수술받을 수 있는 상태면 수술을 받게 하고, 수술을 받을 수 없는 상태라면 자신을 정리하고 남은 시간을 의미 있게 보내시라고 하는 것 같습니다.

요시야가 하나님의 말씀으로 받은 진단은 유다의 말기 암이었습니다. 유다는 죽어가고 있었고 절벽에서 추락하고 있었습니다. 이때 무슨 방법이 없겠습니까? 하나님께서는 아무 방법이 없다고 말씀하셨습니다.

3. 여선지 훌다의 예언

요시야는 유다가 죽어가는 이 절박한 순간에 하나님의 말씀 듣기를 원했습니다. 그래서 그는 대제사장 힐기야와 다른 제사장들을 여선지 훌다에게 보내서 지금 이런 상태에서 유다가 살 방법이 있는지 물어보게 했습니다. 여선지 훌다는 살룸의 아내였는데, 살룸은 성전에 있는 여러 가운을 정리하는 사람이었습니다.

므낫세가 그렇게 백성이나 나라의 신앙을 망쳤는데도 여선지 훌다에게는 하나님의 말씀이 임하고 있었습니다. 여선지 훌다는 대제사장 힐기야와 여러 제사장들이 찾아왔을 때 "너희는 너희를 보낸 요시야 왕에게 돌아가서 말하라"고 하면서 하나님의 말씀을 전했습니다. 요시야는 이 두루마리 책이 아주 오래된 것이기 때문에 시효라는 것이 있는지, 이 책에 적혀 있는 멸망이 지나갔는지 알고 싶었던 것입니다. 그런데 훌다는 하나님의 말씀에는 시효라는 것이 없다고 했습니다. 유다 백성이 우상숭배를 하는 즉시 그들은 하나님의 축복을 상실하고 재앙을 받게 되는데 모든 것이 이 책에 기록된 대로 될 것이라고 했습니다.

> 22:16-17, "여호와의 말씀이 내가 이 곳과 그 주민에게 재앙을 내리되 곧 유다 왕이 읽은 책의 모든 말대로 하리니 이는 이 백성이 나를 버리고 다른 신에게 분향하며 그들의 손의 모든 행위로 나를 격노하게 하였음이라 그러므로 내가 이 곳을 향하여 내린 진노가 꺼지지 아니하리라 하라 하셨느니라"

즉 유다 백성들이 하나님을 버리며 다른 신에게 분향하고 그들의 모든 행위가 이방인들을 따라가서 하나님을 격분하게 만들었으므로 하나님의 진노의 불은 꺼지지 않을 것이라고 했습니다. 유다에는 하나님의 진노의 불이 붙어 있었습니다. 하나님의 성령의 불, 곧 능력의 불이 붙어야 하는데, 자신들이 쓰레기밖에 안 되는 바람에 쓰레기를 태우는 하나님의 진노의 불이 붙었던 것입니다. 결국 유다는 절벽에서 떨어지다가 옷이 나뭇가지에 걸렸지만 결국 그들은 떨어지고 만다는 것입니다.

그런데 하나님은 한 가지 조건이 있다고 말씀하셨습니다. 그것은 요시야가 율법의 말씀을 듣고 하나님 앞에 겸비하고 옷을 찢고 통곡하였기 때문에 하나님은 요시야의 소원을 들으시고 요시야는 평안히 조상의 묘실에 들어갈 것이라고 말씀하셨습니다. 이것은 다시 말해서 요시야가 살아 있는 동안에는 멸망이 오지 않는다는 뜻입니다. 만일 유다 백성이 이 말씀을 믿었더라면 그들이 망하지 않는 방법이 있었습니다. 그것은 결국 요시야만 죽지 않으면 되는 것입니다. 그러나 유다 귀족들은 이 말씀을 믿지 않았습니다. 그래서 그들은 요시야에게 애굽과 앗수르의 전쟁에 중재하러 나가라고 충동질했는데 결국 요시야가 이 전쟁에 나가서 죽게 됩니다. 그래서 유다 부흥의 마지막 등불은 너무 빨리 꺼지게 되었고 유다는 요시야가 죽은 지 11년 만에 멸망하게 됩니다.

하나님의 말씀은 반드시 우리에게 살길을 주십니다. 하나님은 너희들이 망한다고 말씀하시지만, 그 말씀을 잘 생각하면 살길이 있는 것입니다. 요시야는 나라가 망할 것이라는 예언을 듣고서도 자기가 살아 있는 동안 유다의 모든 우상을 없애고 심지어는 이미 망한 이스라엘로 가서 우상숭배 했던 선지자들의 뼈를 태우는 일까지 합니다. 이것은 그가 하나님을 위하여 할 수 있었던 마지막 봉사였던 것입니다. 우리는 때때로 병이나 사고로 오래 살 수 없을 때가 있습니다. 그때 여호와를 기쁘게 하고 영화롭게 하는 것이 사람의 제일 되는 목적이라는 말씀을 기억하고 마지막 순간까지 하나님께 영광 돌리시기를 바랍니다.

35
회복 불능의 유다
왕하 23:1-37

유다 나라는 므낫세 왕의 우상숭배로 나라가 거의 추락하고 있었습니다. 그러다가 나라가 절벽 끝에 나와 있는 나뭇가지에 걸려서 떨어지는 것이 잠시 멈추었는데 그 나뭇가지에 해당하는 사람이 바로 요시야였습니다. 요시야는 여덟 살에 왕이 되었는데 한평생을 살면서 하나님의 말씀에서 좌로나 우로나 치우치지 아니하고 다윗의 길로 걸었습니다. 그가 가장 먼저 한 일은 아버지 므낫세 때 많이 무너지고 더럽혀진 성전을 수리하는 것이었습니다. 요시야는 대제사장 힐기야에게 성전을 수리하라고 했는데 힐기야는 성전을 수리하면서 두루마리 율법책을 발견했습니다. 요시야 왕은 두루마리 율법책을 읽고는 왕의 옷을 찢어버렸습니다. 유다 왕이나 백성이 한 일은 모두 가나안 땅에서 망하는 짓만 했기 때문입니다.

요시야 왕은 하나님의 뜻을 알기 위해서 대신들을 여선지 훌다에게 보내었는데 하나님의 말씀은 유다의 죄는 용서할 수 없고 유다는 망해야 한다는 것이었습니다. 그런데 하나님께서는 요시야에게 한 가지 특혜를 주셨습니다. 그것은 요시야가 두루마리 율법책을 읽고 너무 기가 막혀서 자기 옷을 다 찢고 하나님 앞에서 애통하고 겸비했기 때문에 요시야가 사는 동안에는 유다를 망하지 않게 멸망을 연기시켜 주신다는 것이었습니다.

여기서 유다 백성들이 택할 길은 두 가지 중 하나였습니다. 그 하나는 기왕 유다나 예루살렘은 멸망할 것이니까 망할 때까지 우상숭배하고 하나님을 대적하고 의로운 왕은 죽이자고 할 수 있었습니다. 그리고 다른 하나는 망할 때는 망하더라도 지금은 아직 살아 있으니까 우리가 살아 있는 동안은 최선을 다해서 우상을 버리고 하나님께 영광을 돌리다가 망하자고 생각할 수 있습니다. 그런데 요시야가 택한 길은 신앙의 길이었습니다. 그는 아무리 여선지 훌다가 유다는 멸망한다고 해도 자기가 살아 있는 동안 최선을 다해서 우상을 없애고 하나님께 영광을 돌려드렸습니다. 그리고 요시야가 전쟁에서 죽은 후에 유다는 급격하게 멸망의 길로 추락하게 됩니다.

1. 하나님이 예언하신 요시야

하나님은 놀랍게도 요시야라는 이름을 가진 사람이 이 세상에 태어날 것을 그가 태어나기 수백 년 전에 선지자를 통하여 예언하셨습니다. 선지자가 요시야라는 이름을 가진 사람이 앞으로 태어나서 금송아지 숭배를 하는 제사장들과 그 백성들의 뼈를 그 제단 위에서 태울 것이라고 예언한 것은 놀랍게도 이스라엘 왕 여로보암 때였습니다 (왕상 13:2).

이때 여로보암은 솔로몬의 아들 르호보암으로부터 무려 열 개의 지파를 떼어 내어서 새로 이스라엘이라는 나라를 세우게 되는데, 백성이 예루살렘 성전에 가지 못하도록 금송아지 우상을 벧엘에 만들어 놓고 백성에게 섬기게 했습니다. 하나님께서는 모세에게 십계명을 주시면서 이스라엘 백성은 하나님을 어떤 형상으로도 만들지 말라고 명령하셨습니다. 이런 형상들은 사람이 만든 것으로 진정한 하나님이 아니기 때문입니다. 특히 이스라엘 백성이 이런 형상을 섬기면 하나님 백성의 자격을 상실하게 되고 가나안 땅에서 쫓겨나게 된다고 말씀하셨습니다.

그러나 여로보암은 하나님께서 공사판에서 감독하던 자를 높이셔서 유다보다 더 큰 이스라엘의 왕으로 삼으신 것을 잊어버리고 오로지 왕의 자리에서 쫓겨나는 것만 두려워했습니다. 그래서 여로보암은 이스라엘 백성에게 하나님께 예배드리기 위하여 예루살렘 성전에 가지 말라고 했습니다. 백성이 자꾸 성전에 가면 자기를 배반하고 자기를 죽일 것이 두려웠기 때문입니다. 그래서 그는 금송아지를 만들어서 벧엘과 단에 두면서 이 금송아지가 하나님이라고 속였습니다. 그때 하나님은 유다에서 한 젊은 하나님의 사람을 보내서 금송아지 우상을 만들어놓고 제사하는 여로보암을 책망했습니다.

그 젊은 선지자는 금송아지 제단을 향해서 앞으로 요시야라 이름하는 사람이 나와서 이 제단 위에서 분향하는 제사장들을 제물로 바치고 그 뼈를 불사를 것이라고 예언했습니다. 그리고 이 제단이 거짓 제단인 증거로 제단이 쪼개어지고 그 재가 땅에 쏟아질 것이라고 했습니다. 그때 여로보암은 화가 나서 이 젊은 선지자를 향해서 손을 뻗치면서 소리를 질렀는데 그의 손은 뻣뻣해져서 접혀지지 않았습니다. 이때 여로보암 왕은 젊은 선지자에게 자기가 잘못했으니까 하나님께 기도해달라고 부탁해서 젊은 선지자의 기도로 뻣뻣해진 그의 팔이 회복되게 됩니다. 그리고 벧엘의 금송아지 상은 쪼개어지면서 그 위에 있던 재가 땅에 다 쏟아지게 되었습니다.

그런데 여기서 중요한 것은 요시야라는 왕이 이스라엘 땅에 와서 이스라엘의 모든 우상을 청소할 것이라고 아주 오래전에 하나님이 말씀하셨다는 사실입니다. 그런데 놀라운 것은 하나님이 예언하신 요시야는 너무 늦게 태어났다는 것입니다. 요시야가 이 세상에 등장한 것은 이미 이스라엘이 앗수르에 망해서 이스라엘 사람들은 다 죽고 살아남은 사람들은 먼 이방 땅에 포로로 잡혀간 후라는 사실입니다. 그리고 심지어 유다조차도 절벽에서 추락하다가 잠시 멈추어 있는 상태에 있었습니다.

왜 하나님께서는 요시야를 이스라엘이 망하기 전에 보내서 이스라엘이 멸망하지 않도록 하시지 않았을까요? 그리고 하나님께서는 유다조차도 이제는 너무 부패해서 더 이상 회복시킬 수 없는 상태에 있을 때 요시야가 태어나게 하셨을까요? 우리는 하나님의 자세한 뜻은 알 수 없습니다. 그러나 하나님은 분명히 앞으로 요시야라는 사람이 태어나서 금송아지 숭배하는 자들을 다 태워죽이고 이미 죽은 자들은 그 뼈를 불살라서 영원히 저주할 것을 경고하셨던 것입니다. 그래서 만일 이스라엘 백성에게 양심이 조금이라도 있었더라면 금송아지 숭배를 하면서 하나님을 두려워하는 마음이 생겼을 것이고 언젠가는 그것을 중단했을 것입니다. 그러나 이스라엘 백성이 멸망할 때까지 앞으로 이 요시야가 온다는 예언을 두려워하지 않았던 것을 보면 그들의 신앙 양심은 완전히 썩었다고 볼 수 있습니다. 이것은 유다도 마찬가지였습니다.

2. 하나님의 율법 실천

요시야가 하나님의 율법책을 발견하고 여선지 훌다에게 하나님의 뜻을 물었을 때 여선지 훌다는 그 책의 내용대로 유다는 망한다고 했습니다. 이제는 더 이상 하나님의 뜻은 돌이킬 수 없다는 것입니다. 그 대신에 하나님께서는 율법책을 보고 옷을 찢고 애통하고 슬퍼했던 요시야는 죽을 때까지 예루살렘이 망하는 것을 보지 않을 것이라고 하셨습니다.

이에 요시야와 유다 백성은 하나님께 영광 돌리는 쪽을 택했습니다. 하나님의 백성은 오래 사느냐 오래 살지 않느냐 혹은 평생 편안하냐 아니면 환란이 있느냐 하는 것보다 더 중요한 것이 지금 우리가 살아 있는 것이고 하나님께 영광 돌리는 것이기 때문입니다. 만약 우리가 살아 있는 날이 얼마 남지 않았다면 어떻게 하겠습니까? 우리는 성공하고 잘 살아야 한다고 생각하지만, 더 중요한 것은 우리가 살아 있는 동안 하나님을 기뻐하며 영광 돌리는 것입니다. 그래서 요시야는 살아 있는 동안 철저하게 하나님께 영광 돌리는 삶을 살았습니다. 그래서 역시 신앙의 불꽃은 다른 사람들과는 다른 것입니다.

요시야 왕은 우선 유다와 예루살렘의 모든 장로들을 다 모아서 담대하게 하나님의 성전에 올라갔습니다. 그리고 유다의 모든 백성과 제사장들과 선지자들을 다 모은 자리에서 성전에서 발견한 율법책을 낭독했습니다. 그리고 왕과 모든 백성이 마음을 다하고 뜻을 다하여 하나님의 계명과 법도를 지키기로 약속했습니다. 이것이 하나님의 백성에게 가장 중요한 것입니다.

> 23:6, "또 여호와의 성전에서 아세라 상을 내다가 예루살렘 바깥 기드론 시내로 가져다 거기에서 불사르고 빻아서 가루를 만들어 그 가루를 평민의 묘지에 뿌리고"

그리고 요시야 왕은 대제사장 힐기야와 모든 레위인들에게 지시해서 성전 안에 있는 바알과 아세라와 해, 달, 별의 우상과 그릇들을 성전 바깥 기드론 시내에 가지고 가서 불사르고 재는 벧엘에 가져가게 했습니다. 그리고 옛날 유다 왕들이 임명했던 산당의 제사장들과 우상을 섬기는 제사장과 해, 달, 별들의 신을 섬기는 제사장들을 파면했습니다. 그리고 하나님의 성전에서 아세라 여신상을 가지고 기드론 시내에 가서 태우고 그 가루를 평민들의 무덤에 뿌렸습니다. 성전 바깥의 기드론 시내가 있는 곳을 힌놈의 아들 골짜기라고 불렀는데, 이스라엘 백성은 그곳을 게헨나라고 불렀습니다. 게헨나는 지옥을 말하는데, 거기는 온갖 더러운 것들을 항상 태우는 곳이었습니다. 그리고 그 재를 평민의 골짜기에 뿌린 것은 그들의 죽음을 영원히 저주한다는 뜻입니다. 그런데 놀라운 것은 성전 안에 남창의 집이 있었다는 사실입니다. 여기 이 남창은 남자로서 몸을 파는 사람을 말하는 것입니다. 하나님의 성전 안에 여자 창녀로 모자라서 남자까지 있었다는 것은 성전이 썩어도 얼마나 썩었는지 보여주는 것입니다.

유다의 여러 왕은 태양을 숭배했는데 태양을 위한 말도 있었고 수레도 있었습니다. 그리스에서는 태양신이 있어서 매일 수레를 몰고 지구를 한 바퀴 돌게 되어 있었습니다. 아마 거기서 태양신이 나오고 태양의 수레가 나온 것 같습니다. 요시야는 그런 것들을 다 태워버렸습니다. 요시야는 아버지 므낫세가 성전 두 마당에 세운 제단들을 부수고 빻았습니다. 그리고 그 가루들을 기드론 시내로 내려보내었습니다. 유다 왕들은 감히 솔로몬이 세운 제단이나 우상을 부수지 못했는데 요시야는 솔로몬이 아니라 누구라도 그들이 세운 우상을 다 부수었던 것입니다.

3. 이스라엘의 죽은 자들

요시야의 열심은 유다와 예루살렘의 우상을 파괴하는 것으로 끝나지 않았습니다. 그는 하나님을 사모하는 열심이 너무 강해서 이미 망한 이스라엘 땅까지 가서 우상을 부수고 제사장들을 죽였습니다.

23:15, "또한 이스라엘에게 범죄하게 한 느밧의 아들 여로보암이 벧엘에

세운 제단과 산당을 왕이 헐고 또 그 산당을 빻아서 가루를 만들며 또 아세라 목상을 불살랐더라"

이때 이스라엘은 이미 앗수르에 망해서 많은 이스라엘 백성은 죽고 살아남은 자들은 아주 먼 곳으로 포로로 붙들려가야 했습니다. 그 대신에 이스라엘에 남아 있는 자들은 이방인들이었는데, 그들이 자기 민족의 우상을 자꾸 섬기니까 사자들이 와서 사람들을 물어 죽였습니다. 그래서 앗수르 왕은 이스라엘 백성이 사로잡혀 간 곳에서 제사장 한 명을 데리고 와서 이방 민족들에게 하나님을 섬기는 법을 가르쳐주었습니다. 그러나 모든 이방 민족은 자기 신들도 섬기고 하나님도 섬겼습니다. 이때 요시야는 북쪽 이스라엘까지 가서 모든 이방 신전을 다 부수고 우상을 불태우고 심지어는 이스라엘에서 금송아지를 섬기다가 죽은 사람들의 뼈를 꺼내어서 벧엘의 제단 위에 두고 다시 불살라서 가루로 만들어서 뿌렸습니다. 이것은 그들의 죽음을 영원히 저주한다는 뜻이었습니다.

그런데 드디어 요시야는 이름 없는 하나님의 사람의 무덤까지 오게 되었습니다. 거기에 보니까 비석이 하나 서 있었는데 요시야가 신하들에게 저 비석이 무슨 비석이냐고 물으니까 아주 옛날에 유다의 한 젊은 선지자가 여로보암이 금송아지 우상을 만들어서 제사하니까 앞으로 요시야라 이름하는 사람이 나타나서 사람들의 뼈를 제단 위에 불태우고 가루로 만들 것이라고 예언했는데, 이제 드디어 예언한 선지자와 요시야 왕이 만나게 되었다고 했습니다. 수백 년 전에 하나님이 한 이름 없는 무명의 선지자를 통해서 하신 말씀이 수백 년 뒤에 정확하게 요시야에 의해서 성취되었던 것입니다. 요시야는 그 무명 선지자의 무덤은 건드리지 말라고 했습니다. 그리고 그 사람의 뼈를 옮기지 말라고 했습니다.

그런데 요시야는 정말 우상이나 산당에 대해서는 인정사정이 없었습니다. 그는 모든 우상을 다 부수었고 우상의 제사장들은 다 죽였습니다. 그리고 우상숭배를 하다가 죽은 사람들의 뼈는 다 꺼내어서 그들이 섬기던 금송아지 제단 위에서 다 태웠습니다. 그래서 그들의 죽음은 모두 저주받은 죽음이 되었습니다.

성경에는 저주받은 죽음들이 있습니다. 그중의 하나는 이스라엘 초대 왕 사울의 죽음입니다. 그는 하나님의 사랑을 받았던 자였는데 시기심 때문에 제사장 85명을 죽이고 그는 저주를 받았습니다. 그리고 나중에 무당을 찾아가서 죽은 사무엘의 음성을 들으려고 했습니다. 그리고 또 하나의 저주받은 죽음이 가룟 유다의 죽음입니다. 그는 예수님의 제자로 뽑혀서 복음의 사자가 될 뻔했지만, 스승 예수님을 은 삼십에 팔고 양심의 가책 때문에 목을 매어서 자살했으나 줄이 끊어져서 시체가 떨어지는 바람에 배가 터져서 죽었습니다.

하나님께서는 요시야가 살아 있는 동안에는 유다가 망하는 것을 보지 않을 것이라고 하셨습니다. 그러나 유다의 귀족들은 하나님의 말씀을 믿지도 않았고 요시야를 사랑하지도 않았습니다. 그래서 유다 귀족들은 요시야를 자꾸 자극해서 전쟁에 나가게 했습니다. 이때 애굽 왕 바로 느고가 앗수르 왕과 싸우려고 유브라데 강 쪽으로 올라가는데, 요시야는 그냥 바로 느고가 지나가게 하면 되는데 굳이 유다 땅을 지나간다고 해서 므깃도에 가서 싸우다가 바로 느고의 손에 죽게 됩니다. 신하들은 요시야의 시체를 병거에 싣고 예루살렘에 와서 장사 지냈는데 이것으로 유다의 마지막 등불은 꺼지게 됩니다. 요시야는 8살에 왕이 되어서 31년간 다스렸으니까 39살의 아까운 나이에 죽게 됩니다. 그리고 22년 후에 예루살렘은 망합니다.

하나님의 말씀이 수백 년이 지난 후에 이루어졌다면 지금 우리에게 하시는 말씀은 더 이루어질 것입니다. 모두 자기 자신을 아끼고 사랑하셔서 쉽게 목숨을 버리지 마시고 교회가 오래오래 부흥되기를 바랍니다.

36
멸망을 재촉하는 왕들
왕하 24:1-20

우리가 역사를 통해서 알 수 있는 것은 모든 것이 하나님의 손에 의해 움직이게 된다는 것입니다. 하나님께서 한번 간섭하시니까 앗수르 제국이 내부적인 문제로 약화하면서 이스라엘이나 유다가 저절로 잘살게 되었습니다. 그때가 이스라엘은 여로보암 2세 때요, 유다는 웃시야 때였습니다. 그러나 이스라엘이나 유다가 정신 차리지 않으니까 하나님께서는 다시 강대국을 일으키셨습니다. 그래서 유다가 몰락할 때는 애굽도 강해지고 더 무시무시한 바벨론이라는 신흥 제국이 세력을 얻기 시작했습니다. 결국 유다는 애굽과 바벨론 사이에서 이리 치이고 저리 치이다가 나라가 망하고 말았습니다.

유다가 멸망할 때 주위에 강한 세 나라가 대립하고 있었습니다. 하나는 앗수르이고, 다른 하나는 애굽이고, 세 번째가 이제 막 고개를 들던 바벨론이었습니다. 아마 이때 바벨론이 그렇게 강대국이 되리라고는 누구도 예상하지 못했던 것 같습니다. 그때까지만 해도 앗수르가 최강대국이었고, 또 다시 애굽은 바로 느고라는 왕이 등장하면서 다시 패권을 쥐려고 힘을 쓰던 형편이었습니다. 이때 유다는 중심을 잡지 못하고 앗수르에 붙으려고 했다가 애굽에 당하고, 바벨론의 지배를 받았다가 배반을 하는 등 갈팡질팡하다가 몇 번 바벨론에 큰 타격을 입고는 결국 멸망하게 됩니다.

이때 유다에는 참으로 아쉬운 점들이 있습니다. 그 하나는 요시야가 죽고 난 후에 요시야의 아들 셋이 유다의 왕이 되는데, 그 아들 중에서 단 한 사람도 요시야같이 하나님을 제대로 믿는 왕이 없었다는 것입니다. 그렇게 신앙이 좋았던 요시야의 아들들이 모두 한결같이 하나님 보시기에 악한 자들뿐이었습니다. 만일 그들 중에서 단 한 사람이라도 하나님 앞에 정직한 자가 있었더라면 유다의 역사는 조금 달라질 수 있었을 것입니다. 그러나 요시야의 아들들은 단 한 사람도 다윗의 자손의 구실을 하지 못했습니다.

1. 여호아하스와 여호야김

유다 마지막 왕들의 역사를 보면, 일을 저지르기는 앞의 왕이 저질렀는데 그 보응은 그다음 왕이 다 받는 것을 보게 됩니다.

23:31-34, "여호아하스가 왕이 될 때에 나이가 이십삼 세라 예루살렘에서 석 달간 다스리니라 그의 어머니의 이름은 하무달이라 립나 예레미야의 딸이더라 여호아하스가 그의 조상들의 모든 행위대로 여호와 보시기에 악을 행하였더니 바로 느고가 그를 하맛 땅 립나에 가두어 예루살렘에서 왕이 되지 못하게 하고 또 그 나라로 은 백 달란트와 금 한 달란트를 벌금으로 내게 하고 바로 느고가 요시야의 아들 엘리아김을 그의 아버지 요시야를 대신하여 왕으로 삼고 그의 이름을 고쳐 여호야김이라 하고 여호아하스는 애굽으로 잡아갔더니 그가 거기서 죽으니라"

애굽의 바로 느고와 전쟁한 사람은 요시야였습니다. 역사의 가장 큰 의문점은 그렇게 신앙이 좋았던 요시야가 왜 갑자기 자기 나라의 전쟁도 아닌 애굽과 앗수르의 전쟁에 뛰어들어서 죽고 패전함으로 엄청난 부채를 유다에 물려 주게 되었느냐 하는 것입니다. 아마도 요시야는 앗수르, 애굽과 바벨론 중에서 앗수르 쪽에 붙어야 한다고 생각했던 것 같습니다. 그래서 누가 시키지도 않았는데 자기 발로 앗수르를 치러가는 바로 느고의 군대를 막았다가 자기는 죽고 유다는 패전하게 됩니다. 유다 백성이 요시야를 위해서 기도를 많이 하고 있었더라면 그런 말도 되지도 않는 결정을 할 리가 없었을 것입니다.

요시야의 아들은 넷이 있었습니다. 이 아들들의 이름은 요하난, 여호야김, 시드기야 그리고 살룸이었습니다. 요시야가 전쟁에서 죽으니까 유다 백성은 요시야의 아들 중에서 맏아들이 아닌 살룸을 왕으로 세워서 여호아하스라는 이름을 붙였습니다. 요하난은 나중에도 언급이 없어서 알 수 없고, 살룸보다는 여호야김이 분명히 형이었습니다. 그럼에도 불구하고 유다 장로들은 형을 제쳐놓고 동생인 살룸을 왕으로 세운 것은 형에게 성격적으로나 실력면에서 동생에 비하여 현격한 결함이 있었던 것 같습니다. 유다 백성들은 살룸이 형보다 더 똑똑하다고 해서 왕으로 세웠는데 여호아하스는 전혀 성경적인 사람이 아니었습니다.

성경에 보면 여호아하스가 "그의 조상들의 모든 행위대로 여호와 보시기에 악을 행하였더니"(23:32)라고 했습니다. 여기서 '악하다'는 것은 우리가 생각하는 것처럼 못된 사람이라는 뜻이 아닙니다. 성경은 성경적이지 않은 사람은 아무리 사람이 좋아도 '악하다'고 평가하는 것입니다. 유다의 왕은 백성을 하나님 말씀의 꼴이 있는 곳으로 인도하는 목자입니다. 백성이 하나님의 말씀을 잘 먹고 말씀에 순종하면 복을 받게 되어 있습니다. 물론 지금 유다에는 시간이 많이 남아 있지 않습니다. 하나님께서는 요시야가 죽을 때까지만 유다를 지켜주신다고 말씀하셨기 때문에 언제든지 멸망이 올 수 있습니다. 그러나 여호아하스가 말씀을 먹이는 일을 최우선적으로 했더라면 하나님은 또 기대를 가지고 시간을 연장해 주실 수 있는 것입니다. 그러나 아마도 여호아하스는 자신의 계획이나 청사진이 많았던 것 같습니다. 그래서 하나님께서는 아예 여호아하스가 가능성이 없다고 보시고 석 달 만에 바로 느고에게 붙들려가게 하셨습니다.

바로 느고가 보니까 전쟁에서 이겼는데 유다가 자기 허락도 없이 자기들끼리 여호아하스를 왕으로 세운 것입니다. 그래서 도저히 이렇게 내버려두어서는 안 되겠다고 해서 여호아하스를 잡아가 버리고 유다 백성이 별로 좋아하지 않는 형인 여호야김을 왕으로 세웠던 것입니다. 그리고 유다 백성들에게 어마어마한 전쟁 배상금을 물렸는데, 은이 일백 달란트이고 금이 한 달란트였습니다. 여호야김은 그 금액을 그대로 유다 백성에게 세금으로 부과해서 백성이 아주 힘들어지게 되었습니다. 이것은 결국 하나님의 뜻에서 나온 것입니다. 하나님은 하나님의 말씀에 순종치 않는 백성을 가난하게 만드셨습니다. 그리고 자기들이 원하는 왕도 빼앗아 가버려서 애굽에게 죽게 하셨습니다. 이것은 하나님의 말씀을 먹지 않는 유다 백성은 다른 어떤 축복도 받을 수 없음을 보여주는 것입니다.

하나님의 복을 받는 비결이 어디에 있습니까? 바로 하나님의 풍성한 말씀을 먹고 말씀대로 순종해서 사는 것입니다. 그러면 하나님께서 다른 나라의 공격도 막아주시고 전쟁 배상금도 내지 않게 하시는데, 말씀대로 살지 않으니까 쓸데없는 벌금이 엄청나게 나와서 큰 손실을 보게 되는 것입니다.

2. 바벨론의 공격

유다의 고통은 애굽의 바로 느고에게 전쟁 배상금을 준 것으로 끝나지 않았습니다. 이제는 유다가 바벨론으로부터 본격적으로 고난받게 되었습니다. 그때까지 세계 최강대국은 앗수르였고 그다음이 애굽이었습니다. 그러나 신흥 제국 바벨론이 앗수르를 쳐서 멸망시켜버렸습니다. 앗수르는 바벨론에 의해 멸망해서 나라가 없어져 버렸습니다. 이것만 보아도 요시야가 앗수르를 도와주려고 바로 느고를 막은 것이 얼마나 잘못된 예측이었는지 알 수 있습니다. 그리고 바로 느고도 갈그미스 전투에서 바벨론에 패하는 바람에 나일강을 넘어서 나올 생각을 하지 못했습니다. 그래서 당연히 팔레스타인의 판도는 바벨론의 수중에 들어가게 된 것입니다.

그래서 바로 느고가 유다의 왕으로 세운 여호야김 4년에 친애굽 성향을 띠고 있던 유다를 공격하기 위하여 바벨론의 느부갓네살이 예루살렘을 공격했습니다. 역대하 36장에 보면 "느부갓네살이 여호야김을 잡아서 바벨론으로 끌고 갔다"(6절)고 했는데 끌고 간 것이 아니라 끌고 가려고 했다가 다시 풀어준 것 같습니다. 그 대신에 여호야김으로부터 바벨론으로 잘 섬기겠다는 맹세를 받고 떠난 것 같습니다. 그때 성전에 있는 기물 일부가 바벨론으로 옮겨지게 됩니다.

24:1-2. "여호야김 시대에 바벨론의 왕 느부갓네살이 올라오매 여호야김이 삼 년간 섬기다가 돌아서 그를 배반하였더니 여호와께서 그의 종 선지자들을 통하여 하신 말씀과 같이 갈대아의 부대와 아람의 부대와 모압의 부대와 암몬 자손의 부대를 여호야김에게로 보내 유다를 쳐 멸하려 하시니"

여기 보면 여호야김은 바벨론 왕을 잘 섬겼으면 될 텐데 또 3년 만에 바벨론 왕을 배반했습니다. 애당초 느부갓네살이 예루살렘의 항복을 받고 서둘러서 바벨론으로 돌아간 것은 아버지 나보폴라살이 죽는 바람에 왕이 되기 위해서 돌아간 것이었습니다. 그 틈을 타서 여호야김은 바벨론을 배반했습니다. 이것은 그때까지 바벨론이 그렇게 강대국이 될지 모르고 여전히 애굽을 의지하려고 했던 것으로 보입니다.

여호야김은 여호아하스가 애굽 왕의 말을 듣지 않다가 애굽에 끌려가서 돌아오지 못하고 죽은 것을 보고 자기도 그렇게 될까 봐 두려워 바벨론을 버리고 다시 애굽에 붙으려고 한 것입니다. 물론 우리는 모든 일이 다 이루어진 후에 보니까 어떤 나라가 망하고 어떤 나라가 강해지는지 알 수 있지만, 이 당시에는 이런 정책의 방향이 너무나도 어려운 문제였던 것 같습니다. 이때 들어야 하는 것이 선지자의 말인데 선지자들은 일관되게 애굽을 의지하지 말라고 했습니다. 이스라엘 백성은 옛날 애굽에서 나온 사람들인데 무엇 때문에 다시 애굽의 부하가 되려고 하느냐 하는 것입니다.

그리고 예레미야 선지 같은 경우에는 계속 바벨론에 항복하라고 권했습니다. 그 이유는 그동안 유다 백성이 하나님 앞에 죄를 지었으니까 죄를 지은 사람은 자수해서 징역을 살아야 한다는 것이었습니다. 그러나 유다가 바벨론에 항복하면 바벨론이 재산이나 집이나 모든 것을 다 가져가고 오직 목숨 하나만 남겨둘 것입니다. 예레미야는 유다 백성에게 다른 욕심은 다 버리고 목숨 하나 건져서 다시 새 출발을 하라는 것이었습니다. 그러나 유다 백성은 바벨론보다는 그래도 애굽이 더 신사적이라고 생각해서 애굽을 의지하려고 바벨론을 배반했던 것입니다. 여호야김이 바벨론을 배반했지만 느부갓네살이 당장은 쳐들어올 수 없었습니다. 그래서 유다 주위에 있는 갈대아 군대나 암몬이나 모압의 군대가 쉴 새 없이 쳐들어와서 유다를 많이 고통스럽게 했습니다.

성경에 보면 여호야김이 어떻게 죽었는지 언급이 없습니다. 그런데 예레미야의 예언에 의하면(렘 22:18-19), 시체를 성문밖에 던져 놓고 애곡도 하지 않고 나귀를 묻듯이 땅에 묻을 것이라고 했습니다. 이것을 보면 여호야김은 끝까지 백성의 사랑을 받지 못했던 것 같고, 이런 군대들과 싸우다가 전사했을 때 백성이 미워서 거적 같은데 둘둘 말아서 아무 데나 장사를 지내버렸던 것 같습니다.

그런데 이것을 보면 신기한 것이 요시야의 아들이 이미 둘이나 왕이 되었는데, 어느 누구도 전혀 신앙적이지 않았다는 사실입니다. 나중에 여호야긴이 바벨론에 끌려가고 난 뒤에 다시 요시야의 아들 시드기야가 왕이 되는데 이 사람도 악했습니다. 이것을 보면 요시야의 개혁은 아주 가까운 사람들조차 함께 하지 못하고 자기 혼자 일방적으로 밀어붙이다가 끝났다고 볼 수 있습니다. 심지어는 그의 아들들조차도 전혀 요시야의 개혁에 영향을 받은 것이 없었습니다. 그래서 우리는 요시야의 개혁이 내부적인 개혁이 아니라 외적인 개혁이었던 것을 알 수 있습니다.

유다의 다윗의 후손은 어느 누구도 제대로 하나님의 말씀에 붙잡히기만 하면 부흥을 일으킬 수 있는 잠재력을 가진 사람들이었습니다. 그런데 요시야는 자기 아들들 중에 단 한 사람도 성경적인 인물을 길러내지 못하고 외적인 개혁에만 치중했습니다.

3. 여호야긴이 바벨론에 붙들려감

바벨론에 반역하기는 여호야김이 했는데, 바벨론의 공격을 받고 포로로 끌려간 사람은 그의 아들 여호야긴이었습니다.

24:9-10, "여호야긴이 그의 아버지의 모든 행위를 따라서 여호와께서 보

시기에 악을 행하였더라 그 때에 바벨론의 왕 느부갓네살의 신복들이 예루살렘에 올라와서 그 성을 에워싸니라"

여호야긴은 왕이 된 지 석 달 만에 바벨론의 공격을 받게 되었습니다. 여호야긴은 아예 애굽이 나일강을 넘어서 도울 수 없다는 것을 알고 일찌감치 항복해버렸습니다. 그러나 항복한 대가는 너무나도 가혹했습니다. 느부갓네살이 보기에 유다의 죄질은 아주 좋지 못하다고 보았기 때문입니다. 즉 여호야긴은 빨리 항복했지만, 그 아버지 여호야김이 3년 만에 바벨론을 배신했기 때문에 절대로 그냥 두어서는 안 되겠다고 생각을 한 것 같습니다. 그래서 여호야긴이 빨리 항복했음에도 불구하고 느부갓네살은 여호야긴을 용서하지 않고 바벨론에 포로로 붙들어 갔습니다. 여호야긴과 그의 어머니와 왕비와 유다의 똑똑하다는 사람 일만 명을 포로로 붙들어 갔던 것입니다. 이것은 어느 나라가 완전히 망하지 않은 규모로서는 대단히 큰 규모였습니다.

여기서 우리는 한 가지 공통점을 살펴볼 수 있습니다. 그것은 새로 등장하는 강대국마다 유다를 도저히 그냥 두어서는 안 되는 질이 나쁜 나라로 보고 있다는 점입니다. 애굽의 바로 느고는 여호아하스를 도저히 그냥 두어서는 안 되겠다고 생각해서 애굽으로 끌고 갔고, 바벨론의 느부갓네살은 여호야긴을 바벨론에 포로로 붙들어 갔습니다. 이것은 사실 유다의 반역적인 성향을 그대로 보여주는 것입니다. 유다는 그동안 하나님의 사랑을 받으면서 대단히 교만해져 있었습니다. 그래서 하나님의 말씀도 불순종할 정도였기 때문에 다른 나라에 대해서도 고분고분할 리가 없었습니다. 이것을 세상 왕들은 이미 간파하고 있었던 것입니다. 유다는 그때까지 예루살렘이 함락된 적이 없었습니다. 그리고 어느 나라도 유다를 완전히 멸망시킨 적은 없었습니다. 그러니까 위기가 생겼을 때도 이 위기만 넘기면 하나님께서 또 우리를 지켜주실 것이라는 안일한 생각을 가지고 있었던 것입니다. 그러나 이번은 그렇게 간단하지 않았습니다. 하나님께서 유다의 이삿짐을 옮기고 계셨기 때문입니다.

느부갓네살은 유다의 엘리트 만 명을 끌고 갔습니다. 이때 다니엘이라든지 그의 세 친구나 에스겔 같은 인물이 바벨론으로 붙들려갔습니다. 그리고 공장과 대장장이들을 다 사로잡아 가서 다시는 무기를 만들지 못하게 했고, 성전과 왕궁의 보물들을 모조리 다 빼앗아가서 유다를 알거지로 만들어버렸습니다. 실제로 유다는 이때 완전히 껍데기만 남고 속 알맹이는 모두 바벨론에 빼앗긴 셈이었습니다.

하나님께서는 요시야가 죽은 후에 유다는 파산할 수밖에 없다는 것을 알고 계셨습니다. 그래서 하나님은 성전 기구에서부터 시작해서 몇 가지라도 일단 옮길 수 있는 것은 바벨론으로 옮겨 놓으셨던 것입니다. 이것은 사실 놀라운 하나님의 지혜였고 바벨론으로 옮겨 놓으셨기 때문에 70년이 지난 후에도 예루살렘으로 돌아올 자가 있었던 것입니다.

하나님의 눈에 예루살렘은 완전히 부서질 도시였고 남겨 놓는 것은 다 부서지고 멸망할 것들이었습니다. 어떤 의미에서는 이때 더 많은 사람이 붙들려갔더라면 살아남을 사람들이 더 많을 뻔했습니다.

그래서 예레미야가 일관되게 선포한 것이 바벨론에 항복하라는 것이었습니다. 차라리 바벨론에 붙들려가는 것이 더 안전하다는 뜻이었습니다. 이미 성전 기능을 잃어버린 성전은 어느 누구도 지켜주지 못하기 때문입니다. 특히 하나님은 소멸하는 불이십니다. 성전은 바로 하나님의 진노의 심판을 축복으로 바꾸는 곳이었습니다. 예루살렘 성전은 원자력을 에너지로 바꾸는 곳이었습니다. 그런데 성전의 기능이 고장 나니까 성전에서부터 불이 나와서 모든 것을 다 태워버리는 것입니다. 그래서 이 세상에서 가장 큰 죄는 성전의 기능을 고장 나게 하는 것입니다.

우리가 이 사회를 살리고 우리나라를 지키는 방법은 하나님의 말씀을 지키고 눈물의 기도를 하나님께 드리는 것입니다. 그러면 하나님께서 끝까지 우리나라와 이 도시를 지켜주실 것입니다. 그러나 그런 기능은 죽고 외형만 화려하게 해서 사람들의 시선을 끌려고 할 때는 하나님은 진실한 성도들을 한 사람씩 옮겨버리고 온 세상을 불이나 전쟁으로 심판하실 것입니다.

우리나라는 지금 미국과 일본과 러시아와 중국과 북한이라는 나라 사이에서 계속 눈치를 보아야 하고 여기에 붙었다 저기에 붙었다 줄다리기를 해야 하는 처지에 있습니다. 우리의 미래는 어느 누구도 예측할 수 없는 가운데 있습니다. 그러나 우리가 확신하는 것은 참새 한 마리도 하나님의 허락 없이는 땅에 떨어질 수 없다는 것입니다. 우리가 하나님 앞에 정직하면 우리가 강대국에게 붙지 않아도 기가 막힌 하나님의 지혜로 우리를 지켜주실 것입니다. 그래서 우리는 외형적인 변화나 부흥으로 만족해서는 안 됩니다. 오히려 외형적인 부흥의 한계를 인식하고 철저하게 내실을 다져야 하겠습니다. 화려한 교회 건물이나 요란한 행사가 우리를 지켜주지 못할 것입니다. 하나님 말씀의 꼴로 인도하면 그 말씀을 먹고 기도할 때 하나님의 복이 임하는 것을 알아야 합니다. 때가 급하면 급할수록 더 철저하게 하나님의 방법으로 나가야 하나님의 긍휼하심을 얻을 수 있습니다. 우리는 이런 성전의 기능을 바로 지켜야 하겠습니다.

37
예루살렘의 멸망
왕하 25:1-30

한나라가 망하는 것을 생생하게 보았던 예가 월남의 멸망이었습니다. 월남은 공산주의의 확장을 막기 위해서 미군이 폭탄을 쏟아부었고 무지무지한 돈을 부었습니다. 우리나라도 많은 군인이 가서 전쟁하다가 목숨을 잃었습니다. 이때 월남은 나라가 썩을 대로 썩어 있었습니다. 월남 지도자들은 자기들을 도우려고 보낸 미군의 군사 물자를 팔아 먹어버렸습니다. 그리고 대학생들이나 승려나 지성인들은 극렬하게 전쟁을 반대하는 데모를 벌였습니다. 결국 월남은 망하게 됩니다. 월남은 미대사관 옥상에서 마지막 피난민을 옮기는 헬기가 뜨는 것으로 나라가 끝나게 됩니다. 그리고 많은 월남 사람들이 배를 타고 월남을 탈출했는데 이 사람들을 '보트피플'이라고 했습니다. 이들 중에는 이웃 나라로 탈출하는 데 성공한 사람들도 있지만, 대개는 해적의 공격을 받아서 죽임당하고 재물을 다 빼앗겼습니다. 보트피플의 운명은 비참했습니다. 그러나 도망가지 못하고 남아 있던 외국인들이나 월남 사람들은 모두 죄수가 되어서 고문을 당하고 감옥살이를 하든지 아니면 강제노동을 해야만 했습니다.

예루살렘의 멸망이 바로 그러하였습니다. 유다 백성은 우상숭배하고 하나님의 말씀대로 살지 않으면서도 우리는 하나님의 백성이기 때문에 절대로 하나님이 우리를 버리지 않으실 것이라는 신념이 있었습니다. 그러나 예루살렘은 그들의 신념이나 기대대로 하나님의 도움을 받지 못하고 결국 서서히 바다에 침몰하는 배같이 멸망하고 맙니다. 그래서 구약 이스라엘과 유다의 역사는 유다 예루살렘의 멸망으로 끝나게 됩니다. 그래서 항복한 유다 백성들은 모두 바벨론에 포로로 끌려가게 되고, 전쟁 때 주위로 도망치거나 남아 있던 가난한 자들은 믿음이 없어서 바벨론 왕이 남겨준 총독을 죽이고 애굽으로 피난 갔다가 이차로 다시 멸망 당하게 됩니다. 결국 유다의 운명은 유다 백성의 기대나 신념대로 된 것이 아니라 하나님의 말씀대로 이루어졌습니다. 바른 믿음이라는 것은 하나님의 말씀을 믿고 순종하는 것입니다. 말씀과 동떨어진 자기만의 신념이나 기대는 위기 때 아무 힘이 없게 됩니다.

1. 바벨론 왕의 공격

유대의 역사가들은 유다의 멸망을 약 만 명 이상의 유다 왕과 관리들과 똑똑한 자들과 기술자들이 잡혀갔던 여호야긴 때라고 생각합니다. 그러나 공식적으로 유다의 역사는 시드기야에 의해서 11년간 이어지게 됩니다. 바로 이 11년이라는 시간은 이미 심장이 멎은 사람을 다시 살리기 위해서 심폐소생을 시키는 기간이었습니다. 결국 유다는 다시 살지 못하고 시드기야 왕 11년에 망하고 맙니다. 이때 유다의 완전한 멸망을 피하기 위하여 활약했던 선지자가 예레미야 선지자였습니다. 예레미야는 유다와 예루살렘이 완전히 불에 타거나 멸망하지 않기 위하여 오직 한 가지 방법이 있는데, 그것은 바로 바벨론 왕에게 항복하는 것이라고 주장했습니다. 예레미야가 이렇게 주장했던 이유는 유다 백성이 죄를 지었으면 마땅히 하나님 앞에서 죗값을 갚아야 했기 때문입니다. 그래서 가진 금이나 은이나 모든 가족을 다 빼앗기고 알거지로 살 각오를 하면 예루살렘 성전도 불타지 않고 예루살렘 성도 무너지지 않고 백성도 목숨만은 건질 수 있다고 주장한 것입니다. 그러나 유다 백성은 죄는 죄대로 지어놓고 하나도 손해를 보지 않으려고 했습니다. 그러니까 결국 그들은 모든 것을 다 잃어버리고 목숨까지 잃는 수밖에 없었던 것입니다.

드디어 시드기야 왕 구년에 바벨론 왕 느부갓네살이 유다를 쳐들어왔습니다. 사실 바벨론 왕 느부갓네살은 예루살렘을 공격하거나 포위하는 것을 두려워했습니다. 옛날 히스기야 왕 때 앗수르 군대가 예루살렘을 포위했다가 하룻밤 사이에 18만 5천 명이 죽은 일이 있었기 때문입니다. 예루살렘은 느부갓네살에게는 두려운 신비의 성이었습니다. 그러나 막상 느부갓네살이 여호야긴 때 예루살렘에 와 보니까 이 성은 기도도 없었고 말씀도 없었고 찬송 소리도 없었고 전부 자기 잘난 체만 하고 죄짓고 먹고 마시는데 빠져 있었으므로 더 이상 두려운 도성이 아니었습니다.

유다의 마지막 왕 시드기야 9년에 바벨론 왕이 예루살렘을 침공했는데, 예루살렘은 너무 튼튼한 성이어서 함락시키기가 쉽지 않았습니다. 그래서 느부갓네살은 예루살렘 성 밖에 토성을 쌓고 3년 동안이나 예루살렘을 포위했습니다. 처음에는 유다 백성이 바벨론 군대를 잘 물리쳤습니다. 그들은 성벽으로 기어오르는 바벨론 군사들을 큰 돌로 치기도 하고 끓는 기름을 부어서 죽이기도 했습니다. 그러나 전쟁은 3년이나 계속되었습니다. 그동안 유다 백성은 양식이 다 떨어지게 되었고 또 큰 흉년까지 드니까 그들은 모두 굶주리게 되었습니다. 그래서 유다가 망할 때는 전부 굶어서 배가 고파서 싸울 수 없어서 성이 함락되었던 것입니다.

드디어 시드기야 왕 11년에 성의 일부가 무너지니까 시드기야 왕이나 군인들은 비상구를 통해서 밤중에 도망을 시도했습니다. 예루살렘에 성벽이 내벽과 외벽이 있는데, 그 두 성벽 사이에 왕의 동산 곁문에 비상 탈출구가 있었던 것입니다. 시드기야와 귀족들과 장군들은 그 비상통로로 탈출해서 다른 나라로 도망치려고 사해 쪽으로 달아났습니다. 그러나 바벨론 군대는 더 빠르게 유다 왕을 추격해와서 왕을 사로잡으니까 장군들이나 귀족들은 모두 다 흩어져 도망을 쳤습니다.

나라가 망하기 전에, 예레미야는 시드기야 왕을 찾아와서 자기가 설교했던 하나님의 말씀을 두루마리 책으로 적어서 왕 앞에서 읽게 했습니다. 그러나 시드기야는 하나님의 말씀을 들으면서도 작은 칼을 꺼내어서 그 두루마리를 찢어서 전부 불에 태워버렸습니다(렘 36:20-26). 그 이유는 예루살렘은 강경파들이 잡고 있었기에 왕이 하나님의 말씀을 듣고 흔들리면 강경파가 자기를 죽일 것이 두려웠기 때문입니다. 그래서 성경은 우리의 목숨만 죽이는 사람을 두려워하지 말고 우리의 영혼까지 지옥에 던지는 하나님을 두려워하라고 말씀하고 있습니다. 우리가 사람을 두려워하지 않고 하나님을 두려워하면 반드시 살길이 생기게 되어 있습니다. 그러나 시드기야는 이미 죽어 있는 유다의 왕이 되었으면서도 하나님의 말씀을 듣지 않고 강경파 사람들을 두려워해서 끝까지 싸우다가 나중에는 사로잡히고 말았습니다.

> 25:7, "그들이 시드기야의 아들들을 그의 눈앞에서 죽이고 시드기야의 두 눈을 빼고 놋 사슬로 그를 결박하여 바벨론으로 끌고 갔더라"

이때 느부갓네살 왕은 예루살렘까지 오지 않고 립나라는 곳에 있었는데, 시드기야가 잡혀 오는 것을 보고 그가 보는 앞에서 아들들을 다 죽이고 시드기야의 두 눈을 뽑고 놋사슬로 묶어서 바벨론까지 잡아갔던 것입니다.

2. 두 가지 정책

느부갓네살 왕은 예루살렘이 멸망한 후 8년 동안이나 예루살렘을 파괴하지 않고 그대로 두었습니다. 그 대신에 느부갓네살은 크게 두 가지 일을 했습니다. 하나는 예루살렘의 가난한 자들에 대한 배려를 시행했습니다. 느부갓네살은 모든 유다 백성을 바벨론으로 다 잡아 가지 않았습니다. 그 대신에 예루살렘의 가난한 자들은 그대로 유다 땅에 살게 했습니다. 그때는 유다의 부자들이 다 바벨론에 다 잡혀갔기 때문에 유다에는 주인이 없는 포도원이나 밭이 많았습니다. 바벨론 왕은 유다의 가난한 자들에게 마음껏 농사도 짓고 포도 농사를 지어서 마음껏 배불리 먹고 살게 했습니다. 그런데 이들에게는 하나님에 대한 믿음이 없었습니다. 하나님께서 바벨론 왕을 통해서 주인 없는 땅을 농사지어서 살게 하셨으면 그렇게 살면 되는데, 그들은 언젠가 또다시 바벨론 왕이 쳐들어와서 자기들을 죽일까 두려워했습니다. 하나님께서 예레미야나 총독 그달리야를 통해서 농사를 짓고 편하게 살라고 하셨으면 그 말씀을 믿고 살면 되는 것입니다.

그러나 그들은 그 말을 믿지 못했습니다. 그래서 그들은 드디어 바벨론이 임명한 총독을 죽이고 애굽으로 피난 갔다가 거기서 그곳까지 쳐들어온 느부갓네살 군대에게 또 공격당해서 두 번이나 전쟁을 겪고 죽임을 당하고 말았습니다. 느부갓네살의 다음 공격지는 애굽이었기 때문입니다. 그들이 믿음이 있었더라면 한 번만 전쟁을 겪고 그 다음에는 편하게 살 수 있었을 텐데 믿음이 없었기 때문에 비참한 죽임을 당하고 말았던 것입니다.

그리고 느부갓네살 왕은 끝까지 항복하지 않은 예루살렘 사람들은 다 죽였습니다. 예레미야는 시드기야 왕과 백성에게 그들이 살 수 있는 길은 바벨론 왕에게 항복하는 것이라고 주장했습니다. 그러나 시드기야 왕은 예레미야의 말은 너무 비겁하고 애국심이 없다고 생각

해서 끝까지 무모하게 싸웠습니다. 그러나 바벨론 왕은 끝까지 항복하지 않은 자들을 전부 죽였습니다

25:18-19, "시위대장이 대제사장 스라야와 부제사장 스바냐와 성전 문지기 세 사람을 사로잡고 또 성 중에서 사람을 사로잡았으니 곧 군사를 거느린 내시 한 사람과 또 성 중에서 만난 바 왕의 시종 다섯 사람과 백성을 징집하는 장관의 서기관 한 사람과 성 중에서 만난 바 백성 육십 명이라"

바벨론에 끝까지 항복하지 않고 싸운 사람들은 잡히는 대로 전부 립나에 있는 바벨론 왕 느부갓네살에게 잡혀가서 거기서 전부 다 처형을 당했습니다. 그리고 항복한 사람들은 죽이지 않고 모두 바벨론에 포로로 잡아갔습니다. 그들은 포로로 잡혀가긴 했지만 애굽에서 회개하고 하나님을 만나게 되고, 에스겔이나 예레미야가 남긴 말씀으로 다시 믿음을 되찾아서 그들은 죽지만 그들의 아들이나 손자들은 70년 후에 예루살렘으로 돌아오게 됩니다.

3. 드디어 성전이 불타다

바벨론 왕은 처음에는 예루살렘 성전을 불태우지 않고 8년간이나 그냥 두었습니다. 그러나 바벨론 왕이 남겨두고 간 유다 백성이 다시 바벨론 왕에게 반역을 일으켰습니다. 즉 바벨론 왕은 가난한 유다 백성을 불쌍히 여겨서 유다 땅에 남아서 주인이 없는 포도원이나 밭을 농사지어서 살라고 했습니다. 그리고 그들의 질서를 위해서 유다 출신 사람인 그달리야를 총독으로 임명해서 남아 있는 유다 백성을 돌보게 했습니다. 그러나 바벨론 군대가 돌아가니까 그동안 산이나 들로 도망쳤던 유다 장군이나 군인들이 유다 땅으로 돌아오기 시작했습니다.

25:23. "모든 군대 지휘관과 그를 따르는 자가 바벨론 왕이 그달리야를 지도자로 삼았다 함을 듣고 이에 느다니야의 아들 이스마엘과 가레아의 아들 요하난과 느도바 사람 단후멧의 아들 스라야와 마아가 사람의 아들 야아사니야와 그를 따르는 사람이 모두 미스바로 가서 그달리야에게 나아가매"

예루살렘이 멸망할 때 유대인들이 모두 끝까지 남아서 싸웠던 것이 아니라 부하들을 데리고 도망친 장관이나 장군들도 많이 있었습니다. 심지어 어떤 귀족은 모압이나 암몬 혹은 에돔까지 도망가서 목숨을 건졌던 것입니다. 그러나 그들은 바벨론 왕이 유대인 총독을 남겨놓고 다시 자기 나라로 돌아갔다는 말을 듣고 숨어 있던 곳에서 나오기 시작했습니다. 그래서 그들은 일단 총독 그달리야에게 가서 그의 말을 듣는 것처럼 말하면서 마음으로는 애굽으로 도망칠 생각을 가지고 있었습니다.

이때 그달리야는 돌아온 장관과 백성에게 "너희는 바벨론 왕을 섬기는 것을 두려워하지 말라"고 했습니다. 그리고 "유다 백성이 잡혀간 이 땅에 남아서 바벨론 왕을 섬기라"고 했습니다. 그달리야는 아무리 바벨론 왕이라 하더라도 하나님의 말씀을 붙잡는 자들은 해치지 못한다고 강조했습니다. 그러나 유다 백성은 그 말을 믿지 못했습니다. 그래서 그들은 또다시 자기들의 생각에 빠져서 그냥 거기에 살라고 하는 예레미야의 말을 듣지 않고 총독 그달리야를 죽이고 남아 있는 바벨론 군인들을 죽이고 아예 예레미야를 포로로 잡아서 애굽으로 도망쳤습니다.

이때 바벨론 왕 느부갓네살은 유대인들에 대하여 철저하게 실망하게 됩니다. 느부갓네살 왕은 끝까지 반항하고 싸우는 예루살렘 사람들을 불쌍히 여겨서 그중에서 가난한 자들은 먹고 살 수 있게 했으나 그들은 끝까지 반항적이었습니다. 그래서 결국 자기 민족 총독을 죽이고 바벨론 군인들을 죽이고 애굽으로 도망치는 유대인들을 그냥 둘 수 없었습니다. 왜냐하면 유대인들은 반항으로 똘똘 뭉쳐진 아주 질이 나쁜 자들이었기 때문입니다. 그래서 드디어 느부갓네살 왕은 자기 수비대장 느부사라단을 보내어서 예루살렘 성전을 불태우고 왕궁도 불태우고 모든 집을 다 불태우고 성벽을 헐게 해서 예루살렘의 흔적을 찾을 수도 없게 했습니다.

> 25:8-9, "시위대장에게 속한 갈대아 온 군대가 예루살렘 주위의 성벽을 헐었으며 성 중에 남아 있는 백성과 바벨론 왕에게 항복한 자들과 무리 중 남은 자는 시위대장 느부사라단이 모두 사로잡아 가고"

하나님을 예배하던 집 예루살렘 성전, 사람들로 하여금 하나님의 말씀을 듣게 하고 기도하게 하던 예루살렘 성전이 드디어 불타서 없어지게 되었습니다. 성전은 유다 백성의 꿈이요 희망이었는데 그들의 희망과 꿈이 불에 타서 없어지게 되었습니다. 이제는 왕궁도 없어지고 귀족들의 집도 없어지고 말았습니다. 그리고 바벨론 군인들이 예루살렘 성벽까지 허무는 바람에 예루살렘은 성까지도 없어지고 말았습니다.

그 대신 시위대장 느부사라단은 성전에서 엄청난 놋을 발견했습니다. 그것은 성전의 두 놋 기둥이었습니다. 이 놋 기둥을 만드는데 놋이 얼마나 많이 들었던지 무게를 잴 수 없었습니다. 또 바벨론 군대는 놋으로 된 큰 통인 바다를 깨어서 수레에 싣고 갔습니다. 이것으로 바벨론 군대는 화살촉 수십만 개 만들 수 있었습니다. 성전의 두 기둥이 제대로 자기 구실을 하지 못하니까 백성을 지켜주지도 못하고 사람들을 죽이는 전쟁 무기가 되고 말았던 것입니다. 바벨론 군대는 성전의 놋을 이용해서 화살을 만드는 재료는 걱정할 필요가 없게 되었습니다.

그리고 느부사라단은 성전에서 제사용으로 쓰던 가마나 부삽이나 부집게나 숟가락이나 모든 놋그릇을 다 가져가고 불 옮기는 그릇과 금이나 은으로 만든 주발들도 다 가져갔는데, 그것들은 부수지 않고 왕의 창고에 넣어서 보관했다가 나중에 유다 백성이 포로에서 돌아올 때 다시 가져오게 됩니다. 유다 백성은 자기들이 바벨론 왕궁 안에 넣은 그릇들을 가지고 예루살렘에 돌아올 것은 기대도 하지 않았습니다. 그러나 하나님은 못 하실 일이 없습니다. 바벨론 군대를 일으키사 예루살렘을 공격하게 하신 분도 하나님이시고, 70년이 지난 후 유다 백성으로 하여금 다시 예루살렘에 돌아와서 성전을 짓게 하신 분도 하나님이십니다.

> 25:26, "노소를 막론하고 백성과 군대 장관들이 다 일어나서 애굽으로 갔으니 이는 갈대아 사람을 두려워함이었더라"

하나님의 백성이 하나님을 두려워하지 아니하고 사람을 두려워하면 하나님이 주신 복도 챙기지 못하고 결국은 망하는 길로 가게 됩니다.

유다의 공식적인 왕은 여호야긴이었습니다. 그는 바벨론에 포로로 잡혀가 37년 동안이나 죄수로 감옥에 갇혀 있었습니다. 37년이란 세월은 결코 짧은 세월이 아닙니다. 그러나 여호야긴은 37년 만에 감옥에서 석방되었을 뿐 아니라 새 옷을 입고 왕의 식탁에 앉아서 왕자와 같은 대접을 받게 되었습니다. 이것이 이스라엘 자손들의 원래의 모습이었습니다.

그들이 우상만 섬기지 않았더라면 포로 생활을 할 필요도 없었는데 우상에 빠지는 바람에 그만 모든 지위나 존귀함을 다 잃고 말았던 것입니다. 여호야긴은 먹을 것을 전부 왕으로부터 공급받는데 죽을 때까지 끊어지지 않았다고 했습니다. 하나님께서 여호야긴을 석

방하신 것은 앞으로 유다 백성을 자유케 하실 상징이 되고, 하나님께
서 그들의 먹을 것이나 그들의 모든 안전을 지켜주실 상징이 되는 것
입니다.